L'INDE
SEDUCTION ET TUMULTE

Dirigé par DENYS CRUSE

AUTREMENT REVUE : 4, RUE D'ENGHIEN, 75010 PARIS. TÉL. : 770.12.50.

Directeur-rédacteur en chef : Henry Dougier. Rédaction : Jules Chancel, Yan de Kerorguen. Edwige Lambert, Brigitte Ouvry-Vial, Bruno Tilliette. Direction technique : J. F. Pinto-Rousseau. Fabrication/Secrétariat de rédaction : Bernadette Mercier. Direction artistique : Corinne App. Gestion et administration : Anne Allasseur. Agnès André. Jean-Pierre Cerutti. Henri Dausque. Pascale Mairé. Thierry Malvoisin. Hélène Werlé. Attachée de presse : Catherine Philippot. Abonnements : Nathalie Moquay.

6

ÉDITORIAL : LE RÉEL ET LE DÉTACHEMENT

DENYS CRUSE

─────── *I. MIRAGES ET NOSTALGIES* ───────

14

BÉNARÈS, BANARAS, VARANASI... KASHI

YVES VÉQUAUD

La plus vivante ville du monde, sans aucun doute, puisque l'on y
vient pour s'y préparer à mourir.

20

L'ÉCRAN DE BOMBAY

NASREEN KABIR

Un grand mythe du cinéma contemporain populaire : l'enfant
perdu et retrouvé.

25

DIEUX OU VEDETTES

NASREEN KABIR

Une star suffit à faire un film.

26

UNE ACTRICE NOUVELLE VAGUE

SMITA PATIL

(propos recueillis par Denys Cruse)
L'une des plus grandes actrices indiennes se préoccupe aussi de
la condition féminine.

32

ET SHIVA DANSERA TOUJOURS

VIJAY SINGH ET SHOBA RAGHURAM

« De la substance de toutes les sciences, de la mise en œuvre de
tous les métiers, je fais le cinquième savoir qui s'appellera
théâtre. » Un voyage à travers les écoles de danse.

38

Photographies d'Anne Garde (texte de Laure Vernière)

44

L'UNIVERS EST UN TEMPLE

YVES VÉQUAUD

L'hindouisme : plus qu'une religion, un comportement culturel
aux mille facettes.

52

MAHÉ, L'OUBLI

DIDIER SANDMAN

Nostalgie d'un ancien comptoir français.

55

LES HÉRITIERS DE DUPLEIX

GÉRARD IGNASSE

A Pondichéry, ils sont encore 14 000 aujourd'hui à avoir la
nationalité française.

58

RULE BRITANNIA

JOËLLE WEEKS

Souvenirs de l'Inde victorienne.

II. L'HOMME DIVISÉ

66
LE CASSE-TÊTE DES CASTES
YVES VÉQUAUD
S'il y a quatre grandes castes, chacune se divise et redivise en milliers de groupes. Comment s'y retrouver ?

72
Photographies de Martine Voyeux (texte d'Yves Véquaud)

77
UNE JOURNÉE ORDINAIRE DE NANDALAL
GÉRARD HEUZÉ
La lutte pour la survie d'un chômeur de la mine.

88
LA LENTE ÉMANCIPATION DES INTOUCHABLES
DENIS MAZAUD
(propos recueillis par Martine Salbert)
Au Bihar, les paysans les plus pauvres commencent à s'organiser pour briser le cercle de la violence.

91
GUIDE A KHAJURAHO
KRISTIAN FEIGELSON ET JACQUES PARAY
« Ma richesse est ma parole, et si nous devons vivre le présent, aujourd'hui je ne crois pas au futur. »

94
MOTHER INDIA
MARIE PERCOT
Si la féminité est une valeur fondamentale de l'Inde, la femme étouffe souvent au sein d'une famille envahissante aux principes rigides.

99
LA DOT OU L'ANGOISSE D'AVOIR UNE FILLE
MARIE PERCOT
Bien qu'officiellement interdite, l'institution de la dot a des conséquences désastreuses.

101
UN BEAU MARIAGE
COLETTE MORIN
Petites annonces astrologiques et cérémonies en vidéo.

103
LE VILLAGE ET LE MONDE
JEAN-LUC CHAMBARD
(propos recueillis par Denys Cruse)
La vie quotidienne d'un village de l'Inde centrale vue par un ethnologue.

111
A TABLE ! (MAIS SANS TABLE)
YVES VÉQUAUD
Dis-moi ce que tu manges, je te dirai ce que tu es !

114
Photographies de Jean-Pierre Favreau (texte d'Yves Véquaud)

120

LES TERMITES

MADHAU KONDVILKER

L'auteur de cette nouvelle, qui met en scène l'histoire typique
d'une famille intouchable chambhar, est lui-même un instituteur
intouchable, un maître d'école tout ordinaire.

III. DES MONDES DANS UN MONDE

136

L'UNITÉ INDIENNE

JACQUES DUPUIS

Si l'unité politique de l'Inde est récente, sa personnalité propre
est impliquée depuis toujours dans sa culture.

139

LE KERALA : CONSCIENCE SOCIALE DE L'INDE

RAMESH CHANDRAN

Cette région, la plus alphabétisée du continent, a été jusqu'à
maintenant un laboratoire d'expérimentations politiques et
sociales.

144

MALGRÉ TOUS LES DIEUX...

VIJAY SINGH ET SHOBA RAGHURAM

Les « dégâts du progrès » pour les tribus de Chattisgarh.

149

BOMBAY : GRANDEURS ET MISÈRES

RAMESH CHANDRAN

City of Gold ou Londres indienne, l'ancien joyau du Raj risque
de sombrer sous sa propre démesure.

155

Photographies de François Dupuy (texte d'Yves Véquaud)

162

LA TRÈS ACTIVE DIASPORA
DES SIKHS LONDONIENS

FLORENT RICHARD

Malgré leurs professions de foi pour la création d'une
République du Khalistan, les Sikhs de Londres semblent bien
intégrés.

IV. MUTATIONS TRANQUILLES

170

4 BÉBÉS TOUTES LES 5 SECONDES

PIERRE AMADO

Il ne naît pas plus d'enfants qu'avant, il en meurt moins. Et
après bien des campagnes hasardeuses, pour les responsables
aujourd'hui, « la meilleure contraception, c'est le
développement ».

178

MADE IN INDIA

MICHEL ARTHUR

L'Inde produit tout elle-même : du camion au satellite en passant
par le micro-ordinateur et jusqu'à... ses chercheurs qui
représentent une des premières communautés scientifiques du
monde.

188

LES TRIBULATIONS D'UN ENTREPRENEUR DYNAMIQUE

BRIGITTE SILBERSTEIN

Ce ne sont pas l'absence d'initiatives ou le désintérêt pour les choses matérielles qui ralentissent l'industrialisation, mais plutôt le manque de capital et l'étroitesse du marché intérieur.

195

VERS L'AUTOSUFFISANCE ALIMENTAIRE ?

MICHEL ROCARD

(propos recueillis par Denys Cruse)

D'un voyage en Inde en tant que ministre de l'Agriculture, Michel Rocard est revenu impressionné par les réalisations dans le domaine agricole et par la volonté politique d'un développement rural sur le long terme. Il évoque aussi l'importance des programmes de coopération entre la France et l'Inde.

202

LA PASSION DE LA POLITIQUE

MICHEL JACQUOT

Pour les habitants de la plus grande démocratie du monde la politique est surtout un jeu et un spectacle.

206

LA FOIRE AUX IMAGES

MARIE PERCOT

Dans un pays depuis toujours foisonnant d'images la partie était facile à gagner pour le cinéma d'abord et, aujourd'hui, pour la vidéo.

212

50 MILLIONS DE CONSOMMATEURS !...

MARIE PERCOT

Une classe moyenne qui s'accroît et consomme de plus en plus : un bel avenir pour la publicité.

215

LE KATHAKALI

SADANAM ANNETTE

Comment vit et se transforme une danse de la nuit des temps présente et sensible aux influences modernes.

220

Photographies de Jean-Pierre Favreau (texte d'Yves Véquaud)

226

GLOSSAIRE

• **Abonnements** : *Abonnement* : 1 an (10 numéros) : 495 F (France) ; 570 F (étranger) — *Abonnement couplé* : 10 numéros + 5 numéros hors série, centrés sur les villes et pays étrangers, soit 15 numéros : 810 F (France) — 920 F (étranger). *Abonnement hors-série* : 315 F (étranger : 350 F). Établir votre paiement (chèque bancaire ou postal, mandat-lettre) à l'ordre d'Autrement et l'envoyer à Autrement, 4, rue d'Enghien, 75010 Paris. Les virements postaux sont à effectuer à l'ordre de Nexso (C.C.P. Paris 1-198-50 C). Le montant de l'abonnement doit être joint à la commande. Veuillez prévoir un délai d'un mois pour l'installation de votre abonnement, plus le délai d'acheminement normal. Pour tout changement d'adresse, veuillez nous prévenir avant le 15 du mois et nous joindre votre dernière étiquette d'envoi. Un nouvel abonnement débute avec le n° du mois en cours.
• **Vente individuelle des numéros déjà parus** : revue Autrement, 4, rue d'Enghien, 75010 Paris.
• **Diffusion en librairie** : Éditions du Seuil.

LE RÉEL ET LE DÉTACHEMENT

L'Inde est un grand film. Et nous, spectateurs occidentaux, venons tout y puiser : nos origines, notre Moyen Age, nos raisons de fuir la réalité ou de retrouver une âme, l'aventure aussi et le mythe.

Où est possible, en effet, une telle immersion dans un monde baigné de signes, de symboles d'autant plus étranges pour nous que, par-delà l'attitude différente face à la vie, nous sentons la proximité d'origines culturelles communes ? Tandis que certains veulent y abandonner toutes leurs références occidentales, d'autres lorsqu'ils tentent d'en déchiffrer la réalité sociale se perdent dans une complexité qui permet d'échafauder tous les systèmes. Et leurs visions sont parfois tout aussi fantasques que les délires des aventuriers.

Ce pays où l'on croit et s'intéresse bien plus aux épopées mythiques qu'à l'Histoire réelle ne serait-il donc qu'un pays imaginaire, comme ceux qu'inventa Borgès, avec leurs multiples langues et leurs textes sacrés ?

Mais il y a aussi ceux qui, avec modestie et passion, viennent simplement regarder, regarder...

En effet, si l'on quitte la surface, si l'on traverse l'écran, si l'on plonge dans la réalité des Indiens, alors le réveil est brutal. D'un monde insaisissable, onirique, on pénètre dans une civilisation ancienne toujours présente. Mais ce sixième de l'humanité, traversé de convulsions, affronte aussi ce qu'il faut bien appeler le réel. Cette réalité indienne elle est souvent haïe ou adulée. Etrange cette difficulté à observer, à parler calmement d'un monde censé tendre au nirvana ! Comme si du film on retenait non des hommes, mais deux groupes d'images totalement dissociées : les planantes et les sordides, la non-violence et la barbarie, etc.

Facilité d'Occidentaux qui ne veulent pas prendre en compte la toile de fond humaine de ce grand écran ? Certainement. Mais les Indiens, à force de jouer de l'équilibre entre vie-illusion et vie-réelle, entre statisme et assimilation, ne nous facilitent pas la tâche. Si l'idée de progrès leur est une notion sans importance, elle n'empêche pas l'intégration de moyens modernes. Et le dynamisme du commerce atteste que l'Inde matérialiste existe bel et bien.

Ce pays qui ne vous considère que selon votre appartenance au groupe (la caste) est en même temps le seul au monde à « institutionnaliser » la marginalité de millions d'individus errants de vil-

PAR DENYS CRUSE

les en villes, les Sadhous. Ici le même étudiant qui loin de tout fatalisme se démène pour un changement des rapports sociaux vous dira sa totale indifférence à la mort demain. De cette ambiguïté naît aussi l'irrésistible séduction de ces hommes qui, hors de leurs extrêmes, ne se laissent pas facilement aborder.

Tout est envisageable et acceptable quand la vie est une notion relative. Et souvent rien n'est possible dans la dure quotidienneté où se débat le gamin fou de stars des rues de Bombay ou le chômeur des plaines du Bihar.

Le croit-on vraiment dupe de l'illusion, ce spectateur pour qui l'écran de son cinéma de village est, tout simplement, l'unique luxe. Le rêve c'est aussi une façon de garder sa dignité, c'est un art de vivre, pas seulement un art de fuir.

L'Inde fut souvent également un grand film silencieux sur le théâtre du monde hormis de régulières prédictions apocalyptiques, depuis trente-sept ans, sur l'« éclatement incessant de l'Union » ou l'évocation inquiète des 2 % de Sikhs que l'on assimile à tort à l'Indien moyen. Elle est pourtant le seul pays du tiers monde à avoir su conserver sa structure politique, son indépendance économique et culturelle, un équilibre rare entre Est et Ouest, à produire un cinéma qui inonde le tiers monde, à constituer la troisième communauté scientifique du monde... Et depuis quarante ans, on assiste aux fantastiques mutations industrielles, scientifiques, agricoles, culturelles d'un continent dont le nom fut pourtant si longtemps synonyme de blocage. Mutations tranquilles si l'Inde est capable une fois encore d'assimiler les influences nouvelles — la modernisation — et de les digérer dans son système millénaire. A moins que le rythme ne s'accélère, que le film ne s'emballe.

L'Inde, pour le voyageur, c'est, en une journée de train, voir défiler par la lucarne trois écritures différentes, croiser des hommes et des femmes qui sans cesse se déplacent du village à la grande ville, d'une petite agglomération à une autre, trimbalant la diversité de leurs comportements à travers la diversité du paysage.

Il y a cent langues en Inde.

Il y a cent témoignages.

Il y a cent futurs imaginables.

Cent lectures possibles d'une société où se côtoient constamment le réel et le détachement sans que l'on puisse les dissocier.

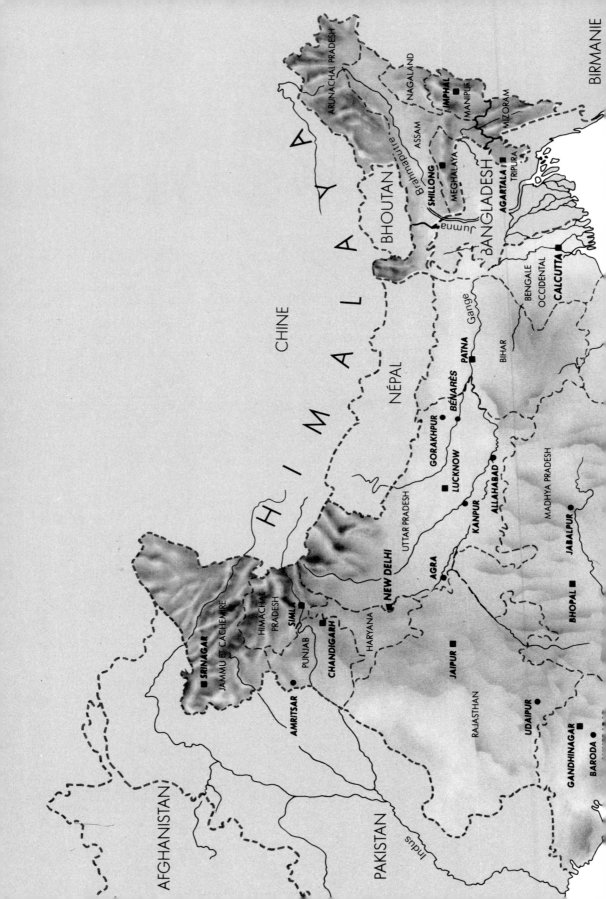

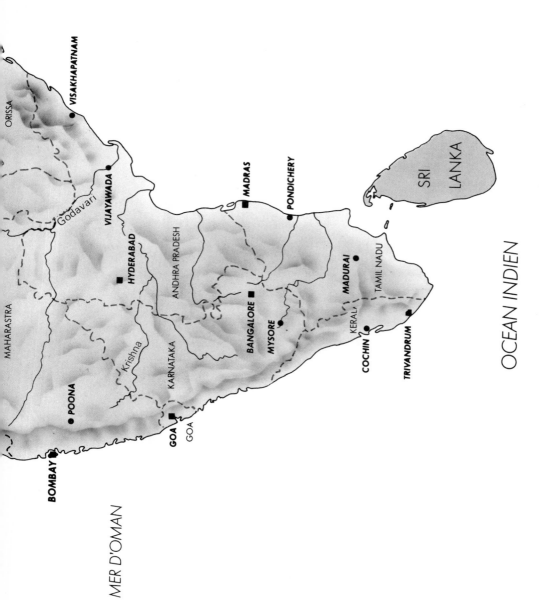

GOLFE DU BENGALE

MER D'OMAN

OCEAN INDIEN

SRI LANKA

ORISSA

MAHARASTRA

ANDHRA PRADESH

KARNATAKA

KERALA

TAMIL NADU

VISAKHAPATNAM

VIJAYAWADA

Godavari

HYDERABAD

Krishna

POONA

BOMBAY

GOA
GOA

BANGALORE

MYSORE

MADRAS

PONDICHERY

MADURAI

COCHIN

TRIVANDRUM

CAPITALE D'ÉTAT

AUTRE VILLE

LIMITE D'ÉTAT

FRONTIÈRE INTERNATIONALE

0   KM   500

© Autrement / Daniel Brobst

POPULATION DES PRINCIPAUX ÉTATS

Uttar-Pradesh : 90 millions.
Bihar : 56 millions.
Maharashtra : 50 millions.
Bengale occ. : 44 millions.
Andhra-Pradesh : 43 millions.
Tamil-Nadou : 41 millions.

9 villes de plus de 1 million d'habitants :

Calcutta : 11 millions.
Bombay : 6 millions.
Delhi : 5 millions.
Madras : 3,5 millions.
Hyderabad : 2 millions.
Ahmedabad : 2 millions.
Bangalore : 2 millions.
Kanpur : 1,5 million.
Puna : 1,5 million.

RECENSEMENT DES GRANDS GROUPES LINGUISTIQUES

Langues indo-aryennes (73 % de la population)
Hindi : 250 millions (États Hindis).
Urdu : 32 millions (États Hindis).
Punjabi : 20 millions (Pundjab).
Bengali : 50 millions (Bengale occidental).
Marathi : 47 millions (Maharashtra).
Gujarati : 30 millions (Gujarat).
Oriya : 22 millions (Orissa).
Assamais : 10 millions (Assam).
Sindhi : 2 millions (Sind).
Cachemiri : 3 millions (Cachemire).
Konkani : 2 millions (Goa).
Nepali : 2 millions (Frontière).

Langues dravidiennes (24 % de la population)
Telugu : 50 millions (Andhra Pradesh).
Tamoul : 35 millions (Tamil Nadu).
Malayalam : 27 millions (Kerala).
Kannada : 25 millions (Karnataka).

Langues munda : 7 millions (Deccan).

Langues tibéto-birmanes : 8 millions (Frontières Chine, Birmanie, Bhutan).

RELIGIONS

Hindous : 83 %
Musulmans : 11 %
Chrétiens : 3 %
Sikhs : 2 %
Bouddhistes : 0,75 %
Jain : 0,15 %
Religions tribales, parsie, autres : 0,10 %

KASHMIRI

PUNJABI

PAHARI

ASSAMAIS

RAJASTHANI

HINDI

MAITHALI
BIHARI
MAGADHI

MARWARI

CHHATISGARHI

SANTHALI

BENGALI

SINDHI

GUJARATI

GONDI

ORIYA

MARATHI

TELUGU

KONKANI

KANNADA

TAMOUL

MALAYALAM

LANGUES INDO-ARYENNES

LANGUES DRAVIDIENNES

LANGUES SINO-TIBÉTAINES

LANGUES TRIBALES

RÉGION OU L'HINDI
EST LA LANGUE DE L'ÉDUCATION.

© Autrement / Daniel Brobst

11

1

MIRAGES ET NOSTALGIES

Le face à face étrange des Indiens et des Anglais a suscité un pays parallèle, l'Inde victorienne, qui n'en finit pas d'alimenter les fantasmes. Beaucoup plus classiques, mais abritant toujours une communauté méconnue, sont les comptoirs français. Entre ces deux pôles de nostalgie, il y a l'Inde immense où l'aventurier des mots et des routes peut toujours se perdre dans la profusion des couleurs et des mythes.

BÉNARÈS, BANARAS, VARANASI... KASHI

La plus vivante ville du monde, sans aucun doute, puisque l'on y vient pour s'y préparer à mourir. De tous les États, de tous les replis de ce rêve universel que les étrangers appellent l'Inde, les hindous de tous âges, de toutes conditions — et depuis plus de deux millénaires — y débarquent en un désordre ininterrompu pour se laver de leurs peurs, de leurs pleurs, et puis se parfumer aux fraîcheurs de l'absolution.

Les voyageurs effrayés par cette cité ne l'ont tout simplement pas comprise. Les touristes qui rabâchent leur déconvenue n'ont pas su se promener là où il le fallait, ni à la meilleure heure. Du cinq étoiles, ils n'auront choisi de remarquer que les gâte-sauce et les équarrisseurs, la poubelle et ses desservants.

Quant à moi, je préfère les bords du Gange à toute autre perspective. Ce qui m'attire sur les quais de la Seine, sur la place Djemaa el-Fna de Marrakech, à Copacabana et autour du Time Square, je le retrouve amplifié, mis en scène du côté de Dasashwamedh dans la riante complicité des dieux.

Si quinze années de pratique ne m'ont pas converti à je ne sais quelle secte, quelle philosophie des plus étranges ou des plus radicales, je demeure aujourd'hui encore un sale Blanc mangeur de vache, ignorant, mais séduit à chaque séjour par la danse joyeuse de ce Grand Pardon multicolore et bruyant où, ainsi que le rapporte Kipling, un homme peut faire ce qui lui plaît sans que personne ne demande pourquoi.

Que les dévots de tout poil prient pour mon âme, si j'en ai une : j'aime Bénarès d'un point de vue esthétique. C'est la fête continuelle que je recherche en ses murs, la folle activité qui la précède et la paix qui la suit. Les prosternations, les génuflexions ne m'intéressent qu'autant qu'elles rappellent le fonds commun de l'humanité : les craintes et la magie qui voudraient les éteindre. C'est pourquoi, sur les ghâts, je contemple les rites tantriques d'un yogi demi-nu, comme à l'Ouest, et avec une égale tendresse, les gestes alourdis d'or d'un diacre orthodoxe, ceux d'un maître de chai décantant son bordeaux pour me le donner à goûter.

LES CORBEAUX IMMOBILES,
BÂILLENT EN TIRANT
DES LANGUES DE CHIEN

Joie est mon cœur ! Assis bien avant l'aube sur l'une des marches conduisant au fleuve, je fume un premier *chilam*, peut-être, je grignote un biscuit. Les pèlerins défilent de plus en plus nombreux.

De 2 heures du matin jusqu'à la nuit noire, et chaque jour se répétant, la grève de pierre rouge architecturée en amphithéâtre devient le plus grand, le plus ahurissant, le plus fastueux, le plus inoubliable des thermes dans la brume des aurores encore fraîches, le brouillard des après-midi torrides où les corbeaux immobiles, asphyxiés, bâillent en tirant des langues de chien.

La scène est balnéaire avec les baigneurs qui s'éclaboussent, les barques qui se coursent, les voiliers au ventre d'œuf chargés de sable ou de bois ; tout au loin, le décor très bas sur l'horizon, désertique sous un ciel de chromo, inondé sur plus d'un mille de profondeur, effacé, disparu derrière des rideaux de pluie.

Bénarès est bâtie en arc de cercle sur la rive la plus haute d'un méandre du Gange, l'autre rive n'est pas habitée. On doit payer une taxe dès que l'on y aborde, et sacrifier aux formes incertaines de quelques divinités primitives posées à même la plage. Le dimanche, si la température est clémente, les jeunes y jouent volontiers au ballon. On en repart avec le crépuscule.

Contemporaine de la Babylone d'Hammurabi, disent les uns — Mensonge ! s'écrient les autres —, Bénarès était déjà célèbre quand Ninive fut détruite, le Bouddha vint y prêcher avant que Socrate ne fût né. Elle s'appelait alors Kashi. Serait-ce la plus antique cité de la terre encore vivante de nos jours ?

Vishnou l'aurait fondée — Mais non ! Ce fut Shiva lui-même, affirment les tantriques — en faisant jaillir un immense *lingam* de lumière au confluent de la Varuna. Depuis, les croyants y accourent, souhaitant y mourir au besoin, car c'est le plus sacré des sept lieux saints de l'hindouisme. L'agglomération tout entière peut être considérée comme un temple dédié à Shiva, le Maître du Yoga, le Destructeur des mondes.

Bien avant que Lutèce ne sorte de la boue, sanctuaires, monastères et bibliothèques sont ici construits en grand nombre. Dès le Vᵉ siècle de notre ère, des bouddhistes chinois s'émerveillent de la sagesse des professeurs, du sérieux des études, de la multitude des élèves. Au XVIIᵉ siècle, l'empereur musulman Jehan Sha — petit-fils du grand Akbar et bâtisseur du Taj Mahal — fait raser les écoles et décapiter les idoles : soixante-seize temples s'envolent en fumée, et les livres avec ! Son fils, Aurang-Zeb, empereur à son tour, tente de gommer ce qui reste, allant jusqu'à changer le nom de la cité en Mohammedville, pour la plus grande gloire d'Allah ! Cent ans plus tard, lettrés et gouvernants britanniques favorisent la reconstruction des collèges, de l'université, qui est devenue une ville dans la ville et possède une collection de 150 000 manuscrits en sanscrit. De même que l'université du Mithila, à Darbhanga, celle de Bénarès publie chaque année l'almanach nécessaire aux amateurs d'horoscope ; le tirage en dépasse le million d'exemplaires !

RUES TRACÉES
PAR UN APPRENTI SCHIZOPHRÈNE

Que l'on arrive de l'aéroport de Babatpur, longeant bientôt le siège du Rotary Club — entre l'asile de fous et la prison —, que l'on sorte, enjambant des corps, de la gare majestueuse et rose dont le salon d'honneur fut décoré par Sita Devi, on tombe dans la cohue du capharnaüm commun à toutes les métropoles du sous-continent, où c'est tous les jours kermesse en plein air.

Nœud de vipères, vol de sauterelles, meeting du populo à la veille du Grand Soir ! Rues en perpétuelle construction, tracées par un apprenti schizophrène parmi un fouillis de ruines inachevées, où la maison inaugurée hier prend ce matin l'allure d'un poulailler abandonné par ses hôtes ! D'ailleurs, ne voit-on pas des coqs sans plumes ou des canards à une patte réfugiés au milieu d'un carrefour, à l'ombre d'un policier immobile, contemplatif ou paresseux ? Encombrements, embouteillages de scooters-taxis, de vélos-taxis, de bicyclettes sur lesquelles se pavanent des familles entières, parmi des fardiers aux roues pleines, chargés d'une tonne de ferraille et poussés par des zombies noirs de charbon, blancs de poussière, qui fondent sous l'effort, des calèches dont le maigre cheval harassé trébuche tous les trois pas, des porteurs qui se pressent, des coursiers qui traînassent devant des cinémas crachant une foule qui meugle, des promeneurs qui confondent chaussée et trottoirs... ces derniers souvent absents.

Et parmi ce flot hétéroclite, voici l'autobus qui fonce en ligne droite, plein comme une boîte de petits pois, avec une trentaine de passagers clandestins, jambes pendantes, mains accrochées aux vitres baissées ; voilà l'autocar n'a-qu'un-œil qui transporte à tombeau ouvert autant de voyageurs sur sa galerie branlante que sur ses sièges crevés. La voiture du notable essaie de suivre ses traces.

Le gendarme siffle à tue-tête pour faire semblant de libérer le passage ; les chauffeurs ont bloqué les avertisseurs qui cornent en permanence ; chaque conducteur de deux-roues agite sa sonnette d'un mouvement maniaque ou par pur plaisir. Indifférents ou ahuris, des groupes de paysans venus pour un mariage, pour accomplir un vœu, préfèrent ne rien voir, ne rien savoir, et s'obstinent à hurler comme des sourds entêtés *Haré Krishna, Haré Ram* ! sous les haut-parleurs d'un marchand de disques, qui nasillent et crachotent dans les ultrasons la dernière chanson à la mode. Nous sommes bien en Inde ; les vaches errantes, les singes qui sautent de toit en toit et les vautours qui planent dans le ciel jaune nous le prouvent assez.

Le charme de la ville n'est pas là — encore que l'Occidental pour qui la solitude est un supplice y trouve aisément son compte — ni dans le *Cantonment*, plus haut, passé la ligne de chemin de fer qui boucle les quartiers nord, malgré le calme rétro de son passé colonial, avec ses chapelles vides plantées sur des pelouses râpées où baguenaudent des ânes, et malgré l'illustre Hôtel de Paris où descendaient jadis les grands de ce monde. Mark Twain, l'humoriste américain, y prononça son mot célèbre. On affirmait devant lui que le Gange n'était pas pollué : « Je crois, répliqua-t-il, qu'aucun microbe qui se respecte ne saurait vivre dans une eau pareille. »

Et pourtant, de cette fourmilière de près d'un million d'habitants, je ne fréquente que les rives, les quatre kilomètres mouillés par l'eau divine, où mon cœur connaît si souvent la paix du non-désir... après que tous mes désirs ont été comblés pour trois sous, de même qu'ils le seront le lendemain encore.

A L'OMBRE DES ANCIENS PALAIS DES MAHARADJAHS

J'oublie, derrière moi, la citadelle de l'argent — car, de quoi vit un centre de pèlerinage, sinon de l'exploitation des crédules ? N'en est-il pas de même à La Mecque où à Lourdes ? — pour regarder ma vie passer avec le fleuve. Ma vie comme une goutte parmi des milliards d'autres et, sur la grève, le théâtre des fous auquel je participe, bien entendu, en tant qu'acteur et spectateur, à l'ombre des anciens palais de maharadjahs, décrépis, squattés, qui s'écroulent parfois.

C'est à Dasashwamedh qu'il faut descendre et s'asseoir. On s'y fait raser tendrement, masser, frotter d'huile par le même barbier. Et, petit à petit, l'Inde se déroule devant vous dans des nuages d'encens, des souffles de jasmin, de musc du Népal, de santal de Mysore, de cardamone, de patchouli. Prêtres gras, indolents, insolents, vieillards ou malades portés par leurs fils, jeunes mariés ou jeunes dieux précédés de musique qui saluent la déesse Annapurna, enfants superbes qui lancent leurs cerfs-volants, marchands de lampes à huile, vendeurs de flûtes et, parmi tout cela, deux énormes taureaux bossus, pacifiques — peut-être une antilope ou bien un bouc, pourquoi pas ? —, lâchés en liberté par offrande et dont les flancs sont marqués du trident de Shiva. Cloches qui tintent, gongs qui claquent. C'est la fête à Neuneu qui se réjouit au passage du Tour de France !

L'on se baigne, hommes et femmes — les femmes pour autant garderont leur sari —, l'on se rencontre, l'on discute autour des pandits vissés sous des parasols de paille. On prie et l'on s'incline. Les culturistes soulèvent et balancent des masses de fendeur de pierre en l'honneur du valeureux Hanuman. Sadhous barbus aux yeux agrandis par le khool, peinturlurés et terribles ainsi que des Iroquois sur le sentier de la guerre, bateliers attendant les clients, faisant la retape : « *Boat, sir ? Very cheap !* »

Je m'embarque à mon tour pour une promenade ; le rameur est charmant, discret et compétent si l'on a su choisir. Ou bien je marche vers l'amont jusqu'à la sortie de la ville, jusqu'aux champs de fleurs du quartier de Nagwa, dont la production finira sur les autels, au fond des ondes, dans le chignon des belles. En chemin, j'aurai vu les blanchisseurs qui frappent le linge sur des pierres avant de l'étendre sur le sol couvert d'immondices, je me serai arrêté au tem-

17

ple de Shiva, que ses raies blanches et rouges signalent ainsi qu'un établissement de bain.

C'est mon oratoire favori, j'y suis à l'aise autant que chez moi. Laissant mes sandales sur le perron, je m'avance vers le saint des saints, souriant, pareil au gosse qui retrouve enfin son papa gâteau. Je rends hommage aux divinités cachées sous des vêtements de bohémienne pauvre, j'offre mon obole aux gardiens cacochymes, qui ne me considèrent que si j'ai été généreux, et je m'installe sur l'estrade de droite parmi des pèlerins endormis ou qui devisent en famille. Face à nous, de l'autre côté de l'allée, le cénacle au grand complet marmonne des heures durant.

Imaginez un congrès de catcheurs accompagnés de leurs éphèbes aux longs cheveux dégouttant d'huile, qui chanteraient du grégorien en suçant des pastilles. Assis en cercle comme des chevaliers de la Table ronde, mais en lotus sur le grès rafraîchissant, leurs jambes voilées par de fines et immaculées cotonnades, le torse nu, poudré pour le rendre plus clair et barré du cordon des brahmanes, le front marqué de cendre et de signes tracés au pinceau.

C'est l'une des aristocraties de la ville, l'aréopage des dignitaires riches, sûrs de leur bonne foi. Et ça papote entre deux versets, ça somnole, ça s'anime tout à coup pour se pousser du coude ou se faire des niches. Il y a du harem, là-dessous, du loukoum et de la crème épilatoire, avec le doux plaisir d'avoir gagné le gros lot. L'Inde n'a pas la religion sérieuse !

ALLEZ DONC CHOISIR
PARMI DIX MILLE MERVEILLES !

Les autres temples ne valent pas le détour, si l'on connaît Kajuraho, Konarak ou Sanchi. Ils se ressemblent trop dans leur bric-à-brac humide, ou bien restent fermés aux étrangers. Non, plutôt que de courir pour « faire Bénarès en deux jours », restez donc assis sur les ghâts à la place qui vous convient, canotez, attendez l'événement : il arrive toujours. Et pour délasser vos jambes à l'heure du crépuscule, enfoncez-vous dans le bazar, plus étroit parfois qu'un couloir de F3, bordé de part et d'autre par des cavernes d'Ali Baba. Sucreries ou parfums, jouets de bois, de pierre peinte, d'ivoire, poudres de couleur, bijoux flambant neufs, articles de piété, tissus en tout genre et les plus beaux saris. Bénarès est la ville de la soie ! On déroulera pour vous tant d'étoffes que vous en perdrez la raison et le goût. Allez donc choisir parmi dix mille merveilles !

Quand on parle de l'Inde, il faut, premièrement, mettre tous les noms au pluriel, deuxièmement ajouter trois zéros pour le moins... et puis, avant d'en finir, soutenir le contraire de ce que l'on vient d'annoncer.

Bien sûr que la ville est sale, bien sûr que l'on y voit des mendiants estropiés, haillonneux, vermineux, des lépreux indescriptibles ! Bien sûr aussi qu'il y a ces fameux bûchers funéraires et, parfois, des cadavres sur le Gange — la tradition voulant que l'on jette dans l'eau, sans autre forme de cérémonie, les lépreux, les sadhous, les suicidés et celles et ceux qui furent mordus par un serpent —, mais vient-on à Paris pour les loques alcooliques qui déblatèrent dans leur pisse ?

Touristes, qu'allez-vous trafiquer autour des morts ? Corbeaux blancs que vous êtes, voyeurs malades, photographes de merdes ! Laissez la putréfaction aux charognes ! Dieu n'est pas mort en Inde ; lorsque l'âme est partie, le reste importe-t-il ? Est-il plus dégoûtant de nourrir des poissons que des vers ? J'enrage ou je ferme les yeux devant ces troupeaux cramoisis et craintifs qui se serrent les coudes et se bouchent le nez. Chacun à ses amours !

Allez, viens, petit Ram mon guide ! Emmène-moi derrière Manikarnika où les escaliers débouchent dans des ruelles, qui deviennent bientôt des terrasses avec des feux de bouse pour le repas du soir ! Marche devant moi ainsi que l'exige la coutume, sois mon Ariane dans ce calme labyrinthe dont le minotaure nous recevra tout à l'heure, et ce sera le plus doux des fakirs, le plus scrupuleux des herboristes, le plus appliqué des tailleurs de pièces d'échecs, le plus méconnu des miniaturistes, le plus étonnant joueur de tabla !

Bénarès, la ville de la musique ! Et la musique, en Inde, c'est ce qui reste lorsque l'on a tout oublié.

La nuit est tombée. Le fantôme silencieux qui me précède dînera bientôt à sa faim. Demain, avant 5 heures, je serai sur les ghâts.

———————— *YVES VÉQUAUD* ————————

Écrivain. Ethnologue. Romans chez Gallimard. *L'Art du Mithila,* **éd. Sous le Vent, distribution Weber. A paraître en 1985 :** *Bénarès,* **éd. du Champ Vallon.**

L'ÉCRAN

DE BOMBAY

Tout le monde sait que le nombre de films produits chaque année en Inde est plus élevé que dans n'importe quel pays, et dépasse même la production hollywoodienne. Les films populaires sont précisément cela : populaires. Le public va les voir avec la même excitation, le même enthousiasme qu'un concert de rock, un match de football (les émeutes en moins) ou le dernier film de Spielberg en Occident. A l'entrée des cinémas où se pressent les spectateurs, on vend des billets sous le manteau. Bon test pour la cote d'un film : le prix du billet au marché noir est-il le prix officiel multiplié par 3, par 4 ou par 7 ? Le cinéma fait partie intégrante de la vie citadine. Les chansons des films sont diffusées à la radio dans les petits restaurants, ajoutant au brouhaha de la circulation et aux cris des vendeurs des rues. On se souvient des dialogues de film pour les citer quotidiennement, car ils concilient bizarrement, mais d'une façon accessible à tous, langage de la rue et métaphore poétique.

Si nous essayons d'appliquer au cinéma indien la classification des genres qui sévit dans les cultures cinématographiques européennes ou américaines — film policier, comédie musicale, documentaire, etc. —, nous débouchons vite sur une impasse. Par exemple, le terme « comédie musicale » ne décrit pas un groupe de films spécifiques, car la musique est une caractéristique générale. Si nous voulons parler de genres, nous devons alors considérer le film hindi comme un « spectacle total », où plusieurs genres cohabitent dans le même film.

Les thèmes des films populaires sont divers, multiples, et requièrent une analyse plus détaillée qu'il n'est possible ici. Quelques généralités sur le cinéma indien sont nécessaires pour situer le contexte des films populaires. Pourtant, afin de dépasser ces généralités, nous examinerons un thème récurrent, que j'appellerai « perdu et retrouvé », au travers duquel nous aborderons aussi un certain nombre d'autres thèmes fondamentaux.

PERDU ET RETROUVÉ

Le thème « perdu et retrouvé » est une métaphore de certaines situations typiques. L'onirisme illustre les projections fantasmatiques et l'inconscient ; ainsi, quand dans un film deux personnes se retrouvent par le plus grand des hasards. Dans *Deedar* de Nitin Bose (1951), deux amis intimes partent chacun de son côté, et après une série de coïncidences heureuses, se retrouvent lorsqu'ils sont adultes. Le thème « perdu et retrouvé » semble parfaitement clair et évident. Mais en fait, on ne peut le mettre en scène que sous un certain nombre de conditions : pour l'essentiel, l'action du film doit se dérouler dans une ville. Car dans la communauté étroitement soudée du village (la majorité de la population habite toujours la campagne), l'anonymat est absolument impossible. Tout le monde se connaît, chacun connaît les antécédents familiaux de la plupart de ses relations. Le cadre de la grande ville symbolise précisément le contexte opposé. On ne reconnaît pas nécessairement son voisin, on ne connaît pas sa famille. L'Inde étant traditionnellement une nation de paysans où les ancêtres définissent les racines culturelles, religieuses et le statut social, le fait de connaître sa propre famille est d'une importance cruciale. Aller dans la grande ville constitue une expérience excitante. On y trouve maintes distractions, le gain matériel devient l'objectif essentiel. Mais la ville est le cadre idéal des versions modernes de la solitude, où les besoins affectifs ne sont pas nécessairement satisfaits, contrairement au village où la famille au sens large fournit son cadre global. Tout cela est superbement décrit dans une chanson en *playback* de Mohammed Rafi, mimée par le comédien Johnny Walker dans *C.I.D.*, de Raj Khosla (1956)... « *Ye hai Bombay meri jaan... yahan sab kutch milta hai, ek milta nahin dil...* » (Voici Bombay, où l'on peut avoir tout ce qu'on veut, tout sauf le cœur...).

L'urbanisation menace la famille élargie, mais l'immensité de la grande ville permet justement aux personnages de se perdre et, non sans mal, de se retrouver. Aucun ancien du village ne peut diriger l'enfant perdu vers le parent et pas davantage lui apprendre sa généalogie. Dans *Amar, Akbar, Anthony*, de Manmohan Desai (1977), le destin et la fourberie s'allient pour séparer trois jeunes frères. Dans les films hindis, ce sont plus souvent les fils que les filles qui se cherchent. Desai ajoute une dimension nouvelle au thème « perdu et retrouvé » en faisant grandir les trois fils dans des familles qui pratiquent les trois principales religions de l'Inde : l'hindouisme (Amar), l'islam (Akbar), le christianisme (Anthony). Ce faisant, Desai affirme de façon originale et risquée que tous les habitants de l'Inde appartiennent à une seule famille malgré leurs différences religieuses. Desai ajoute une deuxième dimension en suggérant l'influence corruptrice de l'Occident. Les trois frères se retrouvent au centre des intrigues ourdies par les bandits de la ville. Les rôles des bandits s'inspirent tant du cinéma que de la bande dessinée occidentaux. *Amar, Akbar, Anthony* fut un immense succès, qui permit à la vedette du film, Amitabh Bachchan, de remporter son premier *Filmware Award* en tant que meilleur acteur (équivalent indien des Oscars américains). Les éléments comiques du film sont transcendés par l'importance du désir de réunion, thème qui toucha manifestement le public indien. Dans ce film, le spectateur sait à chaque instant qui est qui ; mais le processus de la découverte de l'identité en rapport avec l'autre s'inscrit parfaitement dans la thématique « perdu et retrouvé ». Amar, Akbar et Anthony se connaissent en tant qu'amis, mais ce n'est qu'à la fin du film qu'ils comprennent qu'ils sont frères de sang.

UTILISATION MULTIPLE
D'UN THÈME CENTRAL

L a famille, non plus au sens large mais nucléaire, que ce soit dans la grande ville ou au village, fournit toujours le cadre moral de la narration. Quand un enfant est arraché à son environnement familial, la perte que représente cette séparation confronte l'enfant à un monde souvent hostile. La vulnérabilité due à l'absence brutale de protection familiale l'expose à de mauvaises influences dont le bouclier communautaire aurait pu le protéger. L'enfant perdu est frustré de ses émotions habituelles, attiré par l'immoralité. On en trouve un exemple ancien dans *Kismet* (Le Destin, 1943). Le jeune Shekhar s'enfuit de son foyer, incapable d'accepter l'amour et les attentions de sa belle-mère. Les parents de Shekhar le cherchent vainement. Jeune homme, Shekhar (Ashok Kumar) devient un bandit habile. Le destin veut qu'il se repente et retrouve le droit chemin, malgré l'absence de sa famille honnête. Dans *Kismet*, le thème « perdu et retrouvé » fonctionne à deux niveaux : les retrouvailles concrètes de Shekhar avec ses parents et la découverte par le héros de sa propre intégrité.

Contrairement à *Kismet*, où les parents de Shekhar tentent de retrouver leur fils, dans *Awaara*, de Raj Kapoor (1951), le juge Raghunath refuse de reconnaître que son épouse, Leela, porte son propre enfant. Car Leela a été kidnappée par un brigand dacoït, Jagga, qui l'a libérée dès qu'il a découvert qu'elle était enceinte. Leela rentre chez elle et annonce, quelques jours plus tard, qu'elle attend un enfant. La famille et la communauté croient que Jagga est le père de l'enfant. Leela se retrouve seule, et son mari, Raghunath, non seulement ne la croit pas, mais la jette à la rue. Il refuse de subir la honte sociale due à la prétendue déchéance de son épouse. Leela accouche d'un fils, Raj (joué par Raj Kapoor), que l'on contraint à voler durant son enfance, et qui, adulte, devient un criminel. Le leitmotiv de *Awaara* est que ce n'est pas l'hérédité qui forme la moralité d'un homme, mais l'environnement social dans lequel il grandit. Avec Jagga comme modèle, Raj ne peut que voler, mentir et finalement tuer. Ici, l'identité du « bon » père de Raj symbolise aussi le milieu cultivé, honnête, bourgeois dont Raj a été privé. Quand Raj découvre finalement son vrai père, celui-ci confesse sa cruauté, regrette d'avoir soupçonné sa femme innocente et gâché la vie de son fils unique. Dans ce film, le thème « perdu et retrouvé » intervient selon trois grands axes : 1. le juge et sa femme Leela ne sont pas réunis. 2. Raj et Rita sont deux amis proches, séparés pendant leur enfance, mais qui se retrouvent ensuite et tombent amoureux l'un de l'autre. 3. Raj et son père, le juge Raghunath, finissent par découvrir leur rapport de père à fils. Ces exemples auront montré l'utilisation multiple du thème central. *Awaara* est un film clé du cinéma indien, qui inspira et inspire toujours de nombreuses productions de Bombay.

La séparation ne se limite pas aux fils et aux parents, mais intervient aussi dans le rapport frère-sœur quand la famille élargie ou nucléaire n'est plus une réalité. Dans *Boot Polish* (produit par Raj Kapoor en 1954), Bhola et Belu sont abandonnés par leurs parents, puis élevés par une tante cruelle et mauvaise. Leur amour réciproque est leur seule consolation. Extrêmement pauvres, ils vivent dans les rues de Bombay, mendient et cirent les chaussures. Un jour, Bhola et Belu se perdent dans la foule d'une gare ferroviaire. Les deux enfants connaissent ensuite des destins opposés : Bhola, le jeune garçon, tombe de Charybde en Scylla, vit un véritable cauchemar, avant d'échouer dans un orphelinat. Sa jeune sœur est bouleversée par la perte de son frère bien-aimé, mais elle est adoptée par un couple de la *middle-class* qui désire par-dessus tout faire son bonheur et lui donner tout le confort possible. Ainsi Belu accède-t-elle à l'alternative miraculeuse. Dans *Boot Polish*, Raj Kapoor nous montre deux issues possibles au paradigme de la perte : soit le cauchemar, soit le rêve. Dans le film, les deux enfants se retrouvent finalement (ultime miracle), et tous deux sont adoptés par la famille qui a recueilli Belu.

On peut interpréter de plusieurs façons l'importance du thème « perdu et retrouvé » dans le cinéma hindi. Ce thème représente allégoriquement la partition. La division de l'Inde en deux, et maintenant trois pays (l'Inde, le Pakistan, le Bangladesh), est sans doute l'événement le plus traumatisant et tragique de l'histoire récente du sous-continent. Les divers problèmes de la partition ont rarement été traités à fond par le cinéma indien, sauf dans l'œuvre du brillant réalisateur bengali Ritwik Ghatak. Autre exemple : le nouveau et puissant film de M.S. Sathyu, *Garm Hava* (*Sorched Winds*, 1974). Ce film est l'illustration la plus directe et la plus sérieuse de ce traumatisme dans le cinéma hindi. Le cinéma populaire prône volontiers l'unité de la communauté, mais examine rarement les conséquences de la partition. Le thème « perdu et retrouvé » est peut-être aussi une allégorie de l'Inde « trouvant » son indépendance, et perdant du même coup son rapport à l'Angleterre.

Les provinces du Pendjab et du Bengale furent coupées en deux, des milliers de familles déracinées. L'exaltation de l'unité indienne est un des thèmes récurrents du cinéma populaire où hindous, musulmans, sikhs et chrétiens cohabitent harmonieusement ; néanmoins, cette cohabitation n'est pas souvent l'intrigue principale du film.

C'EST LE DESTIN QUI DÉCIDE

Selon une autre interprétation, notre thème signifierait la peur de perdre et la nécessité de trouver son identité propre dans une Inde en mutation. Quand l'enfant perdu trouve ses parents, il trouve aussi sa place dans la société. Car l'héritage socio-culturel de l'enfant constitue son identité. Celui qui quitte son village pour aller vivre en ville court le risque de perdre ses valeurs traditionnelles au profit d'autres valeurs, façonnées par l'urbanisation et l'influence occidentale. La cité représente un mode de vie totalement différent : architecture de grands bâtiments neufs, transports publics, lutte pour la survie spécifique à la métropole, tentation des biens matériels et poursuite de l'éclatement familial (d'autres membres de la famille partiront peut-être vivre et travailler à l'étranger).

Au niveau du mythe, les dieux provoquent parfois la séparation. Les puissances divines se servent du destin pour réaliser leurs buts. Dans *Waqt* (*Time*, réalisé par Yash Chopra), l'unité d'une famille heureuse est bouleversée par un tremblement de terre, présenté comme une décision des dieux. Selon Yash Chopra, le réalisateur du film, le présupposé de *Waqt* est : « L'homme propose, Dieu dispose. » Moyennant quoi, nous avons beau croire que nous contrôlons nos existences et tirer des plans sur la comète, en dernière instance c'est le destin qui décide. Dans les vieilles épopées hindoues, de nombreux personnages se retrouvent après des années de séparation. Le mythe occidental le plus célèbre — Œdipe — illustre le thème « perdu et retrouvé ». Dans les films hindis, il n'est pas question d'épouser sa mère à son insu, mais les héros jurent souvent de se venger du père absent.

Notre thème illustre aussi les profondes angoisses ressenties par les habitants de pays en pleine mutation. Ces angoisses deviennent parfois des dilemmes quotidiens : choisir entre l'ancien et le moderne, les traditions ou les nouvelles valeurs des métropoles. On retourne fréquemment en arrière vers son propre héritage ; ainsi, on ne s'étonnera pas que le thème « perdu et retrouvé » apparaisse souvent dans le cinéma populaire depuis une quarantaine d'années.

(Traduit de l'anglais par Brice Mathieussent)

——————— *NASREEN KABIR* ———————
Critique programmatrice de films indiens à Paris (festivals) et à Channel Four, chaîne TV des minorités à Londres

DIEUX OU VEDETTES

On a beaucoup écrit sur la prééminence du *star system* dans le cinéma indien. Depuis vingt ans, ce système domine en effet l'industrie cinématographique du pays. En termes économiques, les cachets des vedettes représentent souvent plus de la moitié du budget total d'un film. La nature passablement chaotique de la production implique que de nombreux films restent inachevés. En règle générale, les petits producteurs commencent par filmer deux ou trois séquences (par exemple une chanson et un passage dramatique), qu'ils projettent ensuite à des distributeurs et des financiers, lesquels acceptent ou non de prêter de l'argent à des taux d'intérêt exorbitants pour finir le film. Vu les incertitudes du métier, les vedettes signent des douzaines de contrats en même temps, sachant pertinemment que l'avance sera peut-être tout ce qu'elles toucheront et que de nombreux projets risquent fort de ne jamais se réaliser. Seuls les gros producteurs et les grandes vedettes survivent à ce système. Autre désavantage : le tournage d'un film dure plusieurs années, ce qui augmente d'autant le coût initial. Il y a quelques années, les acteurs tournaient six films en même temps, mais aujourd'hui les grands producteurs tiennent à ce que les vedettes leur donnent des dates de tournage précises pour que le film soit réalisé plus vite.

De nombreuses vedettes sont aussi populaires que les stars de Hollywood des années 40 et 50, ou que certains chanteurs de rock en Occident. Leurs vies privées s'étalent dans plusieurs magazines spécialisés et le public est parfaitement informé de leur intimité. Contrairement aux stars d'avant les années 40, acteurs et actrices n'ont plus besoin de savoir chanter, car le playback est devenu une norme. La vedette la plus importante des années 70, Amitabh Bachchan, est une telle institution qu'on l'appelle souvent « l'industrie d'un seul homme ». Pourtant, certaines stars de la période précédente mériteraient davantage ce titre, car souvent elles jouaient, produisaient et mettaient en scène leurs propres films (Guru Dutt, Raj Kapoor, Ashok Kumar, Dev Anand, par exemple). Ce sont les acteurs et les actrices immortels du cinéma indien, non seulement à cause de leur talent exceptionnel, mais parce qu'ils jouaient dans d'excellents films.

Le nouveau cinéma a introduit de jeunes acteurs et actrices de qualité qui jouissent d'une certaine renommée. La popularité des vedettes traditionnelles de Bombay était liée à un certain type de rôles. Le doux héros romantique du début des années 70 fut Rajesh Khanna, le jeune homme en colère Amitabh Bachchan, le héros tragique des années 50 Dilip Kumar. Même les acteurs qui jouent des rôles de « méchant » doivent se limiter à ce type de composition. Le public revient sans cesse voir ses idoles pour qu'elles se répètent ; mais c'est précisément cette répétition qui interdit l'innovation, tant au niveau du jeu qu'à celui des dialogues. Ceux qui sortiront de cette ornière deviendront de grandes personnalités du cinéma et seront dignes de figurer, grâce à leur art, dans l'histoire de la culture indienne. *(Traduit de l'anglais par Brice Matthieussent).*

NASREEN KABIR

UNE ACTRICE
NOUVELLE VAGUE

entretien avec
SMITA PATIL

SMITA PATIL EST UNE DES CINQ PLUS GRANDES ACTRICES DU CINÉMA ACTUEL. ELLE A L'ORIGINALITÉ D'ÊTRE DEVENUE POPULAIRE À TRAVERS LE CINÉMA D'AUTEUR ET D'ÊTRE LA SEULE STAR INDIENNE À POSSÉDER LE PHYSIQUE DES FEMMES DE LA RUE.

Denys Cruse — Autour de quelles idées se sont rassemblés les cinéastes et les acteurs de la « nouvelle vague » indienne ?

Smita Patil — Nous avons une très ancienne tradition de cinéma romantique. Mais dès les années 50, quelques films ont abordé certaines questions sociales comme le veuvage, le chômage et souvent l'histoire d'hommes et de femmes naïfs et innocents arrivant dans la grande métropole. Puis à la fin des années 60, le « nouveau cinéma » s'est défini comme un cinéma réaliste, humaniste.

Il était difficile de produire des films directement politiques susceptibles d'attirer le public. Les cinéastes ont préféré traiter sous des aspects très quotidiens de questions comme les castes, les classes, les conflits entre paysans et grands propriétaires, la réforme agraire, les relations au sein de la structure familiale et la manière dont celle-ci a été affectée par ces problèmes de la terre. On retrouve ces thèmes dans de nombreux films comme *Ankur (la Graine)* de Shyam Benegal. *Il y a eu également de plus en plus fréquemment une critique des traditions religieuses et des contraintes qu'elle fait peser sur la jeune génération — qui d'ailleurs cherche à s'en éloigner. Dans le Sud, des cinéastes comme Girish Karnad sont allés jusqu'à porter un regard critique sur la société brahmane. Ils dénoncent certains rites que la tradition impose et qui, à leurs yeux, constituent une entrave aux libertés fondamentales. Ce qui n'empêche pas ces mêmes cinéastes d'être sensibles au fait que la perte de certains rituels, de la culture traditionnelle, du sentiment d'identité — phénomènes issus de l'industrialisation, de l'émigration vers les grandes villes — ait donné naissance à une culture complètement artificielle.*

La condition de la femme est également très souvent abordée, surtout la question du veuvage. En Inde, traditionnellement, une femme qui perd son mari doit se raser la tête

26

et n'a pas le droit aux yeux de sa communauté de se remarier.

Pensez-vous que ce type de cinéma puisse avoir une influence sur les traditions ?
Très souvent ces films ont provoqué la réaction inverse de celle que l'on attendait. Le cinéma ne peut transformer fondamentalement la vie des gens dans un monde si vieux. On fait soudain de leur quotidien le sujet d'un film qui dit que leur réalité est synonyme d'exploitation. Alors que souvent il n'est pas imaginable de remettre en question une réalité qui nous a forgés et à laquelle toute sa vie on a en partie contribué. C'est ce que dit d'ailleurs un film de Shyam Benegal où l'exploité refuse de se considérer comme tel. Ces films ont eu une certaine influence, mais malheureusement il faut bien dire qu'ils n'ont pas été rendus accessibles aux personnes directement concernées.

Quelle liberté et quels moyens les pouvoirs publics, les États et la National Film Development Corporation (NFDC) accordent-ils aux cinéastes et aux acteurs ?
La NFDC a adopté une politique de prêts destinés exclusivement aux réalisateurs de petits films. Ce sont d'ailleurs ces cinéastes qui allaient former la « nouvelle vague » indienne. En fait, c'est le film de Mrinal Sen, Bhuvan Shone (Monsieur Shone) qui marque le début du « petit cinéma ». Puis le mouvement s'amplifie rapidement, notamment en touchant le cinéma régional, complètement étouffé jusqu'alors par le cinéma commercial. Puis il s'impose dans le Sud où traditions, religions et rituels sont extrêmement présents. Non seulement ce mouvement symbolise la révolte d'une nouvelle génération contre les traditions, mais il a permis de révéler de jeunes auteurs.

La censure ne représente pas vraiment un obstacle. Excepté dans les années 70 lorsque le mouvement de guérilla rurale des naxalites était très puissant. Il n'était alors pas question d'y faire allusion.

Les problèmes étaient surtout d'ordre financier. En effet le nouveau cinéma a germé dans les esprits, mais financièrement il ne débouchait sur rien. Il faut se rappeler que l'Inde produit environ 750 films par an et que l'industrie cinématographique est l'une des plus florissantes du pays, une véritable puissance économique. Le marché a ainsi été inondé de films commerciaux pendant longtemps, qui empêchaient l'émergence d'un nouveau cinéma qui n'était pas fondé sur le vedettariat. Or le cinéma indien est systématiquement construit autour du vedettariat. Le nouveau cinéma a donc dû créer ses propres stars, plus à l'image de l'homme de la rue.

Une partie du « petit cinéma » a été rejetée par le grand public. Et c'est encore le cas, comme partout, pour les films à petit budget, sans stars et qui parlent de sujets sérieux comme les castes ou la terre. Les distributeurs continuent d'ailleurs à s'en désintéresser complètement. Quant à la

NFDC, sa puissance est malgré tout limitée puisqu'elle n'a jamais possédé son propre circuit de distribution, ni son propre réseau de salles de projection. Ainsi la distribution de ces films dépend des circuits normaux qui demandent des stars connues, beaucoup de sexe, de chants et de violence.

Y a-t-il un moyen terme entre le film d'auteur et le cinéma commercial ? Est-il par exemple possible de concevoir un film qui aurait le contenu d'un film d'auteur avec les moyens, la fantaisie et la couleur du cinéma commercial ?

Pour les raisons matérielles que je viens de vous expliquer, la nouvelle vague de cinéastes a en effet décidé d'utiliser les vieilles recettes tout en abordant des questions sérieuses. Ils dorent la pilule pour mieux la faire avaler si vous voulez. C'est une tendance très récente, trois ou quatre ans environ. Il n'en demeure pas moins que la sévérité et l'austérité de la critique sociale du nouveau cinéma à ses débuts étaient nécessaires pour permettre d'aller au-delà du cinéma commercial habituel.

Les cinéastes et les acteurs collaborent-ils souvent ? Vous est-il possible de discuter d'un film avec le metteur en scène ?

Avec les nouveaux cinéastes, oui. Il y a une collaboration, car souvent nous avons des idées, des opinions politiques similaires. Ce qui n'est certes pas le cas dans le cinéma commercial, surtout pour une femme.

Quelles sont la place et l'image de la femme dans le cinéma indien ?

A la fin des années 50 et dans les années 60, des metteurs en scène comme Guru Dutt ou Bimal Roy ont réalisé des films qui ont été très bien reçus par le public féminin. A cette époque également, des cinéastes comme Raj Kapoor, Mehboob Khan ont traité du problème de la femme mais d'un point de vue traditionnel. Les principaux thèmes sont : les filles intouchables, le veuvage, les filles mariées très jeunes à des veufs âgés, etc.

Puis dans les années 60-70, c'est l'avènement du cinéma commercial, du cinéma « hollywoodien ». C'est l'ère de la femme-objet. Elle est alors présentée comme une déesse, une mère que l'on glorifie — lorsqu'elle sacrifie sa vie entière à son mari, à son fils, à sa fille, à sa belle-mère et est exploitée de tous — ou alors elle joue le rôle d'une vamp, d'une prostituée. C'est tout blanc ou tout noir. Et jamais la femme indienne n'est représentée telle qu'elle est vraiment. Mais quand les spectatrices voient la vedette, l'héroïne qui pleure sur son sort, mais n'en continue pas moins de se soumettre au pouvoir du mari, quand elles la voient qui baise ses pieds, quand elles sont émues par ses chants tragiques, elles pleurent avec elle et tour à tour se lamentent sur leur propre destin, puis le glorifient, mais jamais elles ne luttent.

Heureusement le nouveau cinéma, par une approche plus réaliste, a créé une image plus positive et plus combative de la femme. Il aborde aussi le problème des femmes qui cherchent un équilibre entre leur rôle traditionnel de mère cloîtrée à la maison et celui de femme au travail. Il est important aussi de signaler qu'il existe à l'heure actuelle deux ou trois cinéastes femmes dont l'œuvre est relativement importante. Aparna Sen, par exemple, qui a réalisé 36 Chrowringee Lane, mettant en scène les déchirements culturels des Anglo-Indiens de Calcutta.

Il y a peu de contacts entre cinéastes indiens et étrangers, pouvez-vous expliquer pourquoi ?
Il faudrait déjà qu'une collaboration financière soit possible. Or le cinéma indien ne produit plus guère de grandes réalisations. Il le faisait dans les années 50. Aujourd'hui celles qui sont produites sont particulièrement mauvaises et leur seul marché à l'étranger est l'Afrique et le Moyen-Orient. La seule collaboration possible serait donc avec ces pays. Par ailleurs, les films réalisés en collaboration avec les États-Unis ne traitent que de sujets très superficiels. Ce qui intéresse les Américains, c'est avant tout le décor de l'Inde. Je ne vois pas de producteurs étrangers prêts à investir de grosses sommes pour explorer la vraie Inde.

Quelle est la différence entre les rôles que vous avez dans un film commercial et dans un film d'auteur ?
J'ai commencé ma carrière dans le « petit cinéma ». Je n'ai reçu aucune formation. Je jouais pour la télévision lorsqu'un jour Shyam Benegal est venu me demander si je n'aimerais pas travailler pour lui. Je me suis donc formée en tant que personne et actrice en jouant dans ces films à thèmes sociaux. Je viens d'un milieu socialiste si bien que j'ai toujours été consciente des problèmes sociaux. Ce qui m'a servi dans mon travail. Je pouvais recréer le personnage d'une paysanne ou d'une citadine spontanément, presque instinctivement. Je n'avais pas besoin d'apprendre, ni d'étudier la paysanne. Je savais déjà comment elle s'assied, comment elle parle.

J'ai alors été connue comme actrice du « nouveau cinéma », comme actrice militante. Puis survint une période où le « petit cinéma » subit de nombreux changements, d'un point de vue économique surtout. Pour survivre et obtenir des moyens, il devait entrer dans les circuits commerciaux. J'ai alors décidé de rejoindre le cinéma commercial. Au début, j'ai dû jouer dans quelques mauvais films, car je devais me conformer aux règles de la profession. Mais ma position aujourd'hui me permet de rejeter les scripts qui ne me plaisent pas, de ne choisir que ceux qui m'intéressent et particulièrement ceux qui parlent des femmes en rupture avec l'image traditionnelle. J'ai donc travaillé dans les deux types de cinéma.
Je ne voulais pas non plus continuer à travailler dans des films vus par une minorité seulement. Mais si on me donne un bon rôle, que le metteur en scène soit connu ou

29

pas, que ce soit un « petit film » ou un film commercial, qu'il ait un petit ou un gros budget, peu m'importe. L'important, c'est le personnage, cette femme que vous allez créer.

Quelle image vous faites-vous de la femme française ?
C'est la troisième fois que je viens en France. De nombreuses femmes qui ont vu mes films m'ont dit que les problèmes sont souvent semblables. Peut-être sont-ils moins graves, mais en fin de compte la nature de l'oppression est la même quoique plus subtile, moins brutale qu'en Asie. En France souvent on ne la perçoit pas comme telle. Un homme vous fait un compliment, mais quelque part ce n'en est pas un, c'est une forme de mépris. Je crois que la femme française contrôle mieux sa propre vie.
Il y a deux ans, j'ai réalisé un premier film féministe. Depuis, j'ai rejoint le mouvement des femmes et je suis à l'heure actuelle responsable d'un centre d'accueil pour femmes battues. Ce sont surtout des femmes de la moyenne bourgeoisie qui viennent. Dans les classes inférieures, les hommes battent leur femme, se saoulent, c'est connu ; en revanche, dans les classes moyennes, on n'en parle pas parce que la violence est considérée comme un acte primitif réservé aux seules basses classes. Pourtant il y a aussi des hommes qui battent leur femme dans ces milieux et les femmes n'osent pas le dire.
Ainsi ma vie personnelle entre dans le cinéma, de même d'ailleurs que mon engagement dans le « petit cinéma » a changé ma vie personnelle. Je suis contente de pouvoir faire quelque chose de concret et de positif. Probablement ferai-je des films sur ce sujet plus tard.
En France, je pense que le féminisme se place à un autre niveau, soulève d'autres types de question. Souvent il est orienté contre les hommes. Mon pays ne peut se permettre cela.
Une paysanne ne gagne que la moitié du salaire d'un homme pour le même travail dur et pénible. Les femmes en Inde doivent tout d'abord se battre contre les injustices et les femmes de tous les milieux doivent s'entraider.

Aimeriez-vous travailler en France un jour et avec qui ?
Oui, j'en serais enchantée. Surtout avec les cinéastes qui ont influencé la nouvelle génération de metteurs en scène comme Bresson ou Godard. J'ai aussi rencontré Ruiz à Paris. J'aimerais beaucoup travailler avec lui. Mais je ne me vois pas quitter mon pays pour aller vivre et travailler ailleurs de façon définitive.

Quel est le pays dont les films attirent le plus le public indien ?
Malheureusement, comme partout, ce sont ceux des États-Unis, à cause de la disco, des blue-jeans, de l'argent. C'est vraiment triste.

Que pensez-vous de l'explosion de la vidéo ? Est-ce une catastrophe ou une ouverture ?

Le phénomène vidéo a également atteint l'Inde. Mais l'Inde continue à produire autant de films. En effet, la plus grande partie du public n'est pas celui des grandes villes, mais plutôt celui des petites villes. Je ne crois pas que la vidéo nuise au cinéma indien, car chez nous le public aime aller au cinéma non seulement pour voir un film, mais il le vit comme une expérience totale, comme une manière d'échapper à une réalité souvent dure.

Il existe un tabou dans le cinéma indien, celui de la couleur. J'ai été surpris de voir des films du sud de l'Inde où il n'y a pas de personnes de couleur...
Oui, c'est incroyable, pour les Indiens seul le blanc peut être vraiment beau. L'héroïne d'un film doit toujours être blanche, jolie et sexy. Encore une fois, c'est le nouveau cinéma qui a permis de démystifier cela et qui a présenté l'image d'une femme indienne de couleur, forte, au teint tanné. Aujourd'hui, les choses ont un peu changé, même dans le cinéma commercial. Mais on préfère encore souvent les femmes blanches. Cela n'est pas particulier au cinéma. Si vous demandez à un homme, qu'il soit riche ou pauvre, avec qui il aimerait se marier, ce sera toujours avec une femme à la peau claire.

Craignez-vous la modernité en Inde ?
Jusqu'ici il existe en Inde le sentiment d'appartenir à un même pays ; malgré toutes les différences culturelles, malgré les problèmes de castes, le pays forme un tout. Des hommes et des femmes sont demeurés très attachés à l'Inde et à sa culture. Mais c'est une minorité. Le cinéma commercial hindi, en introduisant les valeurs occidentales, a eu des effets très négatifs. Il a réellement détruit toute une génération qui a perdu ses racines et tout sentiment d'identité.

Pour finir... pouvez-vous imaginer Catherine Deneuve jouant dans un film indien ?

Je ne crois pas que cela serait très facile. L'Inde est un pays très complexe. En France, en Italie, dans tous les pays d'Occident, en règle générale, les gens se ressemblent tous. Ils sont blancs, s'habillent plus ou moins identiquement, les femmes portent toutes le même type de pantalon ou de robe. En Inde, nous demeurons très traditionnels. Chacun a sa manière de s'habiller, de marcher, etc. Visuellement les différences sont très marquées. Chaque État a sa tradition vestimentaire qui diffère énormément des autres. Or pour jouer le rôle d'une femme indienne, il faut posséder cette compréhension. Une actrice française devrait probablement travailler beaucoup pour l'acquérir.

Néanmoins, je pense que ce serait merveilleux. Catherine Deneuve est tellement merveilleuse en tant qu'actrice et en tant que femme. J'adorerais la voir jouer le rôle d'une reine indienne !

propos recueillis par
DENYS CRUSE
Journaliste indépendant.

ET SHIVA

DANSERA TOUJOURS...

Les pentes de l'Himalaya, IIe siècle av. J.-C.
Perplexes, nerveux, inquiets, les sages célestes
s'approchent de Brahman le Créateur, premier de
la Trinité du panthéon hindou, qui comprend
encore Vishnou (le protecteur) et Shiva (le destruc-
teur). Les sages supplient Brahman de créer une
composition esthétique qui leur donnerait à
jamais, ainsi qu'à toute l'humanité, le plaisir
divin. Brahman accepte et ordonne à Bharata[1]
de transmettre son message à tous les êtres de la
terre.
Entouré de tous les sages avides de paroles,
Bharata leur fait un exposé vivant des grandes
lignes qui caractérisent cette connaissance sacrée.
« La substance de toutes les sciences, la mise en
œuvre de tous les métiers ; de tout cela, en y joi-
gnant les Mythes, je fais le Cinquième Savoir qui
s'appellera Théâtre[2]. » Ainsi le théâtre épique fut
destiné à être « tantôt la loi, tantôt le jeu, tantôt
la richesse, tantôt la quiétude, tantôt le rire, tan-
tôt la guerre, tantôt la passion, tantôt la mort
violente ».

Février 1984. Madras, l'une des villes du pays où, pour diverses
raisons historiques, subsistent aujourd'hui certaines formes de
l'esthétique traditionnelle, le seul lieu où existe encore ce lien entre
le mythe ancien et la culture contemporaine, témoin concret d'une
tradition orientée vers la modernité.
    Je dois y rencontrer le Dr J., docteur ès sanscrit, spécialiste de
danse classique, une femme mince d'un certain âge déjà. Elle
m'accueille avec ce large sourire ouvert et gracieux qui représente
pour moi toute la gentillesse des gens de cette partie du monde.
    Une surprise agréable m'attend. Le Dr J. doit aller d'ici peu à Chit-
tambaram et me propose de l'accompagner si j'en ai le temps. De
quoi rêver ! Que pouvais-je espérer de plus que d'aller au temple

de Chittambaram, le plus grand hommage architectural au *Natya-castra*, en compagnie d'une érudite de grand renom, spécialiste de ces mythes et du théâtre épique.

Chittambaram, situé à environ 250 kilomètres au sud de Madras, représente peut-être le lieu de pèlerinage le plus sacré pour les hindous du sud de l'Inde. Selon l'interprétation de la mythologie hindoue, particulière à cette région, c'est ici que Shiva a exécuté la splendide danse cosmique (Nadanta) qui lui permit de vaincre les hérétiques *rsis* (ermites) des forêts voisines du Tillai. Dans chaque foyer hindou, on retrouve ces statues en bronze de Shiva qui proviennent du sud de l'Inde et font précisément référence à cette instance de grâce cosmique : le pied droit maintient à terre Muyalaga qui se tord de douleur, le gauche s'élève dans le Kuncita Pada[3] ; une main droite joue du tambour cosmique, une autre est dans l'Abaya Hasta et une main gauche tient le flambeau tandis que l'autre est dans le Danda Hasta. C'est en vertu de cette danse exquise que l'on a pu dire de Shiva qu'il était l'ancêtre du principe nietzschéen qui considère « la destruction en tant que créativité ».

La construction du temple de Shiva Nataraja à Chittambaram s'étala sur plusieurs siècles (du VIe av. J.-C. jusqu'au XIXe après J.-C.), ainsi les talents de chaque nouvelle génération ont pu être mis à profit. Les *gopurams* (dômes) disposés systématiquement dominent le lac d'un vert transparent dont les eaux portent la croyance de toute une histoire imprégnée de l'amour des dieux shivites. Les gopurams, qui, délicatement découpés dans du granit, s'élèvent vers les cieux, abritent dans leur ombre bénie les richesses insondables de toutes les formes de la danse indienne. Dirigé par les explications chuchotées du Dr J., j'entrai dans le premier des gopurams.

Ébloui, je contemplai la beauté incomparable des diverses *Karanas*[4] auxquelles les plus célèbres gurus de la danse ont emprunté le mot de passe avant de pénétrer les mystérieux labyrinthes d'un Bharatanatyam ou d'un Kouchipoudi. C'est ici, à Chittambaram, que Kopperinjung Deva s'est installé pour sculpter les cent huit illustrations des Karanas telles qu'elles sont décrites dans le *Natyacastra*. Les Karanas sont des formes d'une grande précision qui représentent l'*Angika* (positions du corps), l'*Ahanya* (costumes et ornements) et le *Sattvika* (les états mentaux et les saveurs). Imprégnée de la richesse extraordinaire de ces sculptures de danseurs qui lentement se meuvent dans les corridors de la poésie pétrifiée, le Dr J. ajoute que ces temples et leurs trésors ne constituent qu'une partie de cet art.

LES PROSTITUÉES SACRÉES

« *C* 'était dans ces lieux, couloirs, places, que les *devadasis* (les prostituées du temple comme on les appela) dansaient, chantaient des hymnes religieux et jouaient des instruments à la gloire éternelle de leurs dieux. La tradition des devadasis remonte à l'origine de l'histoire hindoue. La littérature Tamil Sangam (200 à 300 av. J.-C.) fait référence à une classe de danseuses, les *parattaiyars* (courtisanes), dont le rôle était d'accomplir divers rituels dans la communauté, plus tard elles furent associées aux temples. Certaines femmes, généralement celles qui étaient nées avec des cheveux nattés *(jatta)* étaient dédiées à la déesse. Une cérémonie religieuse simple consacrait cette offrande de la jeune fille à la déesse. L'homme qui se chargeait des frais de la cérémonie avait le droit de la « déflorer » et, à partir de ce moment-là, elle était considérée comme mariée à la déesse et à la communauté.

« Dotée d'un esprit de sacrifice et d'un remarquable dévouement, elle se devait de servir les dieux par des rituels et des cérémonies et elle offrait à la communauté les plaisirs divinement sensuels de son corps. Tout homme qui la désirait pouvait la posséder. En récompense de ce service un tant soit peu douteux, la société mâle lui laissait une complète liberté de mouvement. Elle pouvait avoir les relations qu'elle désirait, hériter d'une propriété, enfin elle pouvait accomplir certains rituels, par exemple, celui de la mort qui, aujourd'hui encore, est interdit aux femmes hindoues. Autrefois, selon les lois de Manu, toute femme devait être protégée par son père, son mari ou son frère ; dans ce sens la devadasi était un homme.

« Au Moyen Âge le pouvoir temporel a connu un certain déclin et les temples ont été remplacés par les *raddasis* (propriétaires féodaux). Ainsi les devadasis (esclaves de Dieu) sont devenues les *rajadasis* (esclaves de l'État) et ce sont leurs *sangeeta* (danse-musique-théâtre) qui ont animé les cours de l'empire. Enfin les Britanniques ont soumis les *rajahs*, et, après la disparition des seigneurs féodaux, qui avaient su garder des liens personnels avec leurs courtisanes, les rajadasis devinrent des *vidhidasis* ou esclaves des rues. Le cercle était clos : d'amantes des dieux elles étaient devenues une simple commodité, achetées et vendues à la merci de l'argent. »

Le jour suivant, 9 février 1984... De mon petit hôtel de Chittambaram, j'apprends, par le journal, la mort de Bala Saraswati. Bala était le dernier grand témoin de la tradition des devadasis, une interprète incomparable du Baratanyam, la « femme à l'envol magique », une danseuse couronnée de gloire et qui donnait aux dieux leur raison d'être. Elle représentait, par sa danse, l'un de ces moments de « vérité » historique rarement rencontrés.

En son hommage, Satyajit Ray a produit un documentaire. Toutefois Bala Saraswati était plus qu'une danseuse. Elle était avant tout une devadasi, une rebelle, une tzigane.

LA RÉVOLTE
DE BALA

Mais faisons une brève incursion dans les dédales de l'histoire.

1947 : L'Inde est libre et les devadasis tombent dans l'oubli. Le mouvement anti-nautch (danse) est à son point culminant. Les danseuses sont considérées comme vulgaires, profanes et marginales.

Alors qu'auparavant l'art des devadasis était sanctifié avec l'accord des dieux eux-mêmes, les nouvelles lois remplacent les vieilles croyances. Un nouveau code moral est mis en place. Juste au moment où l'histoire consacre l'apogée de l'influence brahmane dans l'État, une loi est adoptée, le *Devadasis Act* (Prévention contre la danse), qui décrète qu'il est illégal pour une femme, qu'elle soit *kumbaharati* (de bonne famille) ou non, de danser dans l'enceinte d'un temple, d'une institution religieuse ou dans n'importe quelle procession en l'honneur d'un dieu hindou. A cette époque Bala était à Tiruttani, une petite ville du Tamil Nadu. Insensée comme seuls les dieux peuvent l'être, défiant la loi comme seuls ceux qui la font peuvent le faire, Bala se dirigea vers le temple Murugan. Le prêtre, le regard tourné vers le dieu, célébrait l'*abhiskekem*, versant du lait sur le *lingam* sacré de Shiva. Bala se fraya un chemin parmi l'assemblée et commença à chanter doucement en s'accompagnant de ses mains. La prière terminée, l'assemblée dispersée, Bala appela le veilleur et l'envoya acheter du camphre pour le *deepa aradhana* (prière avec la lampe).

La pleine lune inondait de sa lumière le temple désert, tout n'était que silence sur ces lieux qui allaient connaître la rébellion. Bala mit ses *gajja* (bracelets de cheville), elle alluma la *deepa* (lampe) et, à la lueur vacillante de la flamme sacrée, elle se mit à danser en l'honneur des pouvoirs qui, selon sa pensée, règnent sur la terre. La prière qu'elle chantait tout en dansant disait : « Seigneur, je vous offre mon art et ma personne. » Ce n'est qu'un incident sans importance, certes, une goutte d'eau dans le vaste océan de l'histoire, néanmoins, voilà une femme qui, en l'espace d'un instant, dans un acte de défi à la façon de Shiva, symbolise à titre posthume la révolte de toute une lignée de danseuses et de croyants contre la législation brahmane décidée par des politiciens brahmanes.

L'acte symbolique de Bala Saraswati en 1947 ne marquait pas le début d'une ère de révolte mais plutôt sa fin. En effet, dix ans auparavant, la brahmanisation du Sadir avait déjà commencé. Si la légendaire Bala s'efforçait de défendre le droit des devadasis à pratiquer leurs splendides danses « païennes », par ailleurs se développait une contre-légende, celle de Mukmini Devi, qui posait les fondements d'une nouvelle conception de la danse (on l'a maintenant renommée *Bharatanatyam*) en accord avec le classicisme et la morale de l'élite brahmane. Mukmini Devi, accompagné de quelques musiciens et danseurs, fonda le *Kalakshetra* (espace de danse) en 1936. Aujourd'hui, il est le lieu de consécration du Bharatanatyam.

LA TRADITION
CONTRE LA CRÉATION...

A 10 kilomètres de Madras, le Kalakshetra, institution financée par l'État, sommeille, enfoui sous les grands arbres d'un vert sombre. Des allées étroites, où peignent de jeunes artistes, à l'ombre des manguiers, mènent à un étang aux eaux dormantes. Les lotus oscillent doucement au rythme de leurs racines mythiques. On entend, en provenance des salles de classe, les rythmes frappés sur le *tattapalagai* (morceau de bois utilisé pour donner les rythmes élémentaires) dont se servent les professeurs de musique qui enseignent ici. L'ambiance est idyllique.

Le Kalakshetra jouit d'une très grande renommée et a formé la plupart des grands danseurs contemporains (Mukmini Devi, Sharda Hoffman, Dhananjayans, Laxman, Yamini, Krishnamurthy, Samyukta, Panigrahi). A l'origine, le Kalakshetra a été créé davantage pour préserver la tradition hindoue que pour encourager la création, et ses fondateurs avaient pour mission l'interprétation naturelle de celle-ci. Comme l'analyse un professeur de l'école, « la création et la tradition sont souvent antagonistes. En fait, il existe deux traditions : ce qui est *lokdharmi* (populaire) et *natyadharmi* (de conception puriste). Nous nous concentrons sur tout ce qui est art dans la danse ; nous sommes très exigeants sur la qualité du style, qui ne peut être acquis que par l'entraînement et une maîtrise rigoureuse de la technique. Par conséquent, ici, l'accent est mis sur la technique, au détriment de l'improvisation. On dit souvent que lorsqu'on a vu danser un étudiant du Kalakshetra, on a vu tous les autres. L'école impose à ses étudiants une discipline très stricte. Il leur est interdit de recevoir d'autre enseignement que celui qui leur est dispensé dans l'école. »

Depuis dix ans, on a assisté à une véritable éclosion et Madras possède aujourd'hui une douzaine d'écoles privées où l'on enseigne le Bharatnatyam et le Kouchipoudi. La plupart des grands danseurs — Padma Sabramaniam, Dhananjayans, Narsimbachari — sont aussi des gurus très connus comme Muttuswamy Pillai et ont leurs propres écoles de danse.

... OÙ LA TRADITION NOURRISSANT LA CRÉATION

A quelques kilomètres du Kalakshetra, au bord de l'Elliot, plage au bleu turquoise, Dhananjayans a créé une petite école, qui accueille environ 200 étudiants qui apprennent le Bharatnatyam et le Kouchipoudi. L'école est une petite maison au toit de chaume. Dans l'arrière-cour se dressent deux huttes en paille, de forme triangulaire. Les brins de paille s'agitent au gré de la brise marine et prennent les formes recourbées des cils d'une jeune danseuse. Des enfants curieux, de sept à onze ans, sont en rang et apprennent les bases d'un enseignement qui dure de cinq à six ans avant d'avoir le droit de monter sur la scène (Arangetram). Comme les enfants apprennent les gestes des yeux, leur regard se transforme si soudainement que l'on en oublie leur âge. Comme je faisais cette remarque à Dhananjayans, il me répondit en souriant : « C'est la technique élémentaire de base, en grandissant, ils acquerront expérience et finesse. De toute façon plus on commence jeune, mieux c'est. »

Les Dhanajayans étaient les meilleurs du Kalakshetra. Aujourd'hui, leur style est très différent. La principale critique qu'ils font à l'encontre de l'institution qui les a formés est son traditionalisme. « La tradition est créative. Elle est vivante. Les puritains prétendent que la tradition, c'est le passé. Nous n'en croyons rien. Pour nous, dans notre danse, elle n'est qu'un cadre à partir duquel nous développons constamment l'imagination et la créativité. La tradition ne constitue que les fondations sur lesquelles nous construisons. On ne peut faire aujourd'hui ce qui a été fait il y a cent ans, bien que ce que nous créons ne soit pas essentiellement différent. La base est la même et pourtant, l'expérience d'un siècle est là et vient enrichir la danse. Elle en est d'autant plus vivante. La tradition doit être création. »

Comme nous parlons, un enfant sort de la classe et dit à Dhananjayans : « Ma mère m'attend. Je dois partir, oncle ! » L'enfant sort, embrasse sa mère qui lui donne une pomme.

Sur ce, je me prépare à partir. Un éloge à Shiva est gravé sur le mur :

> Tu es le Soleil, Tu es la Lune, Tu es le Vent,
> Tu es le Feu,
> Tu es les Eaux, Tu es le Ciel, Tu es la Terre,
> Tu es l'Ame du Monde...
> Les mots des Sages voilent
> Ta Nature
> Ici-bas, nous ignorons Ce que Tu es
> Mais nous savons
> que Tu es Cela.

(Traduit de l'anglais par Marie-Hélène Richez)

VIJAY SINGH ET SHOBA RAGHURAM
journalistes

1. Bharata était un personnage mythique, du moins si l'on fait une interprétation scientifique de l'Histoire. Alors que le poète et auteur dramatique Kalidasa le considérait comme l'auteur du *Natyacastra*, plus tard des spécialistes en sanscrit ont interprété le nom de « Bharata » comme une métaphore, comme l'abstraction la plus élevée ; ils ont scindé le mot en trois syllabes bha-ra-ta : *bhava* est l'émotion ou l'idée, *raga* la mélodie ou l'air, et *taala* le rythme.

2. On l'appelle le Cinquième Savoir car, en substance, il est dérivé des quatre autres *Veda* de l'hindouisme, le *Rig Veda*, le *Sama Veda*, le *Yajur Veda* et l'*Adharva Veda*.

3. *Kuncita Pada* : en cette instance, la déesse indienne Kali dansait aussi bien que Shiva. Afin de lui montrer sa supériorité, Shiva leva sa jambe nue parallèlement à la terre. Kali, en tant que femme, ne put exécuter le même mouvement.
Abaya Hasta : le geste de la main bouddhiste qui signifie la paix.
Danda Hasta : la main gauche désigne le diable terrassé à ses pieds.

4. La Karana est définie dans le verset 59 du *Natyacastra* : « Chaque unité de danse correspond à certaines positions, mouvements ou poses des mains. L'ensemble constitue une Karana. »

PHOTOS ANNE GARDE — TEXTE DE LAURE VERNIÈRE

La route de Simla.
Au nord de Delhi, là-haut,
dans les Himalayas,
la ville de Simla, l'ancienne capitale d'été
des Viceroys, semble baigner
dans le passé et les nuages.
Les singes jouent devant l'église anglicane.

Derrière le Bazaar, à Chapslee
— un cottage anglais tout
droit sorti d'un conte d'Edgar Poe —,
nous partageons un délicieux lunch
indien avec Ranjit, le cousin du Maharadja
de Kapurtala, sa jeune femme
en sari vert et l'invitée à demeure,
Miss Jane Hall.

Sous la véranda donnant
sur un jardin épanoui par la mousson,
Lady Jane raconte la Grande Compagnie
des Tabacs, l'Armée des Indes,
Gandhi et l'Indépendance.
Le temps s'est arrêté.
Le lendemain,
à une quinzaine de kilomètres de Chapslee,

nous nous retrouvons en pleine forêt
devant « La Retraite », une grande
et gracieuse construction en bois vert.
Sur le seuil, le Maharadja
de Mashobra, en chemise et turban roses,
nous accueille, énorme et souriant.
C'est un ami de Lady Jane.

Après quelques gins roses servis
par de splendides domestiques
enturbannés, un petit vin de Golconde
accompagnant un curry très raffiné,
voilà que nous parlons
de Monte-Carlo et des Folies-Bergère.

Sur les étagères d'acajou,
Henry Bordeaux et Victor Margueritte,
luxueusement reliés, se sont assoupis.

L'UNIVERS

EST UN TEMPLE

Le mot hindouisme, qui viendrait du persan, n'est admis en français que tardivement. Littré ne le retient que pour son Supplément de 1876. C'est, dit le Robert « la religion de la grande majorité des hindous », et sa définition est illustrée par une perle de collection : « L'hindouisme a créé deux grandes religions : celle de Vishnou et celle de Shiva. »

Que penserions-nous d'un auteur tamoul ou bengali qui écrirait, par exemple : « Le christianisme a créé deux grandes religions : celle de Jésus et celle de Marie » ? Ou bien encore : « Celle des jésuites et celle des carmes » ?

Les observateurs plus anciens — et aujourd'hui encore certains orientalistes — préfèrent parler de la religion des brahmanes, de civilisation brahmanique, de brahmanisme, que le Robert présente aussi d'une manière étonnante : « Religion et organisation sociale avant l'hindouisme et le bouddhisme. »

Il apparaîtrait donc à la lecture du lexicologue que la « religion » de l'Inde d'aujourd'hui ne serait plus celle des brahmanes. D'autres spécialistes vont jusqu'à proclamer tout de go que l'hindouisme n'existe pas ! Ils n'ont peut-être pas tort, ni les uns ni les autres.

Il serait bon, pour commencer, de nous entendre sur le sens du mot religion. A l'origine, et d'après le latin, c'est ce qui relie et rassemble une foule de fidèles autour d'une même croyance ; de nos jours, la religion est un système de pensée qui explique tout des rapports entre l'homme et Dieu, d'après le Robert encore, qui ajoute : « Chaque religion affirmant être la seule bonne ! » Combien de morts, de tortures, de ravages au nom de la vraie foi ! Au palmarès de cette intolérance, la « religion » de l'Inde tiendrait sans doute la lanterne rouge, l'hindouisme n'ayant suscité que rarement des guerres, et des vocations missionnaires plus rarement encore.

Mais revenons à nos zébus ! Actuellement, on appelle Indiens les habitants de l'Inde et hindous ceux qui participent à la religion dominante, pour les distinguer des musulmans, des parsis, des bouddhistes — pratiquement disparus du sous-continent —, des chrétiens et des juifs...

CHACUN PRIE CE QU'IL VEUT, OÙ IL VEUT, QUAND IL VEUT

L'hindouisme, puisqu'il faut l'appeler par un nom, ne connut jamais ni concile, ni dogme, ni pape. De temps à autre un nouveau texte apparaît, un maître se fait aimer par la hauteur de son enseignement, la rigueur de ses démonstrations, la sainteté de sa vie, et supporte des admirateurs, des disciples ; l'ensemble se nomme un *ashram*. Lorsque le gourou meurt — quitte son corps —, l'ashram disparaît avec lui, chacun des survivants s'en retournant vers ses propres affaires.

Plongeant dans l'océan des textes — les hindous sont d'imbattables coupeurs de cheveux en quatre —, on reste d'abord confondu par la masse des options et des contradictions. En un mot, de ce que l'on a tant lu, on n'ose plus parler ! Car l'hindouisme est une éponge qui s'imprègne au fil des temps de tout ce qui lui semble bon, juste, exemplaire — rappelons en passant qu'un exemple est unique... et ne doit pas s'imiter ! Ainsi le Christ est-il parfois reconnu pour une incarnation de Vishnou, ou vous-même pour un avatar, mineur et par manière de flatterie. N'importe, cela vous fait un choc si vous en vivez l'expérience ! Parce que, depuis des années, vous revenez dans ce village pour y dépenser vos dollars — au lieu de les brûler à Londres ou à Las Vegas —, pour étudier les mœurs et comprendre les rites, et en même temps parler d'autres pays, d'autres philosophies, bref : parce que l'on considère votre blanche présence ainsi qu'un miracle, on vous range parmi les sages malgré vos façons bien barbares en bien des domaines, on vous annonce aussi que vous êtes un dieu. C'est d'ailleurs la seule explication logique, si l'on y réfléchit ! Pourquoi vous, ici, tant de fois ? Parce que vous avez déjà vécu en ces lieux, au cours d'une autre vie et que votre devoir vous y fait revenir.

Si, pour dégrossir la question et profiter du travail de nos aînés, nous dévorons les études publiées par de dignes professeurs occidentaux, nous découvrons alors une vision de l'Inde qui ne correspond pas souvent à la réalité quotidienne. Les dieux dont on nous parle ici ne sont plus de saison là-bas ; les rites ne sont pas les mêmes. De quelle synthèse est-il question ?

A mon tour, saurai-je fourrer dans cet article autant de vérités que de bêtises... colportées depuis jadis et naguère parce que M. Untel l'affirma ?

Parler de l'hindouisme ? Mais de quel hindouisme ? De celui des textes — des plus anciens ? des plus modernes ? — ou de celui qui colore indéniablement cet immense pays, avec son cortège de particularismes et de superstitions. De même, si je devais expliquer le christianisme à des Tibétains, en quinze pages, traiterais-je seulement de l'Évangile ou bien des deux Testaments, des Pères de l'Église et de saint Augustin, pour négliger saint François et saint Jean de la Croix ? L'Église, dites-vous, quelle Église ? Celle des catacombes ou celle de la Rome des Borgia ? Lourdes ou Solesmes ? Le pontife qui bénit les canons, celui qui condamne la première Société protectrice des animaux ou bien Saint Vincent de Paul, l'abbé Pierre ? Tous, tout ; tout ensemble ! Que l'on oublie mes omissions, que l'on me fasse grâce de mes simplifications !

En Inde, chacun prie ce qu'il veut, où il veut, quand il veut et comme il veut. Point de cérémonies à heure fixe dans un endroit précis ni d'obligations strictes comme celle de se confesser, de faire ses Pâques... ou de respecter le repos du sabbat. L'offrande — la *puja* — peut avoir lieu dans une chambre devant l'autel domestique, dans la cour de la ferme devant l'arbrisseau sacré — un plant de basilic — ou bien sur un dessin tracé à l'eau de riz sur le sol de terre battue, au pied d'un arbre — généralement un figuier ou un banyan —, autour d'une pierre, d'un rocher.

Ainsi, les bornes kilométriques des anciens comptoirs français sont-elles devenues parfois des autels à cause de leur ressemblance avec le *lingam*, symbole phallique et signe du dieu Shiva. On se recueille aussi au confluent des rivières, etc. ; l'univers tout entier est un temple. Un des textes les plus anciens fait dire au divin : « Si quelqu'un prie un arbre, un rocher, je serai là pour l'entendre. » La prière est la nourriture des dieux.

LES DIEUX N'EXISTENT PAS

Bien sûr, certains temples, certaines villes reçoivent à certaines dates des foules de pèlerins. Certains jours sont plus particulièrement dédiés à telle ou telle divinité : fête de Sarasvati, déesse du Savoir, protectrice des écoliers, des étudiants, qui encensent alors livres et matériel scolaire en l'honneur de la « mère de la poésie » — ce jour-là, on ne doit ni lire, ni écrire, ni jouer d'un instrument de musique ; anniversaire de la naissance de Krishna, pour la gloire duquel, peut-être, on organise un concert et l'on chante, car ce dieu fut bon flûtiste. La tolérance hindoue est théoriquement si grande que l'auteur de la *Bhagavad-Gita* fait dire au divin : « Ceux qui adorent fidèlement et avec piété d'autres dieux, c'est moi seul qu'ils adorent tout en ignorant les rites qui conviennent. »

Ainsi ce riche, vieux et savant pandit de la province que je fréquente, qui, depuis sa vingtième année, consacre son temps et sa fortune à l'étude et à la pratique du yoga, nourrissant des lettrés, donnant l'hospitalité à toute sorte de curieux personnages, moines-mendiants ou saints de passage, me demanda-t-il de lui rapporter d'Europe un livre où figureraient les différents aspects de la Vierge : Marie écoutant l'Annonciation, au Calvaire, en son Assomption ; chaque scène traitée par nos grands artistes, chacune différente de l'autre.

Mais, à ma connaissance, cet ouvrage n'existe pas ! En Marie, ce qu'il aurait voulu vénérer, c'était la Grande Déesse, l'Énergie sous d'autres formes que celles connues en Inde, et voilà tout. L'Inde a le culte des images.

L'hindou, en principe, ne différencie pas le profane du sacré. Toute vie est un sacerdoce, une participation qui doit être la plus harmonieuse possible au jeu de l'univers. Toute action devient donc un rite. Il y a une manière rituelle de se nourrir, de faire l'amour ou de se laver le derrière. A cause des correspondances qui relient le microcosme au macrocosme, toute action bien menée — tout rite — interpelle les forces cosmiques que nous appelons les dieux.

Car, pourrait-on dire, les dieux de l'Inde n'existent pas ; ce ne sont que les symboles des diverses énergies, des puissances particulières actives dans le cosmos, toutes issues du même et unique divin. Ainsi les couleurs du prisme, toutes différentes à nos yeux, ne sont que des aspects partiels, fragmentaires, des variations issues de la même et unique lumière solaire.

Ce divin, innommable, indéfinissable d'après nos catégories, cette réalité transcendante commence justement à partir du point limite auquel nous pouvons atteindre par nos pensées, nos sciences, nos arts. C'est pourquoi les anciens sages, les *rishis*, opposaient à son propos les contraires : « Il n'est ni ceci ni cela. »

L'homme n'est jamais aussi proche du divin que lorsqu'il s'absente de lui-même ; au moment de l'éjaculation, au moment du hoquet, là, nous l'avons presque atteint. N'oublions pas que la méditation, si elle a besoin d'un objet pour point de départ, doit être intransitive. Dans la recherche spirituelle, on ne médite pas quelque chose, on médite ; un point c'est tout. On arrête son cinéma intérieur — le yoga est l'arrêt de tous les mouvements de la pensée — pour s'élever dans le silence et par le vide vers ce qui est au-delà de tout, et dont nous ne savons rien, que nous pouvons seulement tenter d'approcher ; approche, telle est d'ailleurs le sens du mot *upanishad*.

Les *Upanishad*, qui apparaissent après les *Veda* — les plus anciens recueils de la littérature de l'Inde —, sont d'admirables poèmes inspirés, composés, semble-t-il, par des sages qui se réunissaient en joute oratoire et lançaient leurs révélations après avoir bu le *soma*, liqueur enivrante et sacrée qui devait avoir quelque chose à voir avec le chanvre, n'en déplaise aux tartufes d'aujourd'hui.

Admirables poèmes, disais-je, admirable philosophie égale aux plus hautes élucubrations jamais sorties de boîtes crâniennes, et dont je recommande à tout roseau pensant la plus attentive lecture. Pour allécher mon lecteur, je ne résiste pas au plaisir de la citation, dans une traduction d'Alain Daniélou.

« Au commencement, très charmant, ce monde n'était qu'Être sans dualité. Certains, il est vrai, affirment qu'au commencement ce monde n'était que non-Être sans dualité, et que l'Être sortit du non-Être. Mais comment cela serait-il possible ? Comment pourrait l'Être sortir du non-Être ? Au commencement ce monde doit avoir été pur, unique et sans second. » ... ou encore : « Sache que le principe de tout est la jouissance. De la jouissance tous les êtres sont nés, une fois nés ils sont maintenus en vie par la jouissance et quittent ce monde pour retourner à la pure jouissance. »

TOUTE CRÉATURE N'EST REMPLIE
QUE DE VIDE

Ainsi l'hindouisme engrange et amalgame, à chaque époque, les révélations qui permettent à chacun de se réaliser librement, selon ses aptitudes, ses goûts, en choisissant ses dieux.

A cause des textes divers et de la longue histoire de cet ensemble de peuples qui composent l'Inde, chaque dieu a mille formes, mille noms ! Certains sont plus anciens que d'autres. Tel héros légendaire de telle région est absorbé par osmose et devient, au fil des temps, un nouvel aspect de telle force. Telle légende, tel exploit deviennent mythiques et l'Inde a vite fait de reconnaître le divin sous l'écorce. De sorte que les dieux n'ont pas de biographie linéaire. On trouve souvent pour chacun d'eux plusieurs explications concernant sa naissance, des variantes concernant ses actions ou sa mort. Chaque dévot choisit la pente qu'il préfère et chaque région tient sa version des faits, ses interprétations, pour vraies ou préférables.

L'Inde aime les belles et longues histoires et ne se lasse pas de les entendre répéter. Ce doux plaisir de l'enfant qui attend le moment du récit connu par cœur, parce que souvent rabâché, où le méchant démon va enfin manger la gentille princesse ! Mais chaque aventure a plusieurs niveaux de lecture, comme on dit aujourd'hui. L'esprit peu développé n'y entend qu'une fable, le lettré se distrait au plaisir des jeux de mots, et des sous-entendus, le sage en tire un enseignement profitable.

Brahma est le nom que l'hindouisme donne à la force d'équilibre qui est la cause de l'existence de l'univers. Brahma n'apparaît pas dans les *Veda*, où l'on parle plutôt de l'Embryon d'or. Actuellement, ses caractéristiques sont dévolues à la Grande Déesse, au principe féminin actif. En Inde, c'est la part féminine des êtres qui est dite active. Il en est de même en amour où la femme se couche sur l'homme et agit.

Première entité individuelle, Brahma naquit dans l'esprit de Vishnou — des images nous le montrent emplissant l'œuf cosmique relié au nombril de ce dieu, ou bien encore sur un lotus jaillissant de ce même nombril. Telle est du moins la version de son origine proposée par le *Mahabharata*, l'une des deux grandes épopées indiennes. La seconde, le *Ramayana*, explique que Brahma est né de lui-même.

C'est le premier voyant, le grand architecte, le souverain suprême, l'auteur des *Veda*. Peu vénéré de nos jours — sinon au temple de Pushkar, au Rajasthan —, il est puni pour avoir menti, prétendant faussement avoir atteint le sommet du sexe lumineux de Shiva. Shiva d'ailleurs réduisit en cendres l'une de ses têtes, c'est pourquoi Brahma n'en a plus que quatre.

Tout est rêve, tout est symbole. Rien n'existe vraiment, dit l'Inde. Toute créature n'est remplie que de vide — nos physiciens commencent de le murmurer aujourd'hui — et ce vide même est creux. C'est pourquoi ces mêmes physiciens, à Saclay, à Ferney-Voltaire, construisent des anneaux de vide dans lesquels ils projettent des rayons laser, pour avoir la joie de découvrir que quelque part quelque chose apparaît — la matière sans doute —, laissant à la place un trou dans le vide ; c'est ce que l'on appelle l'antimatière. Sachons-le, nous payons des impôts bien réels pour que nos savants fassent des trous dans le vide ! Est-il occupation plus poétique ?

J'insiste sur cela car nous nous sommes tant de fois moqués de ces dieux à quatre ou dix têtes, à quatre ou huit bras ! Ces sauvages ! Ces enfants ! Cette religion de primitifs ! Mais les hindous, les tout premiers, ne croient pas à ces fantaisies explicatives. Si l'on donne au dieu quatre têtes, c'est pour montrer qu'il peut à la fois dominer les quatre directions ; s'il en a cinq, c'est pour prouver qu'en plus des points cardinaux, il fixe aussi l'intérieur de lui-même. S'il a quatre bras, c'est encore une manière d'affirmer sa puissance.

VISHNOU, L'AXE DU MONDE

Chaque divinité est accompagnée d'un animal — on parle de monture, de véhicule —, symbolique aussi. La monture de Brahma est une oie, symbole du Savoir.

Cela permet parfois de représenter un dieu sous la forme de sa monture, par respect, de même que l'on use d'un surnom contourné, d'une épithète, plutôt que de le désigner nommément. Par respect aussi, une femme ne doit jamais prononcer le nom de son mari. Quel artiste serait assez fou pour imaginer pouvoir imager une entité aussi abstraite ? Parfois même, le temple, à la place d'une statue, n'offre aux fidèles qu'une empreinte des pieds du dieu vénéré en ce lieu.

Chaque divinité est accouplée. Sarasvati, déesse de la Parole, de la Musique, est la compagne, l'épouse de Brahma. Mais cette déesse, comme toutes les autres — à chacun sa chacune —, n'est que la personnification de l'énergie du dieu, la part féminine, active, forte du dieu auquel elle est accouplée. Elle non plus n'existe pas.

Vishnou est le nom donné à l'axe du monde, l'immanent. C'est lui qui fait que la vie dure, c'est lui qui maintient l'univers assemblé, et pour cela il rêve. Toute création est issue d'un concept, d'un désir ! Lorsque Vishnou dort, le cosmos se résorbe dans l'informel océan des causes ; les débris, la matière s'agglutinent sous la forme d'un serpent qui devient la litière du dieu.

C'est Vishnou qui se réincarne au cours des âges pour répéter plus ou moins la même chose d'une manière différente et qui correspond mieux à l'époque où il apparaît. L'Inde s'est aperçue depuis belle lurette que les mots finissent tôt ou tard par signifier le contraire de leur sens premier. Ni le Bouddha, ni le Christ, ni Mahomet n'ont écrit, sachant bien que tout enseignement ne peut avoir d'échos que s'il est transmis directement, de bouche à oreille, de maître à élève. Mais les disciples sont toujours plus royalistes que le roi et les voilà qui composent des livres. Si bien qu'ensuite on dresse les bûchers de l'Inquisition, on se massacre en Irlande au nom des Béatitudes.

C'est à propos de Vishnou que l'on parle d'*avatar*. Ainsi ce dieu devient-il Rama, le prince charmant, ou Krishna, le dieu berger si beau qu'hommes et femmes en tombent amoureux. Symbole! Symbole que tout cela! Ces amoureuses, ces *Gopis* que Krishna entraîne dans sa ronde, fait danser au son de sa flûte, ce sont les âmes séduites par la perfection divine. C'est à lui que l'on doit la *Baghavad-Gita*, l'un des plus saints hymnes de l'Inde. Texte fondamental qui proclame qu'il ne saurait y avoir de progrès spirituel sans action. Agir, il faut agir selon les devoirs de sa caste, ne pas se poser d'inutiles problèmes moraux et faire confiance aux dieux... qui en savent plus long.

Vishnou a pour monture l'oiseau mi-homme mi-vautour appelé Garuda. Sa compagne est Lakshmi, déesse de la Fortune. Chaque matin, tout commerçant encense son tiroir-caisse en pensant à elle.

SHIVA, L'UNION DES CONTRAIRES

Shiva est le nom donné par l'hindouisme à la force centrifuge de désintégration. C'est le dieu du Temps et de la Mort. Il est appelé aussi Bienveillant, Grand Dieu, Seigneur du Sommeil. C'est le grand yogi, le maître du tantrisme, peut-être le plus ancien dieu de l'Inde; il s'appelait jadis Rudra.

Tout ce qui a commencé doit finir. Tout ce qui existe sera un jour détruit. Tout ce qui grandit, s'étend, finit par se dissoudre. Mais c'est de cette dispersion que renaîtra une nouvelle existence. C'est pourquoi — la destruction étant la cause première de toute création — Shiva demeure au commencement et à la fin. Détruisant un monde, il en crée un nouveau.

Shiva a mille et huit noms, deux aspects. L'un terrible, en tant qu'il met fin à notre vie corporelle, l'autre aimable en tant qu'il nous libère de l'existence apparente pour nous permettre d'atteindre la vie éternelle.

Il est beau, possède le troisième œil, ses reins sont ceints d'une peau de tigre; le trident est l'un de ses attributs; le Gange coule de ses cheveux; cinq est son nombre.

Le symbole de Shiva est le phallus — le lingam — souvent dressé dans le *yoni* — organe féminin — symbole de l'énergie cosmique. Il ne saurait exister de création sans l'union des contraires; Shiva est présent dans tout pouvoir géniteur.

« Celui qui laisse passer sa vie sans avoir honoré le phallus est en vérité pitoyable, coupable et damné. Si l'on met en balance, d'un côté, l'adoration du phallus et, de l'autre, la charité, le jeûne, les pèlerinages, les sacrifices et la vertu, c'est l'adoration du phallus, source du plaisir et de la libération, qui protège de l'adversité, qui l'emporte. » ... « Celui qui vénère le phallus en sachant qu'il est la cause première, la source de la conscience, la substance de l'Univers, est plus proche de moi qu'aucun autre être », dit le *Shiva Purana*. (Traduction d'Alain Daniélou.)

La compagne de Shiva est appelée, entre autres noms, Parvati, la Fille de la Montagne, Uma, la Paix de la Nuit, Durga, l'Inaccessible, Kali, la Noire, la déesse du Temps, la Terrible. C'est la Grande Déesse, l'Énergie personnifiée.

Ces trois grands dieux et les autres — on parle de trois cent trente-trois millions de dieux — ont des enfants, des aventures. De longues discussions autour des temples et des maisons de thé permettent à chaque dévot de vanter les mérites, la puissance de l'image divine qu'il préfère.

Certains suivent l'enseignement de Krishna, qui proclame que l'amour est un chemin de délivrance et la dévotion un salut, si l'on se dépossède du fruit de ses actes. On les entendra répéter des heures durant le nom du dieu et rien d'autre ; les plus fanatiques y consacrent leur vie.

D'autres choisissent, par exemple, la voie dite de la main gauche et s'appuient sur les interdictions communes pour atteindre au divin. Tantriques, ayant préféré Shiva et son Énergie, ils se livreront à des rites ésotériques dont certains paraîtront relever de la messe noire ou de l'orgie aux yeux du profane. Pourtant, comme les premiers, leur seul but est la perfection intérieure, si leur approche semble perverse.

LA RELIGION, UN ART DE VIVRE

La divinité primordiale insaisissable est au centre, les hommes, sur la circonférence. Chacun selon son niveau de développement, ses aptitudes et ses goûts, suit sa propre voie pour tenter de réaliser son union avec l'Éternel et assurer la fin de ses réincarnations.

Tout hindou croit à la métempsycose ; tout hindou croit que toute vie est atroce — illusion, déception et manque. C'est pourquoi il souhaite ne plus vivre, interrompre au plus tôt le cycle des pleurs. Tout hindou sait que tôt ou tard — mais plutôt tard que tôt — il réalisera l'osmose entre son âme et le divin. Les judéo-chrétiens, les musulmans jouent leur éternité en une vie, gagnent ou perdent en une vie. A ce jeu, l'hindou a l'éternité devant lui pour gagner enfin. Il dit que la vie n'est qu'un jeu pour le plaisir des dieux.

Ainsi, l'hindouisme n'est peut-être pas une religion au sens où nous l'entendons d'ordinaire, mais une manière de vivre, un art de vivre. Les hindous l'appellent eux-mêmes *Sanatana Dharma*, la perfection éternelle. Ils affirment qu'elle contient l'ensemble des connaissances rassemblées par l'homme depuis la nuit des temps.

Mais les Occidentaux arrivent, tentateurs, fascinants et riches, avec leurs drogues et leur magie. Médicaments, cigarettes, bicyclettes, transistors et appareils photos ! L'Inde moderne en perd la foi, tel est du moins mon avis.

YVES VÉQUAUD

MAHÉ,

L'OUBLI

Je me souviens de nos colonies, des cinq comptoirs de l'Inde : Pon-dichéry, Chandernagor, Mahé, Karikal et Yanaon.

Je me souviens qu'au XVIIIe siècle, la route que prenaient les voi-liers pour se rendre en Inde passait souvent par le Brésil.

Je me souviens de l'ancien comptoir de Mahé, sur la côte ouest de l'Inde, à 1 200 kilomètres au sud de Bombay, un point sur la carte du Kerala. Au XVIIIe siècle, les navires français venaient y chercher du poivre surtout, du bois de santal, de la cardamome...

Je me souviens de Mahé n'a pas changé depuis cette description qu'en faisait un gou-verneur des Établissements français dans l'Inde en 1917 : « Mahé de Malabar est aujourd'hui une petite ville douce et tranquille, enfouie sous les arbres, arrosée du côté du nord par une rivière aux eaux sinueuses qui descend des hauteurs peu lointaines du Wynad. Les cocotiers qui bordent cette rivière dissimulent tout à la fois les habi-tations éparses et les collines environnantes. Le pays est fort beau et lorsque, du haut de la petite colline qui domine l'embouchure de la rivière, la vue se porte au loin sur la côte toute sombre de ver-dure, sur la barre où déferlent sans cesse les flots qui viennent de la haute mer et sur la rivière elle-même qui se perd sous un mur de feuillage, on éprouve, dans cette simple harmonie de la nature, une impression de bonheur et de paix. »

Je me souviens des héros malheureux de l'Inde française, Dupleix et Lally-Tollendal. L'un mourut oublié et ruiné, l'autre fut décapité en place de Grève.

Je me souviens des historiens français de la fin du XIXe siècle qui pleuraient l'Inde perdue alors que la France s'offrait un nouvel empire.

Je me souviens de Pierre Loti. Il dînait seul sous les colonnades blanches d'une maison abandonnée, sur le bord de la lagune, un soir de Kerala, pas très loin de Mahé : « Le silence ensuite s'alourdit à nouveau, figé, définitif en quelques secondes, avec je ne sais quoi de triste et d'accablé qu'il n'avait pas avant. Et je me rappelle mainte-nant que nous sommes la nuit du 31 décembre 1899. »

Je me souviens d'une France de 100 millions d'habitants et de l'Exposition coloniale de 1931.

Je me souviens que le Mahatma Gandhi vint à Mahé le 13 janvier 1934. Il se rendit le matin au temple et félicita les prêtres de l'avoir ouvert aux intouchables. Et puis il dit : « Je suis venu en voiture de Tellichéry (en territoire anglais) et j'ai parcouru les derniers kilomè-tres à pied. J'ai regardé les gens, j'ai regardé le paysage. Je n'ai vu aucune différence entre l'Inde anglaise et l'Inde française. Y a-t-il une différence ? Je n'en ai trouvé qu'une : les agents de police portent ici un képi. »

Les administrateurs de Mahé habitaient, solitaires, la grande demeure du Gouvernement, au milieu des arbres, sur une hauteur qui domine l'embouchure du fleuve. Les grands salons vides ne s'animaient que deux ou trois fois par an à l'occasion d'une fête républicaine ou lors de la visite du gouverneur venu de Pondichéry. Hier, comme aujourd'hui, c'est à Pondichéry, « la capitale », que se décidait la vie du petit comptoir.

Je me souviens du « libérateur de Mahé », I.K. Kumaran. Il m'a reçu dans sa maison, ouverte sur les arbres. Il était simplement vêtu d'un lunghi*, le torse nu. Je l'ai photographié assis dans le jardin, tenant son petit-fils sur ses genoux. Il m'a raconté la « révolte » du comptoir qu'il avait dirigée en octobre 1948 : « C'était un an après l'indépendance de l'Inde (le 15 août 1947). Les Anglais étaient partis mais les Portugais étaient encore à Goa et les Français à Pondichéry.*

« Le gouvernement français organisa des élections municipales mais on refusa leurs cartes d'électeurs aux partisans de l'union avec l'Inde. Nous occupâmes la mairie. Il y eut des heurts avec les cipayes. En fin de compte, nous marchâmes sur la demeure de l'administrateur aux cris de "Français, quittez l'Inde". La Marine nationale dut détourner un navire de guerre en route pour l'Indochine et débarquer des troupes pour rétablir l'administration française. De toute façon, il n'y avait plus à Mahé aucun Européen et les 15 000 habitants de notre ville étaient indiens plutôt que français...

« Six ans plus tard, en juillet 1954, Mahé se libéra seule, sans attendre les accords Nehru-Mendès France. Le dernier administrateur, M. Deschamps, s'embarqua sur le Granville *accompagné de deux gendarmes européens et de soixante cipayes. On attendit que le navire eût disparu de l'horizon pour hisser le drapeau de l'Union indienne à la place du drapeau tricolore. Deux cent trente-trois ans de souveraineté française sur Mahé prenaient ainsi fin. »*

Je me souviens que Guy Béart chantait :

> Elle avait, elle avait
> un petit Mahé fragile
> Elle avait, elle avait
> un petit Mahé secret.
> Mais je dus, à la mousson
> éteindre mes feux de Bengale,
> m'arracher, m'arracher
> aux délices de Mahé.
> Pas question, dans ces conditions,
> de fair' long feu dans les Comptoirs de l'Inde...

Je me souviens qu'en octobre 1954 le gouvernement Mendès France décida de rendre nos comptoirs à l'Inde. L'accord fut signé le 1ᵉʳ novembre.

En 1963 on demanda aux habitants des anciens comptoirs de choisir leur nationalité. Une centaine de Mahésiens décidèrent de rester français. C'étaient, pour la plupart, des militaires et des fonctionnaires postés en métropole ou dans les départements d'outre-mer, maintenant rentrés au pays.

Je me souviens du secrétaire de l'Union des Français de Mahé qui, chaque année, envoie ses vœux au président de la République, au Premier ministre, au ministre de la Défense, au ministre de l'Économie, à l'ancien président Giscard d'Estaing, au maire de Paris.

Je me souviens des gargotes et des débits de boissons alignés des deux côtés de la route, à l'entrée de Mahé. Elles se comptent par dizaines. Il faut dire que l'alcool est moins cher dans les anciens comptoirs que dans les États qui les entourent. Le spectacle est le même à Yanaon, à Pondichéry ; souvenir ironique de la France éternelle.

Je me souviens des 14 juillet de Mahé, quand au bord de la rivière, dans le jardin municipal, les citoyens français de l'ancien comptoir se réunissent autour d'un buste de Marianne en bronze érigé en 1889 pour le « centenaire de la Grande Révolution ».

Je me souviens de Mahé, de la petite gare perdue dans la cocoteraie, des écolières en blouse blanche et jupe bleue sur le chemin du collège, du va-et-vient pressé des taxis-scooters sur la route de Calicut, de la rivière qui disparaît dans la mer d'Oman.

——————— DIDIER SANDMAN ———————
**Auteur d'un livre sur l'Inde du Sud (Flammarion),
organisateur de voyages en Asie du Sud.**

LES HÉRITIERS
DE DUPLEIX

« 14 juillet 1984 à Pondichéry. La veille, les diverses associations civiles et militaires et les associations sportives ont circulé avec leurs drapeaux, des lampadaires et la musique militaire en tête dans les artères de Pondichéry. Le 14, le consul général de France, le représentant du gouverneur, les deux délégués au Conseil supérieur des Français de l'étranger, les présidents des diverses associations ainsi que des sympathisants français ont déposé des gerbes aux pieds du Soldat inconnu. Au cours de cette cérémonie M. le consul général a remis la médaille commémorative de Corée à M. Ramin Joseph, sergent-chef retraité qui avait pris part aux opérations de Corée avec le bataillon français. » (Extrait du *Trait d'union*, organe de l'amitié franco-indienne édité à Pondichéry.)

Cet article évoque bien la situation de ceux qui se nomment « Français de l'Inde » et qui sont des Indiens de nationalité française.

Car, trente ans après, ces « comptoirs », rendus à l'Inde en 1954, sont encore marqués par une présence française qui n'est pas que diplomatique. Le *Reference Annual* du ministère indien de l'Information indique que les langues principalement parlées dans le territoire de Pondichéry sont le tamoul et le français. Ce territoire de l'Union indienne de 353 villages et d'environ 500 000 habitants a un statut particulier et est administré par un lieutenant-gouverneur. Outre les institutions françaises évoquées ci-dessus, on trouve à Pondichéry un lycée français dépendant du gouvernement français et centre d'examens (notamment pour le bac) rattaché à l'académie de Rennes ! La centenaire Alliance française prépare aux concours de la fonction publique française et les associations francophiles prolifèrent : Société française de solidarité, Ouvroir franco-indien, Amis de la langue et de la culture française...

LA PORTE
DE L'OCCIDENT

C'est que trois siècles de colonisation française ont laissé plus que des traces : pas seulement dans le nom des rues qui sont encore inscrits en français, mais dans l'esprit d'une partie de la population dont la vie et la culture sont autant françaises qu'indiennes.

C'est en 1673 que se fixa à Pondichéry le premier Français investi de pouvoirs officiels : Bellanger de Lespinay, bientôt suivi de François Martin. Il ne s'agissait encore que de Français métropolitains installés dans l'Inde, mais le rapprochement avec la population locale se fit assez vite. En 1742, quand Dupleix fut nommé gouverneur de Pondichéry, il venait d'épouser une créole, petite-fille d'une hindoue baptisée. Et quand Napoléon III fit la conquête de l'Indochine, il utilisa tout naturellement les Indiens des comptoirs français comme cadres moyens : ceux-ci avaient intégré la plupart des valeurs françaises et s'en voyaient récompensés. En Indochine, dans les emplois publics, un Indien gagnait trois fois plus qu'un Vietnamien, et un Français métropolitain sept fois plus. Par une disposition exceptionnelle, la France permit aux Indiens des comptoirs français d'accéder à la citoyenneté française dès 1881 au moyen de la renonciation à leur statut personnel autochtone. Le premier « renonçant » pondichérien, Ponnoutamby Poullé, prit le nom de La Porte en voulant indiquer que la porte de l'Occident était désormais ouverte aux Indiens. Les noms indiens furent raccourcis ou traduits à la guise des renonçants qui purent ainsi choisir un patronyme pour eux-mêmes et leurs descendants. Au début l'enseignement du français fut donné dans les écoles chrétiennes des pères des Missions étrangères établis à Pondichéry depuis 1776 et dont l'imprimerie fabrique encore *Le Trait d'union*. Puis vint le lycée, et même l'université avec une école de droit et une école de médecine. Pour autant les rapports de la population des territoires français de l'Inde avec la métropole ne furent pas toujours au beau fixe : malgré le principe d'égalité entre les citoyens, tous les renonçants n'eurent pas le droit de vote. Cependant, quand vers 1911 il fut question de céder les comptoirs aux Anglais, la population protesta. Dans ces conditions, le traité franco-indien signé en 1956 se devait d'indiquer que les nationaux français établis dans les comptoirs prendraient la nationalité indienne « à moins d'en décider autrement dans un délai de six mois » après son entrée en vigueur. Environ 6 000 personnes, soit 7,5 % de la population, choisirent de conserver la nationalité française. Aujourd'hui la population française de Pondichéry s'élève à 14 000 personnes et il y a également 14 000 Français de Pondichéry qui vivent en France.

DOUBLE NATIONALITÉ ?

Et c'est ainsi qu'on peut voir dans les cafés de la place Gandhi (ancienne place du gouvernement où trônait jadis la statue de Dupleix) des Indiens d'à peine quarante ans, retraités après une courte carrière dans l'armée française et pour qui la retraite d'homme du rang ou de sous-officier suffit à subvenir aux besoins de la famille qui vit à Pondichéry. C'est ainsi qu'on trouve des Pondichériens gardiens des musées de France ou pour entretenir les jardins du château de Versailles. Cela pourra-t-il durer longtemps ? Certains partis indiens souhaitent le rattachement de Pondichéry à l'État voisin du Tamil Nadu. Au contraire, les francophiles et quelques autres voudraient voir donner à Pondichéry un statut d'État à part entière et plus seulement de Territoire rattaché à l'Union indienne. Crise d'identité ? L'éditorialiste du *Trait d'union* écrit à l'occasion du quarantième anniversaire de la revue (janvier 84) : « La grande majorité a dû boire la coupe de l'amertume en composant une personnalité de circonstance dans des situations difficiles où ils tentaient et tentent encore de reformer leur identité. » Ce carrefour des civilisations résistera-t-il aux tiraillements des identités ?

GÉRARD IGNASSE
Enseignant à l'université de Paris X, Nanterre.

105ᵉ Année N° 42 bis   Vendredi 22 Octobre 1954

RÉPUBLIQUE FRANÇAISE

LIBERTÉ — ÉGALITÉ — FRATERNITÉ

JOURNAL OFFICIEL
DE L'INDE FRANÇAISE

Paraît le Mardi de chaque semaine

PRIX DU NUMÉRO

Inde........ 2 fanons | Métropole et France outre-mer... 3 fanons | Etranger.......... 4 fanons
Port en sus

PRIX DE L'ABONNEMENT				ANNONCES, RÉCLAMES, ETC.		
(Payable d'avance)				**(Payable d'avance)**		
Pondichéry (ville)	6 Roupies	Par an		Annonces légales................	18 caches	Par ligne
Inde (hors Pondichéry)	9	—		Annonces privées :		
Métropole et France outre-mer......	12	—		1ʳᵉ et 2ᵉ insertions...................	3 fanons	—
Etranger.....................	15	—		3ᵉ et suivantes....................	1 f 12 cs	—
				Par trimestre, semestre.............	À forfait.	

Pour les abonnements et les annonces, s'adresser au Chef du Service de l'Imprimerie du Gouvernement
L'abonnement au Journal officiel du territoire ne court qu'à partir *du premier de chaque mois*
Toute demande de renseignements doit être accompagnée d'une provision pour la réponse

ACCORD
établi par les gouvernements Français et Indien

ART. 1.— Le Gouvernement de l'Inde prendra en charge à la date du 1er novembre 1954 l'administration du territoire des établissements français de l'Inde.

Ceux-ci conserveront le bénéfice du statut administratif spécial en vigueur avant le transfert de facto. Toute modification constitutionnelle à ce statut ne pourra intervenir, le cas échéant, qu'après consultation de la population.

ART. 2.— Le régime des municipalités et celui de l'Assemblée Représentative tels qu'ils fonctionnent dans les Etablissements seront maintenus.

ART. 3.— Le Gouvernement de l'Inde succèdera aux droits et obligations résultant de tous actes faits par l'administration française dans ces établissements et engageant le territoire.

ART. 4.— Les questions afférentes à la nationalité seront déterminées avant la cession de jure. Les deux gouvernements sont d'accord pour permettre l'option de nationalité.

ART. 5.— Le gouvernement de l'Inde prendra à sa charge tous les fonctionnaires et agents des Etablissements n'appartenant pas au cadre métropolitain ou au cadre général du Ministère de la France d'outre-mer. Il s'engage à les faire bénéficier des mêmes conditions de service, en matière d'émoluments, de congés et de pensions, et, pour les questions de discipline ou le maintien de leurs emplois, des mêmes droits (ou de droits analogues, compte tenu des circonstances), que ceux dont ils bénéficiaient immédiatement avant le transfert de facto. Ces fonctionnaires et agents, y compris ceux appartenant aux forces publiques, ne pourront être licenciés ni leur avancement compromis du fait d'actions entreprises dans l'exercice de leurs fonctions avant la date du transfert de facto.

Les fonctionnaires, magistrats et militaires français, nés dans les Etablissements ou y conservant des attaches familiales, pourront librement revenir dans le territoire provisoirement ou définitivement, à l'occasion de congés ou de leur retraite.

ART. 6.— Le gouvernement français s'engage à assurer le service des pensions qui sont à la charge de la métropole. De son côté, le gouvernement indien s'engage à assurer le service des pensions, allocations et subventions qui sont à la charge du territoire.

Le régime des pensions des diverses caisses locales de retraites demeurera en vigueur.

ART. 7.— Les ressortissants français, et de l'Union française, originaires des Etablissements ou qui y sont domiciliés à la date du transfert de facto et y exerçant actuellement leur profession, continueront leurs activités sans avoir à acquérir des qualifications supplémentaires ou obtenir de nouveaux diplômes ou licences ou à remplir d'autres formalités.

RULE

BRITANNIA !

J'ai vécu quelques jours aux portes de l'Inde, entre deux pôles, le cocon de la moustiquaire et la cage du balcon, sur le trapèze du temps. Alitée, les seules rumeurs qui filtraient jusqu'à moi étaient les appels rauques des vautours et les encouragements des maçons sur les échafaudages en bambou qui grillagent les gratte-ciel en construction. Pourtant la vue plongeante du balcon appartenait à ce passé que j'étais venue chercher. Les édifices victoriens intacts malgré l'alternance de brûlures et de moussons constituaient encore un décor impérial : adossé à l'océan un arc de triomphe colonial, the Gateway of India, et dans son prolongement, le rucher néogothique du Taj Hotel, puis en contrepoint ou leitmotiv, coupoles, beffrois, tours crénelées, bastions byzantino-mauresques émergeant dans un ciel voilé de brume. C'est ce même décor qui accueillait fonctionnaires et officiers victoriens au terme de leur voyage, chaque accessoire renforçant le message du spectacle. Il y avait sans doute la composante orientale mais l'exotisme des figurants était familier depuis le passage de Suez et les silhouettes néo-gothiques constituaient des îlots identifiables, précieux points d'ancrage dans un paysage étrange et déroutant.

UNE GARDEN-PARTY
QUI DURAIT TOUTE UNE SAISON

L'Inde a gardé ces empreintes coloniales, ce paysage modelé par des générations d'ingénieurs-architectes, à la fois utopie, fresque aux couleurs de la modernité, image d'Épinal traversée d'échos et de correspondances et baume pour la nostalgie.

C'est précisément cette image d'Épinal que nous recherchions pour tourner un scénario inspiré de M.R. James et P.G. Woodehouse et ce repérage était sans doute une traversée du miroir pour retrouver en Inde l'essence même du rêve victorien, le monde de Winnie the Pooh et de Beatrix Potter, et celui de Kipling. Peu à peu notre voyage se muait en course au trésor, car l'osmose des deux cultures qui transparaissait dans les façades gothico-mauresques devenait soudain mimétisme troublant et équivoque dans les tours crénelées couleur miel du palais de Bangalore, ou rococo dans la silhouette trapue d'un gigantesque chalet tyrolien, résidence d'été du maharajah de Mysore. Mais c'est au-dessus des nuages, à 6 000 pieds d'altitude, que nous allions découvrir le Shangri-La victorien, Oota-camund, ocre et blanc sur les rondeurs de collines vert tendre, Ooty, ses vastes demeures cossues, son église anglicane, ses résidences princières, microcosme impérial où se retrouvaient fonctionnaires britanniques et leurs épouses pour une garden-party qui durait toute une saison.

Ooty a perdu son éclat et son prestige mais elle a été adoptée par la bonne société indienne qui, entre les courses hippiques et les flo-ralies, savoure des *cream teas* dans les jardins du Savoy Hotel, sous les ombres enlacées des saules et des eucalyptus. Seul témoin de ces mutations, Mrs Hill, gérante du club, assise sur la véranda dans un costume anthracite, le regard perdu, oublie le cours de l'Histoire ; elle n'entend plus qu'*India Song*...

NABAB, ÉVANGÉLISTE ET BÂTISSEUR

Deux siècles de présence et le spectacle triomphaliste a glissé vers un théâtre d'ombres. Ce long passage resurgit en nappes sur le subcontinent mais il reste également inscrit dans la mémoire collective de générations « anglo-indiennes » et déchiffrable dans les photos d'album de famille et les monceaux de clichés officiels. Les fresques biblico-guerrières de peintres et écrivains victoriens révèlent que l'Inde n'a cessé de faire vibrer le public anglais de métropole. Ce qui transparaît de cet imaginaire est révélateur des divers rôles que s'attribuèrent les Anglais dans un vaste dessein dont « La Providence ou la Fortune les faisaient architectes ».

Trois volets à ce triptyque imaginaire : la première figure, inclinée dans un palanquin pourpre et or, est celle du nabab, symbole de l'Anglais orientalisé. Jouisseur, immensément riche, il festoie à la table des dignitaires de la Compagnie des Indes, créatures quasi divines dont il partage le goût du luxe et l'extravagance. Kipling détruit le mythe de l'Inde Eldorado et élabore celui de l'Inde purgatoire en modelant la figure exemplaire du fonctionnaire impérial, isolé, surmené et malade mais transfiguré par le sens du devoir et sa mission de bâtisseur. Le triptyque central s'affirme surtout par contraste avec le premier : un Savonarole exalté vilipende la corruption des sociétés prévictorienne et indienne, prêchant rigorisme et sacrifice.

Le paradoxe inhérent à ces figures et à leurs espaces imaginaires, c'est que le passage du mythe de l'Inde Eldorado à la mystique du Bâtisseur a figé la perception de l'Inde. Au XVIIIe siècle, les conquistadores de la Compagnie menaient une politique sauvage d'annexions et de conquêtes qui n'excluait nullement l'existence d'une culture indienne hautement raffinée qu'exploraient esthètes et orientalistes. Au XIXe siècle, le consensus bascule vers un moralisme militant. L'ethnocentrisme qui colore l'attitude des réformateurs et des évangélistes révèle une polarisation des valeurs qui fige l'Inde dans la décadence et la corruption. Seule son adhésion au modèle politique et moral prôné par les réformateurs pouvait la faire accéder au progrès matériel et spirituel. Cette vision utopique fut bouleversée par la révolte des cipayes en 1857. L'Inde allait désormais être perçue comme hostile et dangereuse et cette menace dicta ses mécanismes de défense passive et d'agression. C'est alors que se constitua ce formidable bastion d'isolement, une société gigogne avec ses garde-fous, ses écrans et sa mentalité d'assiégés. Mais l'ambiguïté profonde inhérente à la condition coloniale allait se résoudre en surface grâce à une double mise en scène qui visait d'une part à distancier le subcontinent en créant une Inde mythique de princes et de paysans, et d'autre part à affirmer les valeurs britanniques en élaborant la mystique du Bâtisseur, du colonisateur-sauveur. L'Inde victorienne fut l'Inde du spectacle et du sacrifice.

MÉTAPHORE DE LA DIFFÉRENCE : LE CHEMIN DE FER

Lors du couronnement de la reine Victoria, impératrice des Indes, le 1er janvier 1877, l'Inde n'est plus une terre d'exil. L'ouverture du canal de Suez en 1869 plaçait le subcontinent à quatre semaines de traversée au lieu de trois à six mois par Le Cap. Parmi les passagers « anglo-indiens » qui venaient faire carrière en Inde se trouvaient des disciples de Brunel qui avait conçu et mis à flot *The Great Western*, premier vapeur de fer et d'acier, et de Paxton, réalisateur du Crystal Palace, un immense dôme-corolle de verre et d'acier. Ces ingénieurs et maîtres d'œuvre allaient forger le nouveau visage de l'Inde, en achevant l'œuvre des Moghols mais surtout, en innovant ; car la véritable métaphore de l'empire fut le chemin de fer. En un quart de siècle, le rose impérial de la carte du vice-roi allait être quadrillé de noir. Modernité à multiples facettes puisqu'elle véhiculait troupes et pèlerins, modernité métaphore surtout, dont les gares étaient le support. Depuis 1840 les gares étaient en Angleterre des cathédrales érigées à la gloire de la science et du progrès, et les temples ferroviaires du subcontinent, par leur grandiloquence baroque, la profusion de leurs dômes, beffrois, clochetons, leurs effigies de locomotives et de machines, exprimaient le même credo victorien, une foi inébranlable en un avenir illuminé par le progrès. Même lorsque ces temples devenaient forteresses comme à la frontière afghane, ils représentaient toujours un espace de métissage, métissage des styles, des genres et surtout métissage à collaboration humaine.

La gare était une mosaïque de l'Inde, étrange campement de nomades statuesques drapés dans de longs voiles-suaires pendant la léthargie des longues heures d'attente et que chaque départ transformait en tableau d'apocalypse : la multitude se dressait soudain, possédée par une frénésie incontrôlable ; vendeurs, mendiants, coolies, voyageurs, en remous, tourbillons et lames de fond, reprenaient le long labeur interrompu. Et dans ce corps à corps forcé, toutes castes et ethnies confondues, le regard le moins exercé ne pouvait que saisir la complexité et la splendeur de l'Inde.

Pourtant les journaux de voyage relatent moins la séduction que le rejet ou les différences, comme pour cette jeune victorienne qui, remontant le Brahmapoutre dans un bateau à aubes, observe avec stupeur une foule d'hindous absorbés dans des rites de purification. « Attitude primitive, écrit-elle, qui consiste à vénérer la nature au lieu de la maîtriser. » Car pour les victoriens le progrès spirituel était indissociable du progrès matériel et impliquait une domination de la nature par l'homme. L'Inde, enchaînée à des coutumes contraignantes, opprimée par le fatalisme de la religion, restait indifférente au matériel et sourde aux voix de la Science. Victoria elle-même optait pour la modernité qui adressait par le télégraphe son message de jubilé à 370 millions de sujets dispersés sur la surface du globe.

L'ORIENTALISME
COMME STRATÉGIE

Nés en Inde pour la plupart, les petits *sahîbs*, futurs maîtres de l'Inde, étaient soustraits « à l'influence pernicieuse des mœurs indigènes » et rapatriés dès l'âge de six ans. Soumis à la discipline des *public schools*, leur éducation s'achevait à Haileybury ou Sandhurst. Ils revenaient en Inde convaincus de la supériorité d'une éthique et d'un modèle faits d'endurance, de sagacité et de loyauté face à une Inde extravagante et corrompue. C'était néanmoins sur le terrain que se faisait l'apprentissage de la difficulté à gouverner, épreuve qui éliminait bon nombre d'aspirants. Dans *Le Livre de la Jungle*, Kipling a parfaitement transposé la problématique de l'initiation des « jeunes loups » à la jungle du subcontinent. La jungle de Kipling n'est pas un monde édénique, c'est un espace complexe avec ses populations, ses codes, ses lois, ses pièges, espace qu'il est nécessaire de déchiffrer et de maîtriser pour s'y insérer. La jungle a sa règle d'or : « Frappe d'abord, donne de la voix ensuite », aphorisme qui révèle une morale de pionnier non pas cynique mais pragmatique.

L'Inde est l'expression du darwinisme social où ne survit que le plus apte, d'où l'importance de connaître « l'autre ». Et si pour les réformateurs tel Macaulay « la connaissance menait à la contamination », pour les victoriens ce risque était dérisoire car la supériorité britannique, loin d'être un obstacle, favorisait l'omniscience. Cette omniscience qui trouve son expression fantasmatique dans la fiction fut une carte maîtresse dans la politique coloniale et se manifesta par une résurgence paradoxale de l'orientalisme — stratégie qui visait non pas à conduire les Indiens à assimiler le modèle et les concepts britanniques, mais voulait rendre le modèle séduisant par le biais du faste et du spectacle, satisfaire à ce goût indigène de l'apparat en théâtralisant les instances du pouvoir à tous les niveaux : dans le *durbar*, coutume héritée des Moghols, qui était l'audience quotidienne des plaignants sur la véranda de l'administrateur de district, dans le *jirgar*, conseil tribal à l'ombre d'un banyan, ou sous sa forme la plus grandiose dans les durbars officiels, fusion du faste ostentatoire moghol et du cérémonial britannique.

L'orientalisme trouva son expression plus ouvertement politique dans les États princiers. Les Britanniques créèrent un système de succession héréditaire, instaurant du même coup des autocrates protégés qui, sous la haute surveillance d'agents politiques de la Couronne, constituaient un véritable rempart d'États-tampons et surtout une Inde imaginaire de princes et de paysans, à l'écart du monde des Indiens occidentalisés et du monde des affaires, une Inde qui ne contenait ni menace sociale ni ferment politique.

LA CASTE
DES ANGLO-INDIENS

« *L*'individu a le devoir, quoi qu'il arrive, de s'en tenir à sa caste, à sa race et à sa lignée » (Kipling, *Plain Tales*). Un courant de la littérature anglo-indienne est empreint d'un romantisme sombre que hantent les figures de la folie et de la mort ; une autre veine picaresque reflète un impérialisme satisfait. Cette ambiguïté traversée d'inquiétude et de triomphalisme est à la source même des enclaves anglo-indiennes. Espace annexé par la bourgeoisie, l'Inde n'était plus comme au XVIIIᵉ siècle le territoire exclusif de l'aristocratie mais elle restait un monopole jalousement gardé. Pour certains les privilèges étaient chèrement acquis. Le parcours du jeune administrateur pouvait être rude. Catapulté dès son arrivée dans un poste isolé du désert de Sind ou de la jungle birmane, la conscience d'appartenir à la race dominante et l'importance de maintenir un prestige qui lui valait obéissance et respect modelaient vite ses comportements, et s'il ne devenait ni *jungle wallah* ni *nigger lover*, chaque promotion le rapprocherait du centre et l'intégrerait à cette formidable pyramide qu'était la société anglo-indienne. Une société de castes qu'on a comparée à la société hindoue, avec ses *brahmins*, les hauts fonctionnaires, ses *kshatriyas* ou officiers, une élite qui tenait à distance les *vaishyas* ou négociants et surtout les *shudras*, qui étaient aussi bien les planteurs et missionnaires que les soldats, les pauvres Blancs ou les Eurasiens. Chaque caste possédait ses clubs, ses enclaves, son espace vital. L'Inde victorienne remodèle son espace d'abord dans la terminologie : c'est l'Inde des avant-postes, des garnisons et surtout celle des *stations* civiles, militaires et climatiques. La station, centre symbolique d'un district, regroupait des communautés autonomes dans un espace clairement délimité : la ville indigène et le bazaar étaient généralement zone interdite ; la communauté eurasienne se retrouvait aux abords de la gare ; le *maidan*, sorte de *no man's land* parfois entouré d'édifices publics, représentait une transition avec le quartier européen qui, avec ses jardins publics, son église, son kiosque à musique, était lui aussi découpé en espaces réservés au personnel civil et militaire. Ce schéma se retrouvait sur tout le subcontinent. La même uniformité marquait l'habitat, car les seules variations dans le style des bungalows étaient dictées par le climat. Une uniformité qui pouvait donner l'illusion de se mouvoir en terrain familier malgré la fréquence des mutations.

La vie de la station, officielle et protocolaire, ponctuée de bals et de réceptions, était essentiellement transparente, et l'espace formel par excellence en était le club ou cercle qu'Orwell décrivait comme « une citadelle spirituelle, siège du pouvoir et nirvana inaccessible aux indigènes et aux millionnaires ». Le cercle était un lieu de rencontres et le point focal des activités *off-duty*, comme la chasse à courre au chacal, le polo. Le sport, à l'origine pratiqué par hygiène, était devenu une véritable obsession et un culte associé à la religion équestre : galops à l'aube, concours hippiques, chasses au trésor ou sports plus violents comme la chasse au sanglier sauvage ou le *shikar*, dans le Terai ou à la frontière de l'Assam. Mais ce monde clos dans sa fuite exténuante ne trouvait sa véritable identité que loin des rituels et de la faune quotidienne pendant la *Saison*.

C'était loin des plaines, des extrêmes du climat et de la culture indienne que le gouvernement transhumait dès les premières chaleurs, et dans son sillage, fonctionnaires, officiers et surtout femmes et enfants — un véritable exode à travers les plaines, la jungle, et en palanquin ou à dos de mulet jusqu'à la fraîcheur glacée de l'Himalaya où se lovaient les stations climatiques du Nord-Est, dont Simla, capitale d'été de l'Empire. Dans ce décor bavarois s'animait un monde sans masques, un monde de miroirs où l'on était enfin entre gens du monde. Dans l'orbite de la cour du vice-roi, la Saison était un bourbillon de bals costumés, de pique-niques au clair de lune, monde d'intrigues chaperonnées où les vestales du puritanisme se laissaient courtiser dans les *kalas-juggas*, petites alcôves à l'écart de la salle de bal, garden-parties délicieuses où les *mem-sahibs* retrouvaient le plaisir et la vie. L'espace colonial absurde devenait enfin image d'Épinal.

Mais qui sait si, à l'ombre des colonnes ioniennes, Mrs Hill ne poursuit pas un rêve de Bâtisseur ?

——————— *JOËLLE WEEKS* ———————
enseignante

2

L'HOMME DIVISÉ

Régulièrement le parlement indien est obligé de reconsidérer toutes sortes de quotas, par exemple ceux qui régulent à l'université le nombre des intouchables, tribaux et autres groupes. Preuve que les aspirations égalitaires n'ont pas eu raison des lourdeurs sociales, d'autant plus que les Indiens tiennent à leur appartenance de groupe. Mais si le social est divisé il n'en est pas pour autant figé.

LE CASSE-TÊTE

DES CASTES

Le problème des castes, c'est la tarte à la crème de ceux qui ne connaissent pas l'Inde et la bouteille à l'encre pour qui la fréquente souvent.

Parfois, lorsque l'on me titille à propos de ce casse-tête, sans me laisser le temps de répondre comme il conviendrait, je réplique par plaisanterie : « Mais là-bas, c'est pareil que chez nous ! Combien y a-t-il de travailleurs immigrés autour de cette table ? Voyez, nous sommes tous de la même caste, celle des intellectuels qui savent utiliser le rince-doigts. Aucun convive n'a la tête couronnée, aucun n'est un Maghrébin au chômage. »

Bien des voyageurs atterrissant pour la première fois en Inde pensent y trouver des autobus compartimentés comme ceux du sud des États-Unis de récente mémoire. Il n'en est rien. Et je défie tout spécialiste de distinguer, dans les rues d'une ville, un brahmane d'un intouchable qui reviennent ensemble du marché.

« A force d'expliquer quelque chose, écrivait Jules Renard, on n'y comprend plus rien. » Quand je referme l'*Essai sur le système des castes*, de Louis Dumont, j'ai l'impression que lui et moi n'avons pas vécu dans le même pays, tant il est impossible de fourrer sept cents millions d'êtres humains en bouteilles, avec chacun son étiquette et sa place dans le casier.

« On ne peut attendre de notre lecteur, écrit-il à juste raison dans son introduction, qu'il considère la caste autrement que comme une aberration. » Il faut tout de même rappeler que l'égalité est une idée neuve en Europe... et que nous restons d'insupportables donneurs de leçons.

UN CROYANT NE JOUE PAS
AVEC L'ÉTERNITÉ

L'Inde croit à la hiérarchie et sépare les hommes en quatre groupes héréditaires. En haut, les *brahmanes*, qui fourniront les prêtres, les seuls dans beaucoup de régions à porter ostensiblement le cordon initiatique en travers du buste. En deuxième, les *kshatriyas*, qui traditionnellement donnaient les guerriers et les rois. Et puis les *vaishyas*, commerçants, artisans. Les *shudras* sont en bas, qui travaillent la terre.

Rejetés, hors du système, les *intouchables* — indignes d'être touchés —, les parias, auxquels sont dévolues les tâches dites avilissantes, ceux que Gandhi baptisa *harijans*, c'est-à-dire enfants de Dieu, euphémisme par lequel on les désigne souvent encore. La jeune république décréta qu'ils devaient bénéficier des mêmes droits que leurs prétendus supérieurs. Paris ne s'étant pas fait en un jour, leur sort ne s'améliore que lentement.

Les quatre premiers groupes seraient composés de la descendance de ces envahisseurs aryens venus, dit-on, des plaines de l'Asie centrale ; les derniers des derniers par celle des autochtones dominés. Mais comment expliquer alors que les brahmanes du Sud aient la peau si peu blanche ? Par l'infidélité de leurs femmes, pardi !

L'Inde croit à la réincarnation, dur comme fer ; ainsi notre Moyen Âge croyait au diable et au bon Dieu. On est brahmane ou harijan parce que l'on naît brahmane ou paria. Et rien n'y pourra changer... sinon l'argent, parfois, qui arrange bien des choses, ou certaines circonstances permettant à quelques familles de monter d'un cran. (Avouerai-je, sans orgueil ni honte, que, fumeur et mangeur de vache, je fus néanmoins traité en brahmane, quelquefois, qu'on m'en donna le titre à l'occasion ?) Une faute grave vous exclut de votre caste et vous voilà l'égal d'un pestiféré. Père, mère, frères et sœurs vous fuient et votre femme avec eux ; vos filles ne trouveront pas de mari ni vos fils une femme !

L'idée simpliste de mes voisins de palier consiste à suggérer qu'il suffit à l'intouchable de quitter son village — où on le méprise — pour se déclarer vaishya trois villes plus loin. C'est oublier qu'il y va du salut d'une âme et qu'un croyant ne joue pas avec l'éternité, son premier devoir étant d'assumer les charges de sa caste. C'est négliger aussi qu'une caste est un réseau d'entraide ; le menteur serait bien seul dans son nouveau coin.

L'HOMME RÉVOLTÉ
N'EST PAS HINDOU

*T*out enfant hindou n'est que d'une certaine façon le fils de ses parents. Son corps provient bien d'eux mais, de l'être humain, c'est l'âme qui importe — la sienne a déjà souffert des centaines de vies, peut-être — et qui se réincarne selon ses mérites. Brahmane, elle est récompensée de son passé exemplaire ; si elle voit le jour dans une famille d'imbéciles malheureux, c'est qu'elle est justement punie pour d'anciens crimes. Ne les doit-elle pas expier ? Toute velléité d'insubordination étant éteinte, le système peut dormir tranquille : si les pauvres ne sont pas riches, qu'ils ne s'en prennent qu'à eux-mêmes ! L'homme révolté n'est pas hindou !

On m'aura compris, j'espère : je simplifie des résumés de notes et ne m'adresse pas aux faux savants patentés qui emploient de grands mots, en en compliquant l'orthographe à qui mieux mieux, pour cacher de grandes ignorances. Si encore ils s'entendaient entre eux sur le sens des noms qu'ils traduisent ! Je veux simplement fournir une lampe à l'honnête homme afin qu'il s'y retrouve un peu dans ce magma surréaliste.

A propos, savez-vous que le mot caste, lui-même, n'est pas indien ?

Les Espagnols l'auraient forgé, pour le transmettre aux Portugais, qui nous le passèrent vers la fin du XVIIᵉ siècle avec une idée de pureté.

Conserver sa pureté, les hindous ne pensent qu'à ça ! C'est pourquoi ils se lavent complètement au moins une fois par jour, et jusqu'à trois s'ils sont bien nés.

« De qui se moque-t-on ? dira le touriste pressé. J'ai vu dans Calcutta, à Bombay, des êtres plus sales qu'il ne devrait être permis... même chez des sauvages ! »

Sans doute, mais Calcutta, Bombay, ce sont des créations britanniques ; ces coloniaux, si j'en crois mes maîtres, se souciaient avant tout de faire de l'argent à tout prix, dont celui de la misère pour les plus faibles, égarés loin de leurs racines et tombant jusqu'à oublier qu'ils sont avant tout des hommes. Et puis, on ne doit pas confondre saleté et poussière. Enfin, depuis combien de temps nos agriculteurs labourent-ils en chemise blanche, nos mineurs se douchent-ils avant de regagner leurs foyers ?

L'Inde, c'est dans les villages qu'on pourra la comprendre, où le lettré se baigne avant chaque repas, où chacun porte des vêtements propres trois cent soixante-cinq fois par an, où l'intouchable ne se peigne pas, peut-être, mais c'est alors par humilité, par autopunition, pour prétendre à une réincarnation plus heureuse.

De qui peut-on recevoir de la nourriture, de qui peut-on recevoir de l'eau, surtout ? Telle est la question du partage ! « Quel est votre nom ? » « Comment vous appelez-vous ? » Vingt fois par jour la même interrogation harcèle l'étranger. Cette manie collective n'a d'autre objet que de situer l'inconnu sur l'échelle, de savoir s'il est supérieur ou inférieur au curieux, comment ce dernier doit le traiter. Dans un pays où l'identification administrative ne touche pas encore les plus perdus des hameaux les plus reculés, le nom n'est souvent qu'un prénom, un surnom suivi de quelque chose qui permet de découvrir la caste, du moins dans une même région où tous les Jha sont brahmanes et tous les Kumar descendants de potier.

LE BALAYEUR SE RÉJOUIT
DE LA PURETÉ
IMAGINAIRE DE SON SANG

La caste se définit encore par rapport aux alliances. Avec qui allons-nous nous marier ? Dans ces villages du Nord-Bihar où je séjourne volontiers, les archivistes qui tiennent à jour les filiations se réunissent en foire lorsque l'horoscope le permet ; les brahmanes qui désirent une union pour leur fils les consultent nécessairement. Il ne conviendrait pas que le jeune homme épousât une cousine jusqu'à la septième génération.

Dites-moi donc à quoi s'occupaient vos ancêtres lorsque Louis XV fut blessé par Damiens ? Vous l'ignorez ? Je vous en prie, renseignez-vous donc... un malheur est si vite arrivé !

L'idée de caste est associée aussi à celle de corporation, on ne se lie qu'entre gens du même métier... pour protéger des secrets de cuisine ? pour que le bon argent et les terres ne sortent pas de la grande famille ? Bien fin qui le dira ! Les chercheurs cherchent, se jalousent et protègent leur territoire mieux que des chasses gardées. A propos, a-t-on enfin résolu le délicat problème du sexe des anges ?

En revanche, ce que l'on peut affirmer sans conteste, c'est qu'il n'est pas fait mention des castes dans les livres sacrés des *Veda*. Ce seraient les brahmanes qui auraient commencé à faire des maniè-res ; les autres auraient suivi pour ne pas être en reste. Et le plus minable des balayeurs se réjouit de la pureté imaginaire de son sang.

Il convient d'ajouter, à présent, que ces quatre grandes divisions — et la cinquième — présentées plus haut sont, que l'on me pardonne encore, des vues d'avion.

Chaque groupe se divise et se redivise. C'est à qui prétendra être plus brahmane que l'autre ; les intouchables non plus ne sont pas les moins enragés pour se déclarer supérieurs à tel ou tel autre hari-jan. Ainsi l'échelle multiplie ses barreaux jusqu'à les partager encore entre ceux dits de la main droite et ceux de la main gauche. Mais ce qui est vrai dans le Nord ne l'est plus dans le Sud. Ici le brahmane est strictement végétarien, là il consomme du poisson, ou bien même les animaux à deux pattes, voire de la viande de chèvre, si tous s'entendent pour refuser le steak.

Deux villages proches du Népal ne se trouvent éloignés que de cinq kilomètres ; jamais les brahmanes du premier ne prendraient leur repas chez les seconds... pour des histoires fort compliquées qu'il me semble bienséant pour tout le monde de passer ici sous silence. Ajoutons tout de même qu'ils sont d'accord entre eux pour nier la supériorité de la plus connue, de la plus riche famille des environs — qui se targue pourtant elle aussi d'une pureté sans faille, et dont le château domine la contrée — parce qu'un de leurs tri-saïeux se rendit au couronnement de la reine Victoria. Non seule-ment il a franchi les mers, ce qui est interdit par les lois ancestra-les, mais il a peut-être bu du whisky loin des regards de ses pairs. Mieux vaut, par précaution, fuir ses arrière-arrière-petits-fils.

On l'aura deviné, depuis le temps qu'ils croissent et se multiplient, les brahmanes — ces deux fois nés assurés d'entrer au paradis tout droit — sont désormais trop nombreux pour trouver du travail dans les temples. Ils se font donc enseignants, ouvrent des restaurants puisque nulle récompense n'est plus haute que de recevoir des aliments bénis par l'un d'entre eux, ou bien même — s'accommodant avec le ciel — s'engagent dans l'armée si leur stature le leur permet, etc.

Théoriquement aussi, chaque caste ou sous-caste se complète et se complémente, vivant côte à côte dans ses quartiers séparés, usant de ses propres puits, de ses propres chemins. Ce n'est pas toujours vrai et la topographie de maint village contredit les assertions trop catégoriques.

L'INFÉRIEUR PEUT AVOIR BARRE
SUR LE SUPÉRIEUR

Une autre idée reçue consiste à associer la hiérarchie et la richesse. Il n'en est rien non plus. Le brahmane se ruine souvent plutôt que de déroger, l'intouchable s'enrichit dans la vente du vin de palme, la confection des chaussures de cuir qui sont portées, de plus en plus, par tout le monde. A Bénarès, le *dom*, le chef des harijans dont la fonction est de brûler les morts, habite un véritable palais. Dans certains villages, le dom vend au prix qui lui plaît — à la tête du client plus ou moins fortuné — la flamme dont chaque fils a un besoin impératif pour allumer le bûcher de son père.

A propos de hiérarchie encore, l'inférieur a bien souvent barre sur le supérieur qui l'emploie. Tel haut dignitaire ne saurait se baisser pour ramasser son journal tombé par mégarde sur le sol. Le serviteur appelé en renfort ne se présentera qu'après une longue attente, en traînant les sandales. Au contraire, bien des diplomates ont vu tel ministre intouchable recevoir sur sa table, comme un paquet de sottises, le dossier apporté par un appariteur d'une caste supérieure et qui lançait les papiers de loin, avec morgue, pour éviter le risque de se souiller à l'ombre du ministre, lequel préférait ne pas remarquer l'insolence.

Quelqu'un me lit-il encore ? Tout est si contradictoire en Inde, où le plus court chemin d'un point à un autre s'appelle une spirale.

Pour promouvoir l'abolition des abus — les harijans n'avaient pas le droit à l'instruction, pas le droit d'entrer dans les temples — et favoriser l'ascension sociale des défavorisés, l'administration leur réserve des emplois. C'est très bien ; c'est très mal ! Le paria quasiment illettré, mais devenu postier, ne comprend pas les adresses ; ses collègues diplômés, parce qu'ils ne sont pas mieux payés que lui, s'entêteront à travailler aussi mal... au nom de l'égalité !

Max Müller, le grand sanscritiste du XIXᵉ siècle, prétendait que si l'institution des castes était détruite d'un seul coup, il en résulterait — probablement — plus de mal que de bien.

Hélas ! on serait tenté de croire, en voyant vivre l'Inde, que le problème des castes n'est peut-être pas le plus grave ni le plus dangereux. En entendant les confidences, en lisant dans les quotidiens les annonces matrimoniales, on se rend vite compte que la couleur de la peau prédomine toute autre valeur. C'est le Blanc, seul, qui est beau là-bas. Et la splendide brahmane du Sud, de la famille la plus considérée, ne trouvera jamais un mari dans le Nord.

Le comique, le tragique, l'absurde de ce régime millénaire, c'est qu'il a transpiré pour pervertir d'autres religions. Ainsi les musulmans du sous-continent l'ont-ils adopté peu ou prou, et les chrétiens aussi ! Sans doute les hindous qui se convertirent à l'islam lorsque les Moghols gouvernaient l'Inde, au christianisme pour flatter les Anglais, ou, plus récemment, les intouchables pour échapper au système des castes, apportèrent-ils avec eux leurs complexes, leurs habitudes ! Les chers frères et les chères sœurs en Jésus-Christ ne s'assoient donc pas n'importe où, sur le même banc. Mais Dieu y reconnaîtra les siens !

Enfin, dans sa sagesse — et sur ce sujet comme pour tant d'autres — l'Inde a laissé des portes ouvertes, des soupapes de sûreté : les sectes et les renonçants.

Les sectes, on en comptera mille et mille, qui s'appuient avec le même ensemble sur des critères différents, pour s'opposer aux autres tout en les tolérant. Chacun peut donc créer sa caste. Les soldats d'Alexandre le Grand qui se fixèrent dans le Nord-Ouest n'agirent pas autrement !

Les renonçants, quant à eux, les moines mendiants, les *sadhous*, ont tout envoyé promener pour essayer — par le biais de la voie mystique — d'atteindre la divinité en une seule vie, quelles qu'aient été leurs existences antérieures. Ils ont préféré le risque de se tromper — péché d'orgueil — à la tiédeur d'un ordre qui les étouffait.

On les voit fort nombreux, demi-nus sur les routes, ou bien tout à fait nus et barbouillés de la cendre des crémations, les cheveux jaunis de bouse de vache par mépris des vanités, ou encore travestis et fardés en déesse, mendier leur nourriture, raconter des histoires, prier et vivre en quelque sorte comme les lys des champs. Beaucoup sont des truqueurs, des paresseux, des profiteurs ; beaucoup sont de vrais religieux ascétiques, libres de toute contrainte, de tous les faux-semblants... et follement drôles. Leur démarche est une marginalité institutionnalisée.

Chaque jour, du cap Comorin dont les plages de sable ont les sept couleurs, aux vallées du Cachemire encore hantées par les ours, les panthères et les loups, des employés de bureau, des directeurs d'école ou des chefs d'entreprise, des presseurs d'huile ou des mères de famille qui ont achevé d'élever leurs enfants, des gens de toute caste abandonnent la leur et se lancent, sous la protection de la divinité qu'il leur plaît d'invoquer, vers le dieu unique, vers Dieu, sans un sou en poche et sans volonté de retour. Ma parole, mais ça nous rappelle un peu les meilleurs des hippies !

——————— *YVES VÉQUAUD* ———————

Jeune homme, j'ai étudié à Bénarès,
où j'espère finir mes jours.
Oui, c'est là que j'aimerais
quitter mon corps.

« Le Gange, c'est ma mère ;
mon père, c'est l'Himalaya. »
Dix fois par jour,
mon fils chante cette chanson à la mode !

*Quoique brahmane,
nous travaillons la terre.
Je laboure avec la vache,
ma femme sème, moissonne et vanne.*

J'ai pu acheter une échoppe
pour mon père, au bord de la route.
Aujourd'hui, même des brahmanes
fument des cigarettes.

Le plus grand arbre de mon village
unit la terre avec le ciel : sa sève
monte du sol et s'évapore dans l'air.
On ne ment pas devant un arbre !

UNE JOURNÉE ORDINAIRE
DE NANDALAL

Mekoura, février 1984

Tout commence à l'heure blanche où la voisine, une grande femme en *sari* rouge, trace furtivement un rond de bouse de vache et d'eau mêlées sur le seuil. Une tache vermillon est restée sur le dormant de la porte depuis le dernier *Divali*. C'est une petite maison d'argile de deux mètres sur quatre comme il y en a tant entre les rivières Izri et Gobaï à l'extrême sud du bassin minier de Dhanbad, Bihar, Inde.

La voisine frappe un coup, pour dire « c'est l'heure », et Nandalal se lève puis se rince la bouche et le corps avant de se huiler soigneusement les cheveux. Ce sera une journée ordinaire. Dans le matin doux, un chariot chargé de terre à poterie grince sur le chemin. On voit passer sur celui-ci le casque jaune d'un mineur et déjà, de toutes les maisons d'argile, les enfants font jaillir leur exubérance. Nandalal s'affaire autour des images divines de la demeure avec un bâton d'encens, sans oublier personne : un instant pour Makali, la grande déesse noire, et un autre pour Birsa Munda[1], héros tribal de la révolte anticoloniale auquel le dessinateur a curieusement donné le teint d'un Écossais. Puis il extirpe de sous le lit de corde un bloc de charbon de bonne taille et se met en devoir de le casser avec une pierre. Bientôt, le foyer de terre, dégageant une horrible fumée soufrée, va chauffer les *rotis* du matin. Nandalal mange seul : aujourd'hui sa compagne, Nandita, fait un jeûne. D'ailleurs, ils n'ont jamais mangé ensemble de leur vie. Un voisin arrive, puis un autre, apportant, qui du sucre, qui une tomate. On sert le thé, sans lait, « le lait c'est pour la ville ; ici les vaches sont trop maigres », dit Nandalal. Le voisin, Radu Das, cherche quelque chose sur son transistor crachotant et s'arrête enfin sur la musique de film désirée. Tout le monde s'accroupit dehors, près du seuil de la maison, devant les palmiers et les bambous qui découpent la brume. Nandalal lit à haute voix le livre d'un penseur religieux réformiste bengali puis une page de Maxime Gorki... qu'il appelle d'ailleurs « Marxiste Gorki », et conclut : « Oui, ils ont tous raison ; ce sont les gros, les accapareurs qui sont la peine de ce monde. Pourquoi le maire de Sudamdih a-t-il vingt-huit camions ? Cela pourrait faire vingt-huit heureux. Certains ont tout, le travail, la richesse et nous n'avons même pas de lait pour mettre dans le thé. Pourtant, c'est bien vrai que celui qui a trop d'argent mange de la vache ! Il tue sa mère ! »

L'OBSESSION
DU CHÔMAGE

Personne, dans l'assemblée, n'a de travail permanent. Tous ont, en sus de la terre insuffisante, des petites combines de survie et leurs bras qu'ils vendent à la journée dans le bassin minier quand ils ne peuvent pas faire autrement. Tous sont allés peu ou prou à l'école et ils font, depuis, comme Nandalal. Ils attendent un emploi.

Nandalal est fluet comme la majorité de ceux des collines. « Les Nord-Biharis[2] qui viennent nous prendre le travail sont gros et forts alors que nous sommes de plus en plus petits », s'excuse-t-il. Les familles ont grandi mais pas la terre, ni les revenus. Nandalal est hindou, et marxiste convaincu. Il aime bien enseigner ces deux disciplines, le matin dans la fraîcheur, à ses amis et voisins. Il est brahmane alors que ses voisins appartiennent à diverses basses castes. « Il ne faut plus de castes, dit-il, ça n'existe pas ; les harijans sont nos frères. » Ces derniers n'hésitent pas à franchir le seuil de la maison d'argile, mais les castes se portent toujours bien au village de Mekoura et le leadership du brahmane rouge en est d'ailleurs une des manifestations. Ici tous sont des « gens du drapeau rouge ». Dans cette partie du Bihar, où l'on parle bengali, on ne se sent aucune affinité avec les élites qui règnent à Patna et maintenant à Dhanbad, le chef-lieu du bassin minier. C'est peut-être avant tout pour affirmer sa différence que la circonscription envoie aux assemblées[3] des députés marxistes et autonomistes, partisans de la création d'un État nouveau avec le sud du Bihar et l'ouest du Bengale : le Jharkhand, le pays des arbres...

Un jour gris monte lentement, éclairant le chemin d'argile et une mare qui luit au loin. Aujourd'hui, il faut aller à Sudamdih, dans le bassin minier, voir le permanent du syndicat des travailleurs des mines du Bihar[4] auquel Nandalal milite activement, dans l'espoir que celui-ci puisse faire avancer le dossier déposé auprès des charbonnages, il y a déjà plusieurs années, afin de décrocher un emploi. Nandalal pense beaucoup à ce dossier. Il faut constamment faire des démarches, essayer d'utiliser le syndicat, le député, des amis... Les gens du pays, contrairement à ces immigrés de hautes castes venus du nord de l'État, ont peu d'appuis dans le personnel de direction des mines ; et cela limite beaucoup l'efficacité de leurs tentatives. Nandalal refuse farouchement de payer 3 à 5 000 roupies de pot-de-vin comme on le lui a souvent suggéré. « Ces affaires immorales sont réservées aux riches », dit-il. Et puis il n'est pas question de lâcher les amis : « Nous avons au moins manifesté cent fois ensemble pour avoir du boulot. Si je gagne, ce sera avec les camarades, avec Sudir, Budnath et Nimay, les chômeurs de Mekoura. » Le travail, ils n'arrêtent jamais vraiment d'y penser entre les deux rivières. Dans les villages dispersés entre les cours d'eau, asséchés en ce mois de février, on trouve pourtant des veinards pourvus d'un emploi : le chemin de fer et les mines recrutent des ruraux dans un rayon de 50 kilomètres. On vient au bassin à vélo ou à pied par les sentiers de terre.

On dit toutefois, entre Izri et Gobaï, qu'il y a de moins en moins de postes pour les gens du pays, et « qu'il est de plus en plus difficile au fils de prendre la place du père comme cela se faisait avant ». La nationalisation des charbonnages, en 1971, n'a rien amélioré. A cette époque, on a licencié 50 000 « locaux » d'un coup. Certains cadres corrompus des bureaux d'embauche de la mine ont envoyé des milliers de télégrammes à leurs relations dans le nord de l'État et celles-ci ont couru se faire recruter. Il reste de l'embauche plus facile : chez les *thikedars*[5], les marchands d'hommes qui prennent la main-d'œuvre temporaire au jour le jour pour dix roupies. Mais qui voudrait de l'emploi pénible, instable et mal payé du thikedar ? On y va, mais vraiment quand on ne peut pas faire autre chose, à dire vrai, de plus en plus souvent.

LE BRAHMANE, MÊME ROUGE, RESTE UN SEIGNEUR

Nandalal descend à bicyclette la sente qui mène à l'Izri, avec Sudir derrière lui, sur le porte-bagage. Budnath Singh suit sur un vieux vélo emprunté. La progression est lente, non seulement parce que l'on suit un sentier improvisé sur les talus de rizière, mais aussi parce que l'on s'arrête beaucoup. Nandalal distribue un tract rose qui tire le bilan d'une récente manifestation et, de petites boutiques de thé en rencontres, les trois amis voient passer la matinée. Le chemin est plein d'hommes et de femmes de peine qui reviennent du travail chez le thikedar, d'ouvriers du rail reconnaissables à leurs vestes d'uniforme et de mineurs qui ont gardé les bottes et le casque fournis par les charbonnages.

Des colporteurs, des collégiens et des paysans qui vont au marché complètent la scène. Au loin, provocantes pour la campagne sans routes ni électricité, se détachent les quatre cheminées de la centrale thermique de Santaldih qui crachent une fumée noire. Lorsque le vent souffle de l'est la fine poussière qui se dépose partout est le seul cadeau de l'industrie au monde rural. « D'où viens-tu ? Où vas-tu ? » On parle fort sur le chemin. « Eh, seigneur, tu nous as apporté les tracts ! Donne donc. » Le « seigneur » c'est Nandalal qui porte, qu'il le veuille ou non, sa brahmanitude. « Je ne suis pas un seigneur, il faut venir manifester devant le building des charbonnages, à Dhanbad, vous viendrez ? — Oui, seigneur. » Celui qui répond est un *bauri*[6], ex-intouchable, fils d'un travailleur agricole. Maintenant, chargeur à la mine de Chasnala, ouvrier permanent, il n'en est pas peu fier mais le brahmane, même rouge, reste pour lui le seigneur. Ce n'est pas le paradis le travail à la mine : Chasnala est à 15 kilomètres, le boulot est épuisant, et depuis cinq ans on n'arrête pas d'accroître le rythme de travail. D'un autre côté, un *naukri*[7] est un naukri et si Obilas Bauri habite toujours dans le *basti* (quartier) intouchable de Malgonia une maison étroite et surpeuplée, il n'en a pas moins bien de la chance... Nandalal ne laisse pas voir d'envie. Il donne les papiers roses à tous. « Et toi, la Baurine, viens ici... » Les femmes remontent le chemin qui s'enfoncent vers l'Izri, le panier de poussière de charbon sur la tête, avec des allures de reines. Reines épuisées aux visages, mains, dos et torses tendus à craquer. Vingt kilos multipliés par dix, ou vingt kilomètres à pas menus. Ces chargements sont une partie de la paye des journalières : le thikedar autorise les ouvrières à racler le fond des camions et à garder les miettes. Le combustible est si précieux. Il n'y a plus de forêts dans cette partie du « pays des arbres », seulement des plantations privées d'eucalyptus. Les femmes repartent avec une feuille logée dans le pli du sari. « Elles sont toutes illettrées », dit Sudir. « Elles apprendront », rétorque Nandalal. On vient d'ouvrir au village un centre d'aide alimentaire qui doit pratiquer aussi l'éducation des adultes. Nandita travaille là pour 125 roupies mensuelles. Le centre ne fait, en réalité, que de l'assistance mais Nandalal croit au progrès : « Si les gens apprennent, ils auront une autre vie. » « Oui, une vie de chômeur instruit », rétorque Sudir. Les trois amis franchissent la rivière Izri à gué.

Des femmes en sari se lavent. Les poteaux d'une ligne à haute tension annoncent la transition : on change de monde. Des herbes grises et des buissons de verveine sauvage remplacent bientôt rizières et bambous. Les bastis se font plus serrés et plus hétéroclites. Sous une ligne de wagonnets aériens, un petit enfant bauri joue avec un cerf-volant de papier déchiré : c'est le bassin minier, le monde où le travail et les lumières n'arrêtent jamais.

LES BOUTEILLES D'ALCOOL APPARTIENNENT À L'ÉTAT

Emergeant d'un bosquet, le frère de Sudir s'appuie sur sa bicyclette : il est complètement saoul mais, comme il est l'aîné[8], Sudir n'a qu'à se taire. Dans le district de Dhanbad qui comprend 3 % de la population du Bihar, on consomme plus de 10 % de l'alcool vendu dans l'État, sans compter les productions domestiques, comme le vin de palme, que les villages envoient vers les centres miniers assoiffés. Les mineurs, les tribaux sont les plus grands buveurs. La mine est dure mais, plus que les habitudes locales, la présence d'un fort lobby de marchands d'alcool semble à incriminer. On ouvre sans cesse de nouvelles boutiques d'alcool malgré les protestations des députés de l'opposition. Les rouges (marxistes) et les verts (autonomistes jharkhandis[9]) ont essayé de s'opposer à la boisson, par l'éducation populaire et par des manifestations, parfois violentes, menées aux cris de « Cassons les boutiques d'alcool, quittez le Jharkhand ! » Les marchands d'alcool, certains cadres de la mine, des policiers et les thikedars sont associés dans ce trafic. Les boutiques d'alcool appartiennent à l'État. La variété de mauvais brandy qu'on y trouve vaut un jour de paye ouvrière la bouteille. Il ne faut pas s'étonner de voir les marchands d'alcool soutenir les revendications salariales.

Passé la gare de triage de Bhojudih voilà la route de terre où ronflent les camions Tata chargés de sable pour les laveries de charbon. Ces hommes sur les chargements, à l'intérieur des camions, formes maigres en *longis* blancs, sont les *mazdurs*[10] qui chargent les véhicules. Pas question de leur donner des tracts, à ceux-là : « La mafia les tient, ils nous donneraient un coup de pelle. » Une aveuglante poussière blanche s'élève à chaque passage.

La mafia... On dit à Dhanbad le *gounda raj* : le règne des voyous. Celui-ci n'a rien d'une nouveauté dans la région. Depuis le départ des Britanniques qui ont ouvert les mines, le poids des trafiquants politiciens, des leaders syndicaux marrons, des usuriers, marchands d'hommes et marchands d'alcool n'a fait que s'accroître dans la vie du bassin. La nationalisation des charbonnages, en 1971, a été loin de faire reculer le phénomène. Le transport du charbon, certaines industries (cokéfaction) et de nombreux trafics sont entre les mains des gangs qui constituent, avec la bureaucratie favorable au parti du Congrès, les forces politiques dominantes dans le bassin.

Dans de nombreuses mines, il faut la protection de ces mafias pour avoir un travail, et le garder. Cela ne se passe différemment que là où le syndicat rouge est assez fort. Ils exigent des impôts parallèles et empochent les cotisations obligatoires de leur syndicat, le Janata Mazdur Sangh[11]. Ceux qui se dressent isolément sur leur chemin voient leurs membres brisés à coups de barre de fer, quand ils ne sont pas abattus. « La vie de l'homme n'est rien face au désir du gounda. Ils arrachent les bijoux des femmes à la sortie du cinéma comme si leurs rackets réguliers ne suffisaient pas, affirme Nandalal. L'exploitation de mines clandestines et le vol du charbon de l'État sont des grandes ressources, avec le trafic de main-d'œuvre, de l'économie parallèle contrôlée par la mafia. » Les trains qui amènent le charbon à la centrale de Santaldih sont tous les jours pris d'assaut par des voleurs de charbon qui agissent avec la complicité de certains officiers de police. Tout le monde le sait. C'est le bassin...

LE BASSIN EST UN PEU FOU, MAIS ON L'AIME FORT

L e trio arrive au pont de Sudamdih, une structure métallique couleur rouille qui tranche sur le noir profond de la rivière Damodar où s'épanchent les laveries de charbon. Dans le lit de celle-ci, des blanchisseurs qui travaillent sans savon s'affairent quand même avec énergie. C'est un pont de chemin de fer, il n'y a pas de pont routier avant 6 kilomètres. Pour passer sur les traverses avec un vélo, une mince passerelle de tôle a été aménagée. Les bicyclettes chargées de charbon s'y croisent difficilement. Dessous c'est le vide. Le mois précédent, deux jeunes ouvriers sont passés sous le train de 11 heures.

De l'autre côté, c'est la mine avec ses grandes poulies étranges et ses machines ronflantes, mais aussi les routes, les lumières, le cinéma. Un flot continu arrive des villages vers la zone d'extraction. On entend les plaintes des grandes roues d'acier qui descendent les cages à Chasnala qui a connu, en 1975, l'une des plus grandes catastrophes de l'histoire de la mine en Inde : une poche d'eau a crevé, tuant deux milliers de mineurs. C'est un paysage torturé. Les exploitations à ciel ouvert, assez courantes car certaines veines sont peu profondes, ont bouleversé les sites. Entre les gouffres et les déblais, les routes et les voies ferrées laissent des espaces étroits aux quartiers bâtis en argile, aux bidonvilles et aux rangées de logements des ouvriers permanents de la mine. Le soleil, qui perce enfin les nuages, fait luire la Damodar et enflamme les drapeaux rouges : ceux des syndicats et ceux des temples shivaïstes. Ici et là, on voit la tache claire d'une « rangée » ou d'un bâtiment industriel. Sur la route de poussière noire qui mène à Chasnala, une suite de vélos, surchargés de sacs de charbon arrimés des deux côtés du cadre, s'ébranle lentement. On porte jusqu'à 200 kilos sur une bécane qui sera poussée jusque Chandankiari (22 km) ou Adra (25 km) : c'est un travail épuisant de chômeur aux abois. Très souvent le trafic est entre les mains d'un gang et le pousseur gagne seulement quelques roupies, pour véhiculer ce charbon, d'ailleurs souvent volé... Tous les jours, des milliers de coolies ainsi équipés parcourent les routes. Le bassin est un peu fou..., un peu ivre, et parfois si noir, si triste, mais il donne le travail et on l'aime souvent fort, à cause sans doute, de sa densité de vie...

A la gauche du viaduc, sous un pylône à haute tension se tient un petit temple shivaïste inachevé. Deux saddhus, un ancien mineur et un homme qui vient d'on ne sait où, écoutent des airs *bauls* [12] que vient leur chanter un autre renonçant, autrefois forgeron dans un atelier, qui vit maintenant d'aumônes.

En face de la longue suite de logements de mineurs, des petites habitations d'une pièce, très propres, couvertes de tôle ondulée, se trouve une file de bicoques où l'on vend du thé, du bétel ou de l'épicerie, dont le chiffre d'affaires quotidien dépasse rarement quelques roupies.

Les Marwaris [13] du bazar de Bhojudih sont, eux, renommés pour amasser de l'argent. Les gens du pays qui possèdent ces minuscules boutiques n'ont pas la mentalité ou les moyens de s'enrichir, alors ils bavardent avec les chômeurs. Parfois on joue aux cartes.

Nandalal lance son vélo sur la route, évitant la boue et les cratères formés par le passage incessant des camions. Un train de charbon tire ses soixante-huit wagons couleur rouille sur le pont qui frémit, et déjà les belles tenues de sortie des trois hommes prennent la couleur charbonneuse du bassin.

Les murs jaunâtres des cités de mineurs sont maculés d'inscriptions telles que : « Vive la lutte des travailleurs », « Vive A.K. Roy notre leader » ; mais on voit maintenant surtout le « Vive la Mère Inde ! Vive la patrie ! », calligraphiés en hindi par les traditionalistes hindous. Ceux-ci sont encore peu influents dans la région mais ils ont gagné en popularité avec le syndicat traditionaliste BMS. Les activités missionnaires hindoues à l'intention des minoritaires tribaux se multiplient depuis quelques années.

Une partie de la classe protégée [14] des ouvriers et des employés de bureaux nord-biharis, forme, avec les Marwaris, la clientèle des nationalistes hindous. « Les musulmans au Pakistan » (il y a 15 % de musulmans dans le bassin) ou « la religion et le travail sont nos devoirs » remplacent sur les murs des logements les « Inflation, corruption, chômage, y'en a marre » du parti communiste (marxiste), au pouvoir dans le Bengale voisin.

LA LUTTE POUR L'EMPLOI
AUX LAVERIES DE CHARBON

Devant la grande masse grise de la laverie il y a comme une mer noire de charbon et deux petites constructions blanches. Nandalal s'y dirige et cadenasse soigneusement le vélo : « Dans notre Inde, il ne faut jamais faire confiance à personne », aime à répéter le leader qui survit, comme tant d'autres, grâce à la solidarité de ses parents, voisins et amis...

Nandalal et ses amis chômeurs ont travaillé plusieurs années, comme ouvriers temporaires, lors de la construction de l'usine en 1977-1980. « On était mal payés mais c'était déjà mieux que chez le thikedar et l'on espérait bien être intégrés par la suite... Seulement, ils ont donné la plupart des boulots à des gens pistonnés venus d'ailleurs et on s'est retrouvés dehors. Nous avons fait des dizaines de manifestations, exigé l'arrêt de la mécanisation[15] qui supprime des emplois, et la mise en place de quotas de postes réservés aux gens du pays, mais rien n'y fit. La police du Bihar a la main lourde. Une fois elle a jeté plusieurs camarades du haut du pont de Sudamdih et ces chiens ont même volé le vélo de Sudir ! Gounda raj et police raj, pour nous, c'est la même chose. »

Maintenant, la laverie, édifiée avec une aide technique polonaise et française, se dresse au bord de la Damodar. Les laveries dépoussièrent le charbon destiné à la sidérurgie. Cette installation est associée à l'une des mines les plus profondes du bassin (560 m) qui donne un charbon de qualité supérieure à l'ordinaire, très médiocre, de Dhanbad. Les bâtiments ont pris la couleur sale du milieu et fatiguent déjà. A l'entrée somnole un garde en uniforme, un radjpoute costaud, venu du Nord-Bihar, bien entendu.

Lorsque les chômeurs réalisèrent qu'il n'y aurait pas de travail pour eux à la laverie ou à la mine, ils essayèrent de survivre en récupérant la poussière rejetée dans la rivière par cette installation. On en faisait du mauvais coke à revendre au marché parallèle. Bientôt, il y eut plus de 300 personnes, les pieds dans la Damodar, à vivre des poussières de l'usine. Les forces du syndicat et du comité de lutte paysan qui lui est proche, empêchèrent la mafia d'approcher. C'était trop beau pour durer. Le *management* de l'usine décida de tarir le trafic à sa source en revendant la poussière à un entrepreneur privé selon le principe appliqué dans les autres laveries. Seulement, les choses ne se passèrent pas comme il l'entendait. Appuyé par les partis politiques « rouges » et « verts » et aiguillonné par les chômeurs, le BCKU exigea, soit le respect du statu quo, soit la création d'une coopérative de travailleurs qui, conformément à la loi[16], remplacerait les thikedars sur le site de récupération des poussières. Cela ne s'était jamais vu et gênait la fructueuse négociation de contrats entre les entrepreneurs, souvent liés aux mafias, et les officiels. La direction tergiversa puis envoya de nouveau la police. On se battit entre les rangées avec des arcs, des flèches et des lance-pierres contre les lathis de bambous. Budnath Singh perdit son vélo dans une bataille. Nandalal se rappelle comme les policiers étaient forts[17], des rajpoutes eux aussi venus de Patna (la capitale du Bihar) et comme ils leur en ont fait voir. En 1981, les armes à feu firent leur apparition. Un militant du BCKU fut tué lors d'une bataille avec des militants du Congrès.

A de nombreuses reprises, la direction fit appel aux goundas du bassin, précipitamment revêtus d'uniformes de gardiens. Les chômeurs tinrent bon toutefois. Le député A.K. Roy, fondateur du BCKU, un marxiste, brahmane bengali à la réputation de saint, lettré et immensément populaire, vint de nombreuses fois. Les charbonnages finirent par signer un compromis donnant la gestion de l'embauche à la coopérative ouvrière. Le Kamgar Shramik Sahayog Samiti (Comité coopératif ouvrier) était né et depuis son drapeau rouge flotte fièrement sur la poussière grasse rejetée des laveries. C'était très beau, sauf que la coopérative n'avait aucune ressource propre et qu'elle dépendait des charbonnages pour le salaire de ses 300 employés, tous des *general mazdurs* payés 10 roupies par jour, moins que ce que donne la mafia Sachdev à la laverie proche de Pathardih...

UNE EXPÉRIENCE COOPÉRATIVE, UNIQUE ET MENACÉE

*L*a coopérative vit mal. Elle est à la fois la fierté et le crève-cœur de Nandalal. D'abord les charbonnages ont tout fait pour mettre en cause la viabilité de l'entreprise, puis d'autres problèmes sont venus, de l'intérieur cette fois.

Il y a des clans dans le syndicat, des factions sur base de caste, de famille et de copinage. Les alliés du permanent local de l'union se sont adjugé les six postes de « travailleurs aux écritures », excluant de l'affaire Nandalal et ses camarades qui avaient impulsé la lutte.

Bien que l'on ait essayé d'imposer un règlement « juste et digne », qui porte l'accent sur la responsabilité des travailleurs, ces derniers disent parfois avec amertume que le Sahayog (coopérative) n'est qu'un thikedar comme les autres, sauf qu'il paye moins et que l'on se fait refouler si l'on arrive en retard.

Ils parlent avec rancœur de la moto et des beaux habits que se payent le secrétaire de l'union et le président de la coopérative. Corrompus eux aussi ? Pourtant « l'entreprise ouvrière » tient le coup, et elle est assez populaire malgré les critiques qui l'assaillent. Ainsi l'ambiance sur le chantier est très différente de celle qu'on trouve chez les fameux thikedars. Elle est plus relax, et plus digne aussi. C'est peut-être pour cela que l'on vient de très loin pour l'embauche journalière. La coopérative Sudamdih est la seule entreprise du bassin à donner la priorité aux femmes et à les payer le même prix que les hommes. Il y en a près de 60 %. Les charbonnages licencient, au contraire, de plus en plus de femmes.

Le travail consiste à transvaser la poussière de charbon dans trois grands bacs de ciment successifs afin de faciliter son séchage. Comme le but est de fournir des emplois, tout se fait à la main avec des seaux et des paniers. Comme au village, les femmes portent, les hommes chargent. « Le charbon on le déteste, mais ici, il n'y a rien d'autre, nous sommes la caste des porteurs de charbon, celle qui est commandée par la faim », dit une femme dont le sari orange éclate dans l'environnement noir. La poussière s'insinue partout. Les porteuses mettent des fragments de plastique sur leurs têtes pour se protéger du jus gluant qui s'infiltre hors des paniers mais ce n'est guère efficace. Au fur et à mesure que le soleil monte, une odeur grasse s'élève. Dans le fond d'un bac trois jeunes ouvriers jouent à se lancer des boules de charbon avant d'être rappelés à l'ordre par un aîné. Sur le bord, un *munshi* (employé aux écritures) compte les feuilles roses de présence, puis les range dans un petit cabas de plastique : 250 ouvriers, des jeunes et des femmes surtout, et beaucoup de harijans, mais l'on trouve des gens de toutes les castes et même des ouvriers qualifiés au chômage. « Les Jharkhandis sont si pauvres, et les jeunes maintenant ne trouvent jamais d'emploi du premier coup. A Calcutta, c'est encore pire : ils vont là-bas pleins d'espoirs et se retrouvent à tirer une charrette dans la ville pour 4 roupies par jour », dit le munshi qui s'enquiert ensuite des démarches de Nandalal. « Eh oui, je suis venu pour ce papier. » Le dialogue se perd dans le vent qui porte avec les grincements de la mine des volutes de poussière noire.

LE JHARKAND TOUT ENTIER
N'A PAS DE RELATIONS

Une femme sans âge remonte la pente du bac de séchage, portant un lourd panier de poussières qu'elle va jeter dans la rigole avec une grimace de dégoût, presque de haine : toujours porter.

A la coopérative on ne travaille pourtant que sept heures, contre les dix ou onze du thikedar, et les horaires sont aménagés pour les femmes qui peuvent, après 3 heures de l'après-midi, partir s'occuper du buffle, du jardin et des enfants dans les bastis voisins et les villages. A midi les bras s'arrêtent pour une heure et l'on sort des *tiffins* d'aluminium les rotis un peu séchés, le riz, et le *dal*. Les femmes se lavent les pieds au bac de décantation. L'une d'elles est occupée à coiffer les longs cheveux de sa voisine. Un groupe mixte plaisante sur un lit de bambou et de corde. Il y a des moments de douceur dans le charbon. On entend surtout la langue bengalie mais aussi des langues tribales et divers dialectes hindis. On parle au moins vingt langues dans le bassin : il ne manque pas de mots pour dire chômage.

Nandalal est entré dans le petit bureau de la coopérative pour s'entendre dire que la personne qu'il cherchait était absente et qu'elle ne pouvait de toute façon pas s'occuper de cette affaire. Cela ne fait rien. Il a l'habitude. Ils ont tous l'habitude à Mekoura. En 1975, Nandalal s'était inscrit à l'agence pour l'emploi de Dhanbad. Comme ça ne donnait rien, il a abandonné quelques années plus tard. « Il faut de l'influence, des relations, pour avoir quelque chose. Le Jharkhand tout entier n'a pas de relations. C'est pour ça qu'il se révolte... » Le seul revenu fixe de Nandalal est constitué par les 50 roupies mensuelles allouées depuis l'année dernière par l'État du Bihar, aux « jeunes diplômés au chômage ». Il a bien cherché à faire un emprunt à la banque pour créer une boutique mais on l'a fait attendre des années pour lui dire finalement qu'il avait dépassé la limite d'âge. « Notre pays est pourri, tout est rétréci, il n'y a que nos cœurs qui soient larges. »

Pour finir la journée ordinaire, ils sont allés boire un thé à 40 paises, avec du lait celui-là, au bazar de Sudamdih. Accoudé à une table grasse, un gounda se vante de ne jamais payer ses consommations : « Si on m'embête, je reviens avec les copains et on casse tout. » Encore un homme couvert par Suryadev Singh... Les autres se taisent : c'est une autre habitude utile. Suryadev Singh est le plus grand boss de la mafia charbonnière. Ancien garde à la mine, il fonde, dans les années 70, un empire à partir des ressources de l'économie parallèle. Il possède 150 camions, trois cinémas et plusieurs palais. Il est député à l'assemblée du Bihar malgré les cent dix chefs d'inculpation lancés à son encontre. C'est aussi un leader syndical puissant qui confond, avec succès, clientélisme et syndicalisme...

Un enfant court en jouant avec une vieille roue de vélo et des morceaux de charbon. Au mur une affiche écornée annonce que l'on joue *Voleur de travail* au cinéma de Pathadih. Comme une obsession qui ne se lasserait jamais...

Un mineur passe avec un pieu sur l'épaule ; c'est l'heure de la descente. Ils sortent de toutes les rangées pour se diriger vers la mine ; ceux qui ont du travail. Nandalal, lui, reprend le chemin du village.

——————— *GÉRARD HEUZÉ* ———————
Sociologue spécialiste de la classe ouvrière indienne.

1. **Munda** : mort en 1900 en prison. Chef d'une révolte des tribus Munda et Oraon qui prit l'allure d'un mouvement religieux messianique.
2. **Les Nord-Biharis** : habitants du nord de l'État de Bihar. Il existe une différence de culture, d'histoire, d'ethnie entre le Nord (la plaine du Gange) et les collines du Sud. Les gens des hautes castes du Nord dominent la politique de l'État, et aussi les nouvelles cités industrielles du Sud.
3. Au **Lokh Sabha** (Delhi) et à l'assemblée Patna. Deux députés du Marxist Coordination Committee (extrême gauche), un brahmane et un harijan.
4. **BCKU** : le Bihar Colheries Kamgar Union (syndicat ouvrier des mines du Bihar), un des rares syndicats indiens à s'occuper des chômeurs et des ouvriers hors-statut. C'est une des organisations de la nouvelle gauche syndicale. Il tente de pratiquer l'éducation populaire (au sujet de l'alcool, du jeu, de l'usure). Il y a 8 millions de syndiqués dans tout le pays, la plupart étant des employés à statut protégé. La masse des prolétaires est en dehors du statut (et de la syndicalisation) : les deux tiers des travailleurs de l'industrie.
5. Le *thikedar*, l'entrepreneur de main-d'œuvre, tient

lieu d'agence d'intérim. Il est présent à tous les niveaux de l'industrie en Inde.

6. Grande caste de travailleurs agricoles à l'origine peut-être tribale.

7. Emploi fixe, permanent, où l'on bénéficie des avantages sociaux (sécu., retraite). Salaire courant à la mine : 30 à 40 roupies par jour. Les ouvriers précaires touchent cinq fois moins.

8. Les aînés commandent, les cadets les servent. C'est l'usage. « Les parents sont nos dieux », dit-on souvent.

9. Jharkhand Mukti Morcha (le Front de Libération du Jharkhand) fondé en 1972. Le JMM s'appuie sur les tribaux, nombreux dans la région mais absents de la zone de Mekoura, et sur les *mahatos* (Kurmi), une importante caste d'agriculteurs pauvres. Leader actuel : Shibu Soren.

10. Homme de peine, manœuvre devenu « prolétaire » dans le langage syndical.

11. Fédération populaire des travailleurs, affilié, au Janata Party de Chandra-Shekar. Curieusement, le Janata Party, organisation de l'opposition libérale qui n'a rien de commun avec une mafia, tolère en son sein les gangs de Dhanbad, qu'ils prennent l'apparence d'un parti ou d'un syndicat. Il semble que ceux-ci rapportent beaucoup d'argent au parti.

12. Le pays est très marqué par la tradition populaire de religion de dévotion (*Bhakti*). Le chant baul s'inscrit dans ce cadre. Les Bauls, qui vivent au Bengale, constituent une secte particulière marquée par la fraternité.

13. A l'origine habitants du Marwar (Rajasthan). On appelle *Marwari* à Dhanbad tout commerçant qui cherche à faire du bénéfice. Certains Marwaris sont usuriers ou thikedars.

14. Les travailleurs permanents sont protégés par de nombreuses lois qui donnent à la condition théorique du travailleur un aspect proche de celle que nous connaissons. La protection ne prend malgré tout de consistance, hors du secteur public, qu'avec la protection syndicale et elle est rarement complète.

15. Selon l'analyse du BCKU, la mécanisation, où l'on engloutit des sommes énormes, n'accroît pas la rentabilité parce que le vol et la mauvaise organisation de la production réduisent à néant ce genre d'efforts. Il faut, selon le syndicat, donner la priorité à l'emploi.

16. Légalement, les coopératives sont favorisées. En réalité, celles qui existent servent presque toujours de couverture juridique à des entrepreneurs affairistes ou des thikedars. Diverses agences d'État sont aussi baptisées « coopératives ».

17. L'inégalité physique marque plus profondément les hommes des sociétés de pénurie. Les jharkhandis sont maigres comme leurs récoltes.

LA LENTE ÉMANCIPATION DES INTOUCHABLES

entretien avec
—— DENIS MAZAUD ——

DENIS MAZAUD TRAVAILLAIT RÉCEMMENT DANS UNE ÉQUIPE DE FRÈRES DES HOMMES, AU BIHAR, ÉTAT DU NORD DE L'INDE. IL EXPLIQUE ICI LES PERSPECTIVES D'ÉMANCIPATION ET DE FIN DE LA VIOLENCE POUR LES PAYSANS LES PLUS PAUVRES.

Martine Salbert — Le Bihar est souvent retenu, par la presse en tout cas, pour dénoncer les violences, en particulier envers les intouchables ?

Denis Mazaud — Le Bihar a une densité de population très importante. Il y a donc une pression énorme sur la terre et sur toutes les ressources. C'est aussi sans doute l'État où le régime foncier est le plus féodal. Il y a donc assez peu de cultivateurs qui sont propriétaires. Les propriétaires font cultiver leur terre par des fermiers ou par des travailleurs agricoles. Dans la région où je travaillais, 40 % des paysans (dont une majorité d'intouchables) sont journaliers et ne savent donc pas d'un jour sur l'autre où ils vont travailler. Sauf ceux qui sont serfs et qui sont donc attachés à un propriétaire précis — pas seulement pour le travail agricole, d'ailleurs, mais aussi pour le travail domestique. Ce phénomène existe toujours.

Qu'est-ce que cela signifie dans la réalité quotidienne ?

Le servage a été aboli, c'est donc logiquement illégal. Cependant des gens sont serfs, soit parce que c'est la tradition dans la famille, soit parce qu'on a contracté tellement de dettes envers une famille qu'on travaille pour rembourser. Et en fait on n'arrive jamais à travailler assez pour rembourser.

Les serfs ont eux-mêmes beaucoup de mal à laisser tomber cette relation, alors que le gouvernement les y autorise. Et cela pour plusieurs raisons. D'abord parce que le travail n'est pas facile à trouver et que logiquement avec un maître, on a du travail, même s'il est plus mal payé. Et puis parce qu'on a peur des représailles si jamais on fait un quelconque mouvement.

Quelles sortes de représailles peuvent être exercées ?

A partir du moment où les gens n'ont pas une forme quelconque de contre-pouvoir, le propriétaire exerce des menaces orales qui, le plus souvent, suffisent à intimider. Et quand un serf, ou plus généralement un ouvrier agricole, se montre un peu trop réticent ou pas assez obéissant, on peut très bien le battre ou l'enfermer. Je connais le cas d'un ouvrier à qui on a fait passer du courant sur les pieds parce qu'il avait un peu trop l'allure d'un leader potentiel. Il est assez fréquent de prendre une personne à plusieurs et de la battre comme plâtre pour lui faire comprendre qu'il vaut mieux rester tranquille.

Qui se charge de ces expéditions punitives ?

C'est assez bien organisé. C'est rarement le propriétaire lui-même ; généralement, il a des hommes de main ou bien il arrive à utiliser les petits fermiers contre les travailleurs agricoles en faisant pression sur eux. Et il a pour cela de multiples moyens, la plupart des contrats de fermage étant établis de manière orale.

Avez-vous vu ou entendu parler de représailles à l'échelle d'un village ?

Oui, il y a des attaques de villages organisées par des bandes armées à la solde de gros propriétaires. Le village est alors mis à sac, brûlé, des femmes sont violées... Là, c'est quand ça va à l'extrême. Mais plus couramment, on vient la nuit en catimini, on vole le grain, le matériel acheté par la communauté, on brûle le bâtiment communautaire. C'est une menace : on prévient les gens que s'ils s'organisent trop...

Quelle est la réaction de la police et de la justice face à ces violences ?

Au niveau de la police, elle est quasiment nulle : il y a la plupart du temps collusion avec les gros propriétaires. Il faut dire aussi que, par manque de confiance sans doute, les gens ont rarement la réaction d'aller porter plainte. Il est vrai que s'ils font la démarche, bien souvent les policiers tenteront de minimiser les faits, de les convaincre qu'ils n'ont rien à y gagner. Pour la justice, le tableau est moins noir, surtout au niveau des hautes cours. Encore faut-il que la plainte soit enregistrée et qu'elle parvienne où il faut. Ce qui n'est pas si évident quand elle émane de gens qui sont généralement illettrés, n'ont pas les moyens de se rendre fréquemment à la ville pour relancer l'affaire et encore moins ceux de verser des bakchich aux petits fonctionnaires.

La plupart de ces violences restent donc impunies ?

Habituellement oui, mais si les villageois s'organisent, les procès peuvent aboutir. C'est d'ailleurs dans ce sens que nous travaillons désormais : ne plus apporter une aide matérielle ou pécuniaire, mais aider à faire naître une conscience collective. C'est d'ailleurs une forme de travail sur laquelle se sont aussi rejoints les anciens naxalites qui ont fait le constat d'échec de la violence et d'anciens gandhiens qui ont senti l'inefficacité de ce qui n'était plus une stratégie de non-violence, mais de non-conflit.

Toujours est-il que dans certains villages se sont mis en place des comités qui obtiennent des résultats au niveau de l'enregistrement de titres de propriété par exemple, ce qui est très important pour de petits propriétaires — quand on est sûr d'avoir sa terre à soi, on peut vraiment commencer à travailler. Ils obtiennent aussi des résultats au niveau des procès. C'est justement ce qui s'est passé dans l'un de ces villages qui avait été attaqué. Les habitants sont allés directement déposer plainte et ont immédiatement porté une copie du procès-verbal au préfet. Ils ont obtenu un certain écho dans la presse. Le préfet s'est rendu au village et s'est engagé à dédommager les villageois. Ils ont reçu tout de suite du grain de la part du gouvernement et, à la suite du procès, le gros propriétaire responsable a été condamné.

Existe-t-il par ailleurs des réactions violentes des petits paysans face à toute ces exactions et à ces abus de pouvoir ?

Bien sûr, il y a des révoltes violentes. Elles ont été particulièrement nombreuses dans les années 70, quand le mouvement naxalite battait son plein — il n'a d'ailleurs pas été totalement brisé au Bihar. La stratégie des naxalites consistait à éliminer physiquement oppres-seurs ou notables corrompus. Mais aujourd'hui encore, il arrive qu'on s'en prenne à un gros entrepreneur qui vient récupérer tout le bois par exemple. On se réunit à une trentaine, on le bat, on met le feu au camion. Des grèves ont également lieu régulièrement, surtout au moment des récoltes, et elles peuvent être très dures. Et puis, plus généralement, les gens se laissent de moins en moins faire, ils s'organisent vraiment de plus en plus, à tel point que les gros propriétaires commencent à organiser des milices, pensant que la police ne suffit plus à les protéger. Il risque donc d'y avoir surenchère dans la violence.

Mais une chose est sûre cependant, c'est qu'il y a une émancipation certaine des intouchables, des paysans les plus pauvres. Les gens n'ont plus aussi peur, ils commencent à connaître mieux leurs droits. Il y a maintenant des syndicats, des organisations, des comités. L'influence de l'école aussi commence à se faire sentir, même si — et tant s'en faut — tous les enfants n'y vont pas. Il n'est plus imaginable aujourd'hui de faire travailler une femme sur le point d'accoucher ou d'attacher un homme dans un champ pour le battre devant tout le monde. Plus personne n'oserait se le permettre.

propos recueillis par
— *MARTINE SALBERT* —

GUIDE
À KHAJURAHO

Stabilité massive de temples millénaires, spirales ensablées d'érotisme chancelant, évocations d'enlacements ou de processions dansantes. Cheminant à l'infini, l'unité de ces formes semble nous échapper. Ici à Khajuraho, l'Inde traditionnelle pensait effacer l'Inde moderne. Paysage et architecture y sont à la fois comme opposés et complémentaires. Le visible des temples dissiperait-il alors nos certitudes ? Au détour du temple de Varah dédié à Vishnu, les perspectives du cheminement apparaissent comme diamétralement autres. Notre rencontre avec Dashrath Kumar, un des douze guides du site, oblige du moins à nous défaire de certaines de nos illusions. Les temples, lieux communs à nos interrogations, n'en sont plus qu'un fondement simulacre. L'inerte n'a plus rien d'imaginaire et ce discontinu érotique ne dessine plus qu'assez confusément notre expérience naïve du monde indien. Au regard de cette pesanteur architecturale, la nonchalance de notre guide nous déroute. Elle ne nous permet même plus de nous demander si ses assertions sont vraies ou fausses. Peu importe, son regard apaise. Sa simplicité nous déconcerte, comme si sa liberté de parole ne se rapportait déjà plus à la tension de cet espace érotisé :

« Vous savez, bien qu'on soit ici assez isolés, à mi-chemin entre Bénarès et Delhi, ces temples ont néanmoins leur raison d'être. Religion et sexe y sont mêlés comme la grappe de raisin et l'eau. Dans la culture indienne, ces temples symbolisent quatre éléments essentiels pour obtenir le salut : la viande, le poisson, l'esprit et les femmes. Les éléments érotiques nous préservent des mauvais moments comme la chaleur, le feu et la pluie qui ne pénètrent pas ici. »

« MA RICHESSE EST MA PAROLE »

Dashrath Kumar n'évoquera qu'incidemment devant nous les quatre finalités fondamentales de la vie indienne : l'*artha*, premier de ces buts lié à la possession matérielle, le *karma* concourant au plaisir et à l'amour, le *dharma* incluant toute la trame des devoirs religieux. « Ces objectifs ne donnent qu'une orientation à nos vies puisqu'il faut avant tout atteindre le but ultime, notre libération spirituelle. Le *moksa* permet de lutter contre l'illusion de ce monde pour mieux découvrir la réalité de la vie. Dans ma vie antérieure, j'appartenais à une famille large d'esprit alors qu'aujourd'hui j'essaie de retrouver ce niveau, et je n'y arrive pas. Je ne suis pas satisfait de ma vie, et c'est sans doute la faute au karma. Si le karma est bon, tu as une bonne vie. Mais, je ne suis pas très religieux. »

Le voir évoquer ces exigences nous étonne peu, tant celles-ci ne semblent se fondre dans aucun moule intellectuel mais bien plutôt relever d'expériences possibles liées à cette réalité indienne.

« Ma richesse est ma parole, ajoute-t-il, et si nous devons vivre le présent, aujourd'hui je ne crois pas au futur. Ce que me demande ma famille, c'est de les nourrir. J'ai trente-huit ans, ma femme trente-cinq, et trois enfants : un garçon de douze ans, deux filles de trois et quatorze ans. Ils vont à l'école primaire et si je peux les aider financièrement, ils pourront aller jusqu'au secondaire car l'aide de l'État ici s'arrête aux livres scolaires. »

Reflet de ces millions d'itinéraires indiens, Dashrath Kumar dessine lui aussi un peu à sa manière la force de cette société indienne assignant à chacun une place spécifique dans un tissu social étroitement hiérarchisé.

« Je crois en l'aide de Dieu et j'accepte le système des castes. Je suis moi-même d'une caste de brahmanes. Mon père était maçon, mes quatre frères photographes. Je ne le suis pas devenu car je n'étais pas très fort en chimie, bien que j'aie été à l'école jusqu'à l'âge de vingt ans. Je travaille donc depuis plus de quinze ans. Avant j'étais vendeur d'objets dans une échoppe pour touristes, mais c'était vraiment de l'exploitation. Ayant été sélectionné parmi une centaine de personnes, je suis devenu guide. J'ai dû suivre un stage de six mois. Mais si j'ai été choisi, c'est bien parce que je parle l'hindi, l'anglais et que je ne suis pas voleur... Je n'étais physiquement pas assez fort pour devenir *rickshaw*. Eux sont très pauvres et vivent essentiellement des pourcentages acquis dans les échoppes sur les touristes. Moi, je fixe mon salaire de guide en fonction des groupes de touristes, soit environ 30 à 45 roupies par groupe et heure de travail. En saison, je gagne entre 50 et 70 roupies par jour. Ma famille

dépense quotidiennement 12 roupies par jour. »

Cette obsession du quotidien n'atténue pas la douceur de ses propos. L'*homo hierarchicus* a peu à peu gommé l'*homo eroticus*, Khajuraho et ses temples. Lucide, Dashrath Kumar ne ressent ni amertume ni aigreur : fatalité de ces destinées indiennes dominées par un quotidien oppressif.

« NOUS VIVONS DANS LA PRÉCARITÉ »

« Je dois travailler afin de combler l'écart avec les riches, même si ceux-ci, le plus souvent, ne travaillent pas, mais vivent de la corruption. Ma situation économique depuis dix ans n'a pourtant guère évolué. Ma maison n'est pas équipée pour l'hiver, n'a toujours ni l'eau ni l'électricité. Je n'ai pas d'autres vêtements que ceux que je porte. Et je ne crois pas que les Occidentaux puissent vraiment nous aider économiquement. Nous apporter des vêtements, par exemple, peut aussi avoir des conséquences néfastes et déséquilibrer notre économie. Nous vivons dans la précarité. Je ne pense pas non plus que la politique puisse nous aider. D'ailleurs, je n'en fais pas. Quant à fuir dans la drogue ou l'alcool, cela ne peut, je crois, nous apporter que la misère. »

Nous avons continué à marcher. Les paroles n'avaient plus vraiment d'importance. Dashrath Kumar nous a encore confié qu'il aimait bien sa femme et qu'il lui faisait l'amour deux fois par semaine. Qu'elle s'était dernièrement fait ligaturer les trompes. Des propos toujours empreints d'une évidente pudeur. Puis il croyait que s'il avait aussi peu d'amis, c'est qu'il n'avait ni beaux vêtements ni belles chaussures. Il n'avait pas non plus vraiment de questions à nous poser, mais les touristes lui posaient rarement nos questions. Nous avons encore fait pas mal de photos. On lui a proposé de les lui envoyer.

« Ce n'est pas la peine. J'en ai déjà beaucoup. »

On lui a promis de se revoir.

« Vous savez, je n'ai aucune chance d'aller en Europe. »

Ou de s'écrire.

« J'ai deux amis en Europe mais je ne peux leur écrire. Un timbre coûte 4 roupies. Avoir quinze amis coûterait 60 roupies, soit un mois de légumes... »

Ces dernières paroles dissipèrent au loin des pierres soudainement inaccessibles. Nous étions déjà ailleurs : confrontés aux frontières d'une autre histoire. A moins que son histoire soit aussi faite de ces formes dénouées, de ces lignes emmêlées, sinon dissoutes ? Qu'elle traduise ces jeux de discontinuités érotiques ? Ou qu'elle appartienne à ces corps simulacres figés pour l'éternité ? Car déjà, Dashrath Kumar, guide éphémère de nos illusions, nous semblait être un référent bien extérieur à Khajuraho.

KRISTIAN FEIGELSON
ET
———— *JACQUES PARAY* ————
Kristian Feigelson, sociologue, photographe coauteur de l'exposition « Coiffures et parures dans l'Himalaya » lors du festival Himalaya 1984 à Paris (Théâtre des cultures du monde).
Jacques Paray, photographe, réalisateur de *L'Inde du Nord au quotidien*.

MOTHER

INDIA

Femmes penchées dans les rizières, faisant la chaîne sur les écha-faudages de bambou pour se passer les briques ou les seaux de ciment. Femmes rentrant du puits une cruche sur la hanche, mar-chandant dans les bazars, sortant en groupe des universités, accrou-pies au seuil des maisons. Partout présentes, sans réelle mixité, comme un monde parallèle.

La femme indienne marche la tête haute, sûre de sa place et de son importance. Déjà mère sans doute, et à ce titre responsable de la prospérité de la famille. Mais curieusement, cette assurance, cette dignité se retrouvent chez les plus jeunes comme si le monde était sûr, stable et non fuyant, comme il semble l'être pour tant d'hom-mes indiens qui, en comparaison, paraissent frêles, perdus, enfants.

La mythologie hindoue où, à l'opposé de nos saintes, la déesse est énergie, puissance, destruction, mouvement, trahit l'importance, la force du féminin. Et certes, plus que tout autre pays, l'Inde est fémi-nine. Les Indiens l'appellent Mother India ou même parfois simple-ment Ma : Maman. Nulle part ailleurs sans doute les hommes n'osent parler de leur mère avec une telle passion, une telle tendresse — comme on parlerait d'une amante... Toute femme, qu'elle soit sœur, épouse ou ministre est aussi une mère. Non pas seulement génitrice, créatrice, mais également symbole d'union, de sagesse, de sécurité, de bonheur. Dans les poèmes, on chante la nostalgie de l'époque que l'on a passée dans les bras de sa mère, seul lieu totalement apaisant.

POURTANT L'INDE DES FEMMES
N'EST PAS UN PARADIS...

L a famille en Inde garde toute sa force. Elle est le modèle de référence pour tous les rapports sociaux. Le président est *Rashtra-pati* (le mari de la nation), Nehru était *cha-cha* Nehru (oncle) et les Indiens entre eux s'appellent *bhaï-bahan*, frère-sœur. On ne vit jamais seul, mais au sein d'une communauté généralement très unie. Sous un même toit, père, mère, enfants, beau-père, belle-mère, oncles, tantes... forment la *joint-family* dans laquelle chacun a un rôle défini dans une hiérarchie stricte. On vit tous ensemble donc, pourtant deux mondes déjà coexistent : le monde des hommes et le monde des femmes. Différences de rôle, différences de statut.

Un petit garçon naît dans une famille et la joie éclate. Il sera là pour continuer la lignée, pour rendre les derniers devoirs à ses parents et surtout, il sera là pour assurer leurs vieux jours. Petit, il vit cajolé, gâté, caressé par toutes les femmes de cette maison qu'il ne quittera jamais : un petit roi.

La naissance d'une petite fille est, elle, un luxe dont on se passerait bien souvent, comme en témoignent les statistiques : sept fois plus de mortalité infantile, 40 % d'analphabétisme de plus que chez les hommes. C'est que les filles sont destinées à quitter la maison pour se marier. Non seulement elles n'apportent aucune garantie pour l'avenir, mais en plus il faudra leur constituer une dot. Une pratique traditionnelle qui empoisonne de plus en plus la vie indienne et a plongé plus d'une famille dans la misère.

Le mariage, c'est le rite fondamental de la société indienne. Il faut avoir vu, avant la mousson, à la saison des mariages, avec quel éclat ils sont célébrés dans les moindres villages : cortèges incroyables de musique et de couleur ; il faut avoir cherché en vain un film indien dans lequel il ne soit pas représenté. C'est qu'il n'est pas imaginable ici de ne pas se marier. Parce qu'il n'est pas tant l'union d'un homme et d'une femme, mais bien plus celle de deux familles, le mariage est un devoir auquel on n'échappe pas. Et c'est dans son attente, angoissée mais aussi impatiente, que les petites filles passent leur enfance. Car c'est pour elles qu'il a le plus de conséquences...

Une fille jolie, douce, pudique, à la réputation irréprochable, est évidemment plus facile à marier. Il faut donc apprendre ce rôle... Savoir bien le jouer devant les tantes, les frères ou autres parents du futur marié venus juger l'éventuelle belle-fille. Savoir baisser les yeux, rougir à bon escient, trouver le juste compliment.

L'immense majorité des mariages sont arrangés par les parents. Ni l'un ni l'autre des époux ne se choisissent donc, mais c'est la femme qui quitte les siens pour rejoindre, le plus souvent dans une autre ville, un autre village, la famille de son mari — arrachement sans retour à la communauté dans laquelle elle a grandi. Et ce combat qu'il faut livrer pour s'adapter et s'intégrer dans un milieu inconnu, c'est la femme seule qui s'y trouve confrontée. Un combat auquel elles ont certes été préparées. Ce qui explique peut-être en partie cette force, cet air décidé de tant de femmes indiennes. Car pour l'homme, à la limite, le mariage ne change pas grand-chose. Il continue à vivre dans la maison de son enfance, au milieu de ceux qui l'aiment. Une maison dans laquelle le monde des hommes et celui des femmes se croisent finalement si peu !

Les moments que les époux passent ensemble, seuls, sont peu nombreux. Ils n'ont souvent même pas une chambre pour eux deux parce qu'il n'y a pas de place le plus souvent mais aussi parce que le rapport de couple n'est pas privilégié dans la vie quotidienne. Un mode de vie qui aide à comprendre pourquoi, même sans s'être choisis, on peut, la plupart du temps, s'accommoder l'un de l'autre et même se désirer. Le plus difficile pour la jeune épouse, c'est de trouver sa place dans le groupe des femmes et surtout de gagner l'affection de la belle-mère qui règne en maîtresse sur la maison. Pour assurer son statut, être définitivement intégrée à la famille, il faut devenir mère, donner naissance à un fils. Il faut savoir jouer le jeu, se plier à la hiérarchie des pouvoirs entre les différentes belles-sœurs, les sœurs du mari... C'est souvent au sein de ce groupe de femmes qui passent leurs journées ensemble que les rapports peuvent être les plus délicats, les plus conflictuels. Des conflits qui peuvent aller jusqu'à l'éclatement de la famille lorsque, par exemple, ils persistent entre deux belles-sœurs — l'un des frères choisissant alors de s'installer ailleurs ; mais qui se résoudront rarement au profit de l'épouse s'ils éclatent avec la belle-mère. Il est très mal vu en Inde de prendre le parti de sa femme contre sa mère : ingratitude, manque de virilité... !

DE PLUS EN PLUS NOMBREUSES
À TRAVAILLER

S ans doute est-ce là le scénario le plus classique, des millions de fois répété, mais dont tant de scènes peuvent changer, tant d'éléments s'y ajouter qu'il serait trop simple de s'y arrêter.

Déjà la femme indienne n'est plus seulement à la maison. Paysannes, ouvrières, médecins, employées de bureau, enseignantes, nombre de femmes travaillent. Les plus pauvres bien sûr n'ont jamais eu le choix. Dans les champs, les usines, sur les chantiers, leur condition est d'ailleurs loin d'être meilleure que celle des hommes, quand elle n'est pas plus mauvaise encore (en particulier en ce qui concerne les salaires). Mais les autres, malgré une certaine réticence des familles, sont aussi de plus en plus nombreuses à occuper un emploi. C'est que, même dans les milieux les plus rétrogrades, il est difficile de cracher sur une source de revenus supplémentaires quand l'argent ne tombe pas du ciel. On peut passer sur bien des principes aussi pour s'offrir des objets autrement inabordables !

De plus en plus de filles encore vont à l'école, à l'université. Militantes, cinéastes, politiciennes, on les retrouve aussi dans la vie publique, parfois en plus grand nombre que chez nous.

Et tout cela ne va pas sans mal, sans heurts. On s'interroge pour savoir s'il est bon que les femmes travaillent, qu'elles soient instruites, on envisage l'idée du remariage des veuves... Mais aussi on se demande s'il est mieux de vivre en couple, de choisir son conjoint ou de suivre la tradition en ce domaine. Dans certains milieux même, on pèse les avantages du « système occidental » et du « système indien ». On entrevoit ce qui peut être plus facile à l'Ouest, mais on songe aussi à ce que l'on risque de perdre ! Et l'on est loin d'avoir répondu à tout, d'avoir résolu les contradictions...

On étouffe souvent au sein de cette famille envahissante aux principes rigides qui détermine et régente la vie de chacun, on aspire à plus de liberté, mais on s'angoisse et l'on recule aussi devant le changement.

Les hommes bien sûr dont les discours « progressistes » se cantonnent la plupart du temps à de bonnes intentions. Eux, ils sont ou seront de bons maris. A savoir qu'ils ne frapperont pas leur femme, la laisseront voir ses parents ou même travailler ! Si ce sont eux surtout qui abordent le problème du choix, bien vite en général, ils se réfugient derrière l'amour filial pour y renoncer. « Comment pourrais-je faire cette peine à mes parents ! Ils ne l'ont pas méritée. De toute manière, ils m'aiment, s'ils me choisissent une fille, je peux leur faire confiance. » Non sans angoisse pourtant, au fur et à mesure que la joint-family décline : comment sera celle avec qui l'on devra vivre seul ?

Dans leur façon de rêver les femmes il y a aussi une étrange dichotomie : une belle fille et une belle épouse, ce n'est pas la même chose. Les pin-up du cinéma, allumeuses à l'œillade assassine, aux seins débordant de profonds décolletés, roulant lascivement des hanches en découvrant parfois des cuisses bien pâles et bien grasses, rivalisent dans leur tête avec une fiancée fluette, timide et douce, bien droite dans son *sari*, le *bindi* au milieu du front, ne vivant que par et pour eux. « Les femmes indiennes, elles au moins, ne partent jamais ! » Sécurité, petit cocon bien douillet.

Parce qu'il est difficile de se prendre en charge quand tout peut être décidé pour vous, difficile de se battre, de risquer un échec dans un milieu hostile et qu'il est tentant de se couler dans le moule, pour les femmes aussi la grande famille et ses lois ont un côté sécurisant.

Jeunes, elles savent qu'elles ne resteront pas sur le carreau. Pas de laissée-pour-compte ici où un père se doit de marier ses filles, l'une après l'autre dans l'ordre de naissance. Puis passé la période délicate de l'intégration à la nouvelle famille, et une fois mère, leur pouvoir dans la maison est indéniable. Sur les enfants bien sûr, mais aussi sur le mari. Car lui, coincé entre une mère et une épouse rivalisant pour devancer ses moindres désirs, vrai coq en pâte, il perd finalement une grande part de son autorité. « Soigne bien ton mari et il sera ton dixième enfant ! »

LE POIDS DES TRADITIONS EST LOURD À SECOUER

Ce système, qui ne valorise pas spécialement la notion de couple et accorde une relative indépendance aux époux, aboutit dans les milieux les plus modernes à cette situation rarissime chez nous : avoir des relations différentes, des amis différents, des occupations différentes. On ne se sent pas obligés de tout partager. Et même, dans la mesure où la famille est là pour prendre en charge les enfants, il n'est pas rare de voir des femmes indiennes partir pour un voyage d'études, un séjour à l'étranger de plusieurs mois, sans qu'apparemment cela pose de problème à quiconque. On rencontre souvent dans des familles dont les fils ont émigré aux quatre coins du globe, des vieilles femmes qui ont été aux États-Unis, au Canada, dans les pays du Golfe : la maison de leur fils est aussi la leur. Le père, lui, n'a jamais quitté le pays.

Pourtant le système se craquelle, les aspirations changent. Les petites étudiantes sont de plus en plus nombreuses à parler d'amour, voire à imposer leur choix. Ce qui ne va pas sans mal, surtout si l'élu n'est pas de la même caste ou de la même religion. Suzy, jeune institutrice, qui se définit comme catholique shudra, attend depuis deux ans d'épouser son ami qu'elle a rencontré au collège et qui est parsi. Ils ne pourront habiter ni dans sa famille à lui ni dans la sienne. S'ils trouvent une maison pour eux, ils se marieront. Et encore n'est-ce possible que parce que son frère aîné a ouvert la voie en épousant une fille hindoue ! En attendant, elle rêve de sa lune de miel... quand on va contre l'ordre établi, il faut d'autant plus montrer que l'on est une « fille sérieuse ».

Peu à peu, dans les milieux urbains et plus privilégiés il est vrai, s'impose cette nouvelle image du bonheur parfait... papa, maman, pas trop d'enfants et surtout pas de belle-mère.

Mais plus largement et plus profondément, les mouvements s'élargissent dans tout le pays contre les pratiques qui écrasent les femmes. Mouvements contre la dot, contre les plus mauvaises conditions de travail, contre les lois de mariage spécifiques accordées à certaines communautés religieuses... Initiatives de groupe ou individuelles, organisées ou sporadiques, elles obtiennent un écho de plus en plus large. Mais si la Constitution indienne n'est pas défavorable aux femmes (les Indiennes ont obtenu le droit de vote avant les Françaises), le droit coutumier, le poids des traditions sont lourds à secouer...

Et pour longtemps encore se mêleront ces images aux multiples facettes : jeune épouse terrorisée, ministre à la poigne de fer, paysanne pliée sous le poids de son fardeau, mère toute-puissante, petite fille courant un bébé sur la hanche, et tant d'autres. Rebelles à tout étiquetage... ni totalement écrasées ni totalement puissantes. Comme aussi le kaléidoscope de leur mythologie où Durga la tueuse de buffle, Radha l'amoureuse font autant vibrer les cœurs que Sita la douce et la fidèle.

MARIE PERCOT

LA DOT OU L'ANGOISSE
D'AVOIR UNE FILLE

De la même manière qu'elle a décrété l'abolition des castes, la Constitution indienne a officiellement interdit la pratique de la dot. Une loi qui, comme tant d'autre, reste lettre morte. Malgré les nombreuses campagnes du gouvernement à travers tous les médias, la pratique de la dot, loin de régresser, tend à devenir un problème de plus en plus important, une véritable plaie.

Traditionnellement, un père qui mariait sa fille se devait d'offrir à la future belle-famille des bijoux, de la vaisselle, un lit et, selon les régions ou les castes, divers objets, voire même un peu de terre. Les bijoux restaient la propriété des filles, une sorte d'héritage anticipé puisque, après leur mariage, les liens avec la maison paternelle sont coupés. Mais depuis une dizaine d'années, spécialement dans les classes moyennes et peut-être en raison d'un plus grand désir de consommation, le prix du mari a connu une inflation sans précédent ! Un fils, c'est un capital ; le prix qu'on pourra en tirer, la seule occasion pour la famille d'acquérir tout ce qui fait rêver ici : frigo, scooter, vidéo et même la maison ou la voiture Ambassador dernier modèle.

Femina, l'un des principaux magazines féminins indiens, publiait récemment une enquête sur les dots au Bihar, l'un des États les plus pauvres de l'Inde. On y donnait les « tarifs » généralement pratiqués en fonction de la caste, du niveau d'éducation et de la profession. Un jeune *rajpoute* (une haute caste), fils de haut fonctionnaire, est ainsi évalué à 1,4 million de roupies, sans compter les à-côtés (voiture, vidéo...). Pour épouser un *dhobi* (l'une des plus basses castes), sans diplôme et sans emploi, il en coûte encore 18 000 roupies plus magnétophone, montre et vélo ! L'article insistait sur l'importance du phénomène : les mariages sans dot sont, dans cette région, une exception, et des communautés qui jusqu'ici n'avaient guère l'habitude de demander des dots — comme les musulmans — se convertissent de plus en plus nombreux à cette pratique.

Et pourtant de quel poids pèse-t-elle sur la société indienne !

Conséquence la plus marquante et la plus horrible, c'est le « suicide » des jeunes mariées. Les suicides réels sont déjà relativement nombreux, mais parce que la belle-famille n'a pas versé la dot promise, ou que le scooter se fait un peu trop attendre, on en arrive à assassiner la nouvelle bru. Un crime que l'on maquille généralement en suicide ou plus souvent encore en accident : les saris en nylon prennent feu si facilement... Des drames qui — symptomatiquement — ont lieu presque exclusivement en milieu urbain, principalement à Delhi et dans sa région.

Il y a quelques années, seuls les journaux féministes rapportaient ces sordides histoires dont les jeunes épouses faisaient les frais. Des femmes grièvement brûlées ou des parents témoignaient de ce qui s'était passé. Les plaintes n'avaient alors pratiquement jamais de suites. Le silence était de bon ton. Tout le monde demande des dots et on ne tient pas trop à savoir ce qui se passe à côté. Pourtant, devant l'ampleur du phénomène (une évaluation difficile mais certains avancent le chiffre de 2 à 3 000 victimes par an), les mouvements antidot ont gagné un certain écho. Presque tous les journaux désormais dénoncent ces crimes pour ce qu'ils sont. Des procès commencent à être intentés. C'est aussi que ces crimes sont les conséquences extrêmes d'une pratique qui empoisonne la vie de tous.

A commencer par l'angoisse d'avoir une fille chaque fois qu'un enfant naît, spécialement dans les milieux les plus pauvres. Surtout si l'on n'a pas de fils qui permettraient de compenser, grâce aux dots qu'ils obtiendraient, celles qu'il faudra verser pour les filles. On n'échappe pas au devoir de marier sa fille et donc pas non plus à la dot. Si l'on n'a pas pu économiser suffisamment on doit alors emprunter, généralement à un taux exorbitant, sans pouvoir le plus souvent rembourser. C'est une histoire banale en Inde que celle de ces familles endettées jusqu'au cou, qui ont vendu leur bout de terre et viennent grossir les bidonvilles des grandes métropoles ou transmettent la dette à leurs enfants qui continuent à travailler pour rembourser un usurier local... tout ça pour un mariage.

Il n'est cependant pas évident de changer. Toutes les familles qui comptent plus de fils que de filles n'y ont déjà guère intérêt ! Et puis il ne s'agit pas seulement d'une décision individuelle. Un étudiant indien à qui je demandais s'il comptait obtenir une dot pour son mariage m'expliquait qu'il n'y tenait pas. « Mais, continuait-il, ma famille a consenti des sacrifices énormes pour me permettre de faire un doctorat à l'étranger. Maintenant dans le village, je suis "quelqu'un". Comment pourrais-je prendre sur moi de renoncer à tant d'argent qui profiterait à tous ? » Un dilemme dont il lui était difficile de sortir. Et puis les « victimes » mêmes de la dot sont parfois bien consentantes : donner une belle dot, offrir un beau mariage, c'est un moyen unique de gagner du prestige.

« Une petite famille est une famille heureuse », proclament les affiches du Planning familial. Mais la plupart des Indiens vous le diront : quatre fils, une fille, voilà une famille bénie des dieux.

MARIE PERCOT

UN BEAU MARIAGE

Il est des technologies modernes que la tradition s'approprie volontiers : il suffit qu'elles servent ses valeurs. Ainsi, il est courant de voir des boutiques proposer des reportages vidéo de mariages aux familles ayant les moyens de s'offrir une cassette VHS à 2 000 roupies (soit environ 1 700 F). Et c'est précisément un reportage de ce type qui m'a permis d'assister à un mariage à Varkala au Kerala : j'y accompagnais un caméraman rencontré dans une boutique de Trivandrum.

Après deux heures de route, nous arrivons devant une maison moderne, bleue et rose, d'architecture occidentale. Les hommes s'affairent entre chemises repassées et toiles blanches qu'ils découpent en *dhotis*[1], pour le futur marié et son père. Les deux frères portent chemise blanche et pantalon à l'européenne. Les Ambassador, voitures louées pour la journée, font la navette pour transporter les membres de la famille jusqu'au temple où se tient la cérémonie. Une foule de spectateurs s'est déjà rassemblée en rond, autour de la cour circulaire du temple, les femmes d'un côté, les hommes de l'autre. Avant d'entrer dans le sanctuaire les futurs époux se lavent les pieds. Bénis par le feu et l'eau sacrée, oints de pâte de santal et parés de couronnes de fleurs, ils sont unis l'un à l'autre par les incantations du prêtre.

Après la signature à la mairie, les spectateurs et proches sont conviés à un petit déjeuner. Là, point d'euphorie, hommes et femmes ne sont pas assis à la même table. Peu après les mariés posent avec leurs frères et sœurs pour la photo-souvenir, consacrés mari et femme, n'échangeant aucun mot, pas un sourire, pas un baiser, désemparés comme deux êtres qui ne parlent pas la même langue. « Ce qu'ils ont à se dire, ils ne le savent pas encore... »

L'accueil de la mariée, dans la maison de son mari, commence avec la purification de ses pieds par l'eau. Elle se dirige ensuite, lampe à huile à la main, vers les effigies des divinités hindoues et les portraits des ancêtres. Le caméraman s'infiltre dans la chambre nuptiale, où se déroule un autre rituel. Les époux doivent communier dans une coupe de lait et de banane, symbole de prospérité. Cette vierge, d'une beauté raffinée, devra s'unir, avec ou sans désir, à l'inconnu, empâté et bouffi, qui louche du côté opposé à sa compagne.

La famille se rassemble autour du poste de télévision, pour la retransmission de la cérémonie. Le jeune marié visionne la bénédiction de cette union, pendu au cou de son ami d'enfance. Son épouse, seule comme une île déserte, plonge dans ses souvenirs et ses inquiétudes pour l'avenir. Elle semble ne rien voir des images vidéo déformées par ses larmes.

Ce mariage est la conclusion d'un arrangement entre les deux familles. « Et si après quelques

101

mois ils ne s'entendaient pas ? » A cette question, un Indien m'a répondu : « Cela peut arriver, mais c'est rare, les femmes en Inde se marient par devoir. Pour nous l'amour vient après le mariage. Les coups de foudre se terminent toujours mal. Statistiquement, le divorce est rare en Inde. » Et même si elle avait eu le « coup de foudre », elle devrait se résigner à prendre pour mari celui qu'on a choisi pour elle, dans la même caste, celui à qui l'on a payé une dot. Un bon mari, ça s'achète !

Un rapide coup d'œil sur les petites annonces matrimoniales nous donne d'ailleurs un aperçu de la façon dont sont arrangés les mariages en Inde : « En vue de mariage avec jeune homme de famille naïr[2] (diplômé, employé de banque), 32 ans, 5 pieds, 4 pouces, Moolan-Sudha Jatakam (données astrologiques), propositions acceptées de jeunes filles instruites, teint clair, ayant bon emploi. Répondre avec tous les détails et horoscope... » La famille consultera alors un astrologue qui donnera son avis sur les candidates et indiquera une date favorable, moyennant finances. On peut avoir recours à des moyens plus modernes, plus anonymes : « Consultez la banque des informations matrimoniales informatisées ou le centre informatique du Zodiaque pour votre choix. » Le choix de la future épouse peut également se faire lors d'un défilé-cocktail dans le salon d'un hôtel...

Si l'on ne peut ignorer les sévices que subissent les femmes, un Indien m'a dit pourtant : « Les femmes acceptent moins facilement qu'autrefois les coutumes, la religion, qui voulaient que l'épouse soit, non pas esclave, mais consentante, servante de son "seigneur". Pour nous, il n'y a esclavage que s'il n'y a pas acceptation, ce qui est assez rare. »

Aux deux mariés de Varkala, on a offert un reportage vidéo pour immortaliser l'événement qui marque le tournant de leur vie. Cette jeune fille quitte sa famille, c'est un déchirement. A cet homme qu'elle a peut-être aperçu lors des présentations officielles, elle devra soumission, dévouement et amour si possible, de raison ou de cœur !

1. Vêtement masculin traditionnel porté par les hindous, fait d'une longue pièce d'étoffe nouée autour des reins et passant entre les jambes.
2. Une des castes dominantes au Kerala.

——————— COLETTE MORIN ———————
photographe

LE VILLAGE ET LE MONDE

entretien avec
—————— JEAN-LUC CHAMBARD ——————

JEAN-LUC CHAMBARD, PROFESSEUR DE CIVILISATION INDIENNE AUX LANGUES ORIENTALES, EST ARRIVÉ IL Y A VINGT-HUIT ANS, COMME CHERCHEUR DU CNRS, À PIPARSOD, VILLAGE À UNE JOUR-NÉE DE BUS DE BHOPAL, DANS L'ÉTAT DU MADHYA-PRADESH. IL ÉTUDIE DEPUIS LORS TOUS LES ASPECTS ETHNOLOGIQUES DE CE VILLAGE ET CONTINUE À Y SÉJOURNER DEUX MOIS PAR AN. IL ÉTAIT INTÉRESSANT DE LUI DEMANDER DES PRÉCISIONS SUR UNE VIE SOCIALE QU'IL CÔTOIE DEPUIS SI LONGTEMPS ET SUR PIPARSOD À PROPOS DUQUEL IL ÉCRIVIT UN MÉTHODIQUE *ATLAS D'UN VILLAGE INDIEN* (MOUTON, 1980).

Denys Cruse — Quelles circonstances vous ont amené à vous retrouver à Piparsod précisément ?
Jean-Luc Chambard — Mon idée était alors d'échapper aux concentrations de la plaine du Gange ou des plaines côtières. Ce que je souhaitais c'était étudier un village de création récente et non pas existant depuis plus de deux mille ans. Dans la région relativement pauvre de l'ancien État de Gwalior j'ai donc trouvé un village vieux seulement de quatre cents ans.

Pensez-vous que l'on peut parler d'un minimum de convivialité à partir du moment où le village est habité par des groupes distincts ?
Les Kirar, caste d'agriculteurs, étaient la caste dominante mais ils ont accepté de céder la moitié de leurs droits agraires aux brahmanes lorsque ceux-ci sont arrivés. Les brah-manes ont bénéficié de ces droits en acceptant de manger une première et unique fois avec les Kirar ! Pour les Kirar cela représentait un formidable prestige d'avoir mangé avec les brahmanes. Cela eut lieu il y a trois cent cinquante ans, mais c'est une espèce d'événement mythique dont tout le monde au village connaît l'histoire.

Il y a donc deux castes domi-nantes, les brahmanes et les Kirar, qui se partagent la col-line au milieu du village. Ils sont sur un pied d'égalité, mais les brahmanes ne mangent qu'entre eux et n'acceptent de la nourriture de personne. C'est un des critères de la hié-rarchie des castes. Les autres groupes ce sont les castes de services, blanchisseurs, potiers, forgerons, qui gravitent autour des castes dominantes, et les ouvriers agricoles qui sont des intouchables, à l'origine ouvriers du cuir.

103

Chacun a son quartier, mais vivent-ils des faits et gestes quotidiens ou des événements en commun ?

Je choque parfois quand je dis que, dans une société hiérarchisée, on accepte que les gens hiérarchiquement inférieurs — et eux aussi l'acceptent — fassent partie intégrante de la société. Alors que dans notre système égalitaire, ils ne sont pas considérés comme des hommes à part entière ; cette hiérarchisation acceptée est interne à la société hindoue. Il peut, en revanche, se déclencher des racismes envers les musulmans ou des étrangers.

Qui sont les notables dans le village ?

Le fait d'être propriétaire, patron n'a rien à voir avec la hiérarchie des castes. D'ailleurs, dans la majorité des villages, les shudras sont la caste dominante. Les brahmanes en tant que prêtres des temples font partie des castes de services. On leur donne de la terre, comme on en donne aux barbiers, pour leur permettre d'assurer leur service à la collectivité. Dans mon village, la caste dominante, ce sont les Kirars (shudras). C'est vrai pour toute la région. Par contre, en Inde du Sud, pour des raisons historiques, les brahmanes se sont souvent retrouvés caste dominante : particulièrement en raison des immenses temples du Sud, qui sont en eux-mêmes presque des villes. Pour servir dans ces temples, ils ont reçu tant et tant de terres qu'ils sont devenus caste dominante. C'est ce qui explique d'ailleurs le mouvement antibrahmanique dans l'Inde du Sud.

Y a-t-il un patriarche dans le village ?

Une personne, non. Traditionnellement le pouvoir est détenu par le Panchayat (cinq personnes) qui est soit un conseil de castes, soit spontanément organisé au niveau du village. Le gouvernement a voulu transformer ce Panchayat en institution démocratique, c'est-à-dire élue. On pensait ainsi responsabiliser les gens, les impliquer dans le développement. Mais, ou bien on restait dans l'ancienne tradition non démocratique (caste dominante) et ça marchait, ou bien c'était la démocratie ou des oppositions diverses qui l'emportaient et alors c'était l'impuissance et l'échec. On a constaté cet échec, mais on ne s'est pas découragé pour autant. Les Panchayats sont censés continuer à fonctionner. Finalement, ce système, comme celui des coopératives rurales, quand il a joué en faveur du développement, a joué pour les dominants. Car ils ont gardé le contrôle des Panchayats, ont investi dans les coopératives puisque c'est eux qui détenaient le capital. L'argent est allé aux riches, les autres sont restés de côté.

Comment arrive l'information dans le village (politique, électorale, culturelle...), alors que la majorité des gens sont analphabètes ?

Il faut déjà distinguer analphabète et inculte. Beaucoup de gens ici sont analphabètes mais très cultivés. Cela dit, deux ou trois journaux parviennent au village, mais ils sont lus par des dizaines de personnes. Des groupes se forment pour lire et commenter. Il y a aussi un grand nombre de transistors. La télé, elle, est inexistante. Un phénomène curieux a vu le jour depuis l'état d'urgence. Les gens se sont mis à écouter la BBC. Elle émet dans un hindi très simple, est plus attrayante que la All India Radio et inspire plus confiance. Les gens écoutent principalement les informations. Ils pourraient écouter Radio Moscou aussi, mais les gens ne s'y intéressent pas car, paradoxalement, le hindi y est beaucoup trop savant et sanskrit. On peut aussi capter Radio Pékin, mais les Chinois, ici, ne sont pas très bien vus. Les Anglais, par contre, ont gardé un prestige intact.

Quelle est l'importance de la nourriture dans la vie sociale ?
On imagine tous les Indiens végétariens. C'est une erreur. En fait 30 % seulement le sont. Il y a cependant une tendance à devenir plus strict, plus végétarien qui va de pair avec la volonté de gagner du prestige. Dans le même temps, curieusement, une partie des brahmanes, qui sont la seule caste où l'on se doit d'être végétarien, s'occidentalise et en arrive à manger n'importe quoi. Il y a aussi la question de la pureté. Si je suis invité chez des brahmanes, on ne me fera jamais entrer dans la cuisine, chez les Kirars par contre, on me fait asseoir à côté de la cuisine. Pour les mariages ou les funérailles, les deux pôles importants de la vie hindoue, les castes dominantes sont tenues de donner un repas à tout le village, généralement dans la rue — y compris aux intouchables. Sauf peut-être les vidangeurs, qui n'ont que le droit de ramasser les feuilles sur lesquels les autres ont mangé et de manger les restes.

Y-a-t-il des pratiques médicales spécifiques ?
L'Inde est connue pour ses médecines spécifiques. Mais quand nous sommes arrivés au village, il n'y avait rien ni personne pour soigner. Maintenant il y a un nombre croissant de médecins qui se sont installés. Un médecin allopathique, un dispensaire gouvernemental et un médecin ayurvédique. Il y a une grande opposition et une grande confusion entre médecine ayurvédique et médecine allopathique. Mais la médecine ayurvédique est assez impuissante devant les maladies contagieuses ou les maladies graves, et des médecins ayurvédiques sont contraints par efficacité de faire des piqûres d'antibiotiques, ce qui va contre toutes les règles de leur art.
Quand on est malade en Inde, on a trois solutions : le système ayurvédique, l'allopathie et le sacrifice à la déesse. Les gens ont souvent recours aux trois successivement.

Le village est-il immuable face au monde moderne ? Qu'est-ce qui assure sa pérennité et sa dynamique ?
Immuable, sûrement pas. Mais la dynamique — dans mon village en tout cas — c'est l'atta-

chement au système traditionnel ; avec parfois des changements considérables, mais auxquels le système traditionnel trouve toujours un moyen original de s'adapter.

L'une des obsessions des villageois, c'est de voir le système des castes brisé par les dirigeants du pays. Ils ressentent durement la coupure avec ceux-ci dont les idéaux et l'éducation sont ceux de l'Occident. Même Indira Gandhi a dû changer de discours. Avant son assassinat, elle commençait à jouer la carte de l'hindouisme (en raison aussi de ses problèmes avec les musulmans ou autres). En fait, l'idée tout occidentale que la disparition des castes serait un progrès est une aberration.

La vie du village s'articule-t-elle autour du travail, des fêtes, des rites... ?

Autrefois le poids de la vie religieuse sur la vie quotidienne était énorme. Il y avait des séances au temple qui duraient de 7 heures du soir à 4 heures du matin. Et je me disais que ces gens sacrifiaient vraiment le pratique au religieux. Maintenant ça a changé, mais ça n'est plus rigolo du tout. Avant il y avait une fête en l'honneur de Ganesh dans ce village, qui durait dix jours sans interruption. Les gens se relayaient pour les cérémonies jour et nuit. Aujourd'hui pour cette même fête, il y a un culte sommaire qui commence après dîner et on arrête tout à 11 heures, maximum 11 h 05 en arguant de la nécessité de travailler le lendemain. Tout cela au détriment de la solidarité du village. Le village a perdu quelque chose dans ce processus. C'est la notion de travail qui a bouleversé cela.

La vie d'un village indien reste néanmoins ponctuée de fêtes qui sont toujours respectées quoique bâclées. Une évolution inverse s'est produite dans les petites villes où les dépenses pour le religieux ont plutôt augmenté.

Les mariages par contre se célèbrent toujours de la même manière. Les dépenses pour la cérémonie ne cessent de croître — malgré la législation antidot ou interdisant plus de cinquante convives à un mariage. On veut affirmer son prestige. Les mariages sont une bonne occasion pour cela. On a plus d'argent qu'avant aussi.

On imagine les Indiens prudes, réservés, voire austères. Mais y a-t-il des formes de paillardise ?

Absolument. Par exemple, les chansons paillardes chantées par les femmes des basses castes qui laissent d'ailleurs pas mal de liberté aux femmes, y compris celle de l'initiative du divorce. On retrouve dans ces chansons des idées ancrées assez profondément dans la culture indienne : les hommes sont plus fondamentalement intéressés par la méditation, par Dieu ; les femmes ne les intéressent pas. Les femmes profitent de ces chansons pour se moquer des hommes, en les traitant d'impuissants par exemple. Il y a tout un jeu, non seulement grivois, mais aussi tout à fait amusant et significatif, lorsque l'on connaît la culture indienne.

C'est une chose que l'on n'imagine guère lorsque l'on pense à l'Inde...

C'est parce que l'on imagine l'Inde composée de brahmanes pleins d'austérité. Alors que c'est une société où dans certaines castes il y a des choses très étonnantes : les gens passent leur temps à changer de mari ou à changer de femme ; et tout cela est prévu dans les droits coutumiers.

Y-a-t-il un discours, un énoncé autour de la sexualité ?

Toutes ces questions de liberté n'entraînent aucune « licence » dans la sexualité. Ce n'est pas parce qu'il y a possibilité pour les femmes de divorcer ou de changer de mari qu'il y a une facilité pour prendre des amants. Ça, ça existe, mais plutôt dans des populations tribales — comme les Mauryas — où l'on peut prendre des amants avant le mariage, une sorte de mariage à l'essai. Mais même si les Kirars sont anciennement tribaux, ils ont totalement intégré l'hindouisme et si l'on change de mari, c'est vraiment pour vivre avec lui. Le problème de la liberté est celui de toutes les sociétés de village. Tout se sait, et avoir un amant est un secret qui ne peut dépasser huit ou quinze jours.

Avez-vous le sentiment que, pour les villageois, le monde s'arrête au village ?

Absolument pas, les Indiens ont un énorme sentiment de leur appartenance à l'ensemble du pays. Cette appartenance se concrétise par le fait qu'on va tout le temps à des pèlerinages. Énormément de gens se baladent dans les trains ou les autobus avec des petits balluchons contenant une forme ronde. C'est les pots où ils ont les cendres de leurs morts qu'ils vont mettre dans le Gange. Dès qu'il y a un mort, cela crée une activité intense pendant treize jours. Dans les heures qui suivent le décès, il faut le brûler. Ensuite, le lendemain, il faut aller chercher dans les cendres les restes de dents, de petits os que l'on appelle les fleurs : c'est tout ça qu'on réunit dans les petits pots. On est censé alors, dans les treize jours qui suivent, aller au Gange et revenir avec de l'eau que l'on distribue à ce repas du treizième jour où tout le village justement est invité.

Tout cela fait que l'on appartient vraiment à un pays. D'ailleurs, l'un des facteurs de l'unité de l'Inde, c'est qu'elle est en sorte quadrillée par des grands lieux de pèlerinage. Elle a sa rose des vents en lieux de culte. Il y a des gens du village qui ont fait le tour de l'Inde comme ça. L'hindouisme est une religion cosmique. Les gens se ressentent comme appartenant à un ensemble.

Mais alors le monde s'arrête peut-être à l'Inde ?

Moins que pour les Chinois, mais quand même un peu. Il suffit de penser à cette règle qui excommuniait quiconque allait au-delà des mers. Gandhi a été excommunié pour avoir été faire ses études en Angleterre.

L'excommunication existe ?
Bien sûr, une femme brahmane, par exemple, qui commet un adultère est excommuniée.

Mais excommuniée du village, de la communauté ?
Non, de la caste. Mais ça entraîne la mise à la porte du village. C'est comme ça que deux femmes ont quitté le village après une histoire d'adultère. L'une a disparu ; l'autre est au Pendjab où elle serait devenue prostituée. Mais on leur a vraiment dit de s'en aller.

Est-ce que les usuriers ont une grande importance ?
Oui. C'est la base du pouvoir politique. J'ai étudié ce phénomène dans mon atlas. J'ai essayé de montrer le lien entre le fait d'être emprunteur et le fait de voter pour telle ou telle personne. Ça a toujours été étroitement associé. Mais voilà au moins une chose qui est en train de disparaître. D'une part, il y a une augmentation considérable des prêts gouvernementaux. Une banque a même installé une succursale dans le village. L'emprise des prêteurs locaux a donc considérablement diminué. Mais ils n'ont pas été remplacés pour les prêts des graines de semence, car ils sont les seuls à avoir techniquement la capacité de garder cette semence d'une récolte à l'autre. Mais même là leur influence diminue. Ils sont d'ailleurs interdits par la loi. C'était l'un des vingt points du programme d'Indira Gandhi sous l'état d'urgence,

qui a été repris par Rajiv. Cela a certainement eu un résultat pratique. Mais dans un certain nombre de cas, et en particulier dans mon village, cela a introduit une certaine pagaille dans l'économie locale. Le petit agriculteur, qui n'est pas membre de la coopérative, qui ne peut pas avoir un prêt de la banque, est obligé de faire appel pour semer au prêteur en grains traditionnel. C'est encore les petits qui sont écrasés dans ce processus. Il aurait fallu que l'on décide que la coopérative se chargerait de stocker des grains de semence et de les prêter. Mais les coopérateurs hésitent à engager des capitaux parce qu'il est difficile et risqué de stocker des grains de semence.

Qu'est-ce qui se dit, qu'est-ce qui ne se dit pas ?
Au début, j'avais beaucoup de difficultés à communiquer. J'obtenais des réponses stéréotypées. La première personne avec qui j'ai pu vraiment parler, c'est un renonçant qui est ensuite devenu mon gourou. C'est qu'en Inde l'individu n'existe pas, on existe en fonction du groupe ou de la communauté. Les relations individuelles dans ce contexte n'ont donc pas de sens.

Comment avez-vous été accueilli dans le village ?
Maintenant je suis un peu comme un membre du village, j'y ai acheté ma maison. Les Indiens ont la sagesse, du moins dans les villages de la région, de considérer le sol

comme restant toujours la propriété du village. On achète donc l'usufruit du terrain sur lequel la maison est construite, les murs mais pas le terrain. C'est pour cela que je ne l'ai payée que 4 000 roupies.

Mais au départ ?

J'ai été accueilli avec une certaine réserve, bien naturelle. Au début, ils se demandaient si on ne venait pas dans une intention un peu missionnaire. Mais maintenant, il n'y a plus de problèmes. C'est pourquoi j'ai décidé d'y retourner. Chaque fois, j'apprends de nouvelles choses. Je n'arrive pas à comprendre les ethnologues qui se contentent d'une étude brève. Comment peut-on ne pas retourner dans un village où on a travaillé ?

Est-ce que vous pourriez définir une caractéristique spécifique du village indien ?

Je crois que c'est la capacité à accepter autrui. Ça ne semble pas le moment de le dire alors que des hindous ont massacré des sikhs. On n'ose plus l'affirmer trop fort, on le dit en sourdine, mais cette capacité à s'accepter dans la différence me semble quand même la caractéristique essentielle de la société indienne. J'en ai fait l'expérience dans mon village même. Étant donné qu'il y a un système complètement pluraliste, où personne n'a les mêmes droits et les mêmes devoirs, on n'impose finalement rien à personne. On jouit ici d'une grande liberté. Les hippies l'ont d'ailleurs bien senti. On est accepté pour ce que l'on est.

Mais comment expliquez-vous alors les violences continuelles, principalement entre communautés religieuses ?

Peut-être le monde entier est-il en train d'évoluer vers la violence. Il y a aussi l'urbanisation, avec les bidonvilles. Et peut-être aussi une exacerbation des relations avec l'étranger. La naissance des intégrismes — musulmans, hindous — y est sans doute pour quelque chose et va à l'encontre d'une attitude de tolérance. Mais attention, il ne s'agit pas d'une tolérance au sens universel. C'est une tolérance basée sur le sens de la hiérarchie. Autrement dit, on est tolérant avec les gens, mais à condition qu'ils acceptent leur place inférieure dans la hiérarchie. Et l'intouchable qui se mêle de faire des choses où il n'est plus à sa place, par exemple aller puiser de l'eau dans le puits des brahmanes, fait l'objet de réactions violentes. On le bat, éventuellement on va jusqu'à l'assassiner ou on met le feu à sa maison. Donc tout cela se fait dans le cadre d'une civilisation qui, au besoin par la violence, résiste à une forme de changement contemporain. Mais évidemment ce genre de désordre s'affirme plus dans un contexte brisé, de grandes villes, que dans un contexte rural. Dans mon village, je ne vois pas du tout ce genre de phénomène.

Peut-être la violence naît-elle quand les valeurs d'une commu-

nauté sont menacées par l'importance que prend une autre
communauté ?

*Sans doute. En tout cas, une
chose est sûre, c'est qu'on ne
peut pas dire que la violence
en Inde découle des valeurs
hindoues. Ça va à l'encontre
ou ça se fait en dépit de l'hindouisme. C'est là que le
Mahatma Gandhi était en
accord fondamental avec sa
civilisation et sa culture,
même s'il était une sorte
d'universaliste dans son genre.
La non-violence fait partie de
la culture indienne.*

**Que pensez-vous du comporte-
ment des Indiens en ce qui concerne la couleur de la peau ?**

*Je vous ai dit tout à l'heure
qu'il n'y avait pas de racisme
à l'intérieur de la société
indienne. Mais les Indiens
sont très sensibles à la notion
de couleur, les hindous particulièrement. Parce que plus
on est clair, plus on est censé
appartenir à une haute caste,
et plus on est foncé, plus on
est censé être de basse caste.
Ça ne joue pas de rôle à
l'intérieur même des castes,
mais ça joue pleinement vis-à-
vis de ceux qui sont en
dehors. C'est là qu'on voit que
le monde hindou est tout de
même assez replié sur lui-
même. J'ai vu des étudiants
africains à Bombay qui
étaient vraiment très malheu-*

*reux. A ce niveau-là, les
Indiens ne sont pas mieux
que les autres.*

**Est-ce que les modes vestimentai-
res pénètrent les villages ?**

*Beaucoup, il y a eu une occi-
dentalisation de la mode mas-
culine. On a adopté le pantalon, abandonné le fameux
pajama. L'aspect folklorique
fait vraiment dépassé et vul-
gaire. Quand on veut être
chic, on met la chemise dans
le pantalon, quand on est
encore rural, on laisse flotter
la chemise sur le pantalon.*

*Chez les femmes, il y a eu aussi
une évolution importante. Les
femmes Kirars, qui s'habillaient
à la façon du Rajasthan — celle
que l'on voit sur les miniatures
— avec des grandes jupes et des
voiles, ont abandonné ces vêtements pour adopter le sari
blanc et sale des femmes brahmanes. Et puis, elles ont trouvé
que ça ne les avantageait pas,
elles sont repassées au sari
urbain, de couleur vive et
imprimé. Quant aux femmes
brahmanes, elles ont presque
toutes abandonné leur sari
blanc qui leur donnait un air
très austère et adopté des saris
aux teintes très vives.*

*Le paysage vestimentaire a
complètement changé dans le
village en l'espace de vingt-
cinq ans. L'Inde n'est pas aussi
immobile qu'on le dit.*

propos recueillis par
— *DENYS CRUSE* —

À TABLE !
(MAIS SANS TABLE)

L'Inde mange seule face à un mur, de préférence, en se cachant des regards impurs. Au restaurant du bord de route, le patron qui se réjouit de votre blanche arrivée n'aura de cesse que vous soyez assis dans le coin le plus retiré de son établissement et non pas en terrasse où vous souhaiteriez vous installer, pour jouir à la fois du soleil ou de la brise et du spectacle des passants. Si vous insistez pour rester à l'orée du toit de chaume, vous perdez toute considération aux yeux du public, vous vous abaissez au rang des intouchables.

Les établissements les plus sophistiqués sont souvent les plus sombres et les plus froids. Entrer dans un trois étoiles, c'est avoir l'impression de descendre dans une cave réfrigérée, avec juste assez de lumière pour déchiffrer le menu et l'envie impérieuse d'un manteau de fourrure. Dehors, la température avoisine les 40° à l'ombre.

AU COURS D'UN DÎNER DE NOCES, CHAQUE INVITÉ ABSORBA PLUS DE QUATRE KILOS DE NOURRITURE

A la maison, le père mange le premier — quelqu'un, près de lui, agitera-t-il un éventail pour chasser les mouches intrépides ? — puis les garçons, puis la mère et les filles, chacun utilisant à tour de rôle le seul plat de la famille, en aluminium si l'on est pauvre, en cuivre si l'on est riche. Que le père soit en retard, très en retard, sa femme jeûnera jusqu'à son retour, impérativement pour peu qu'elle soit bien élevée.

L'Inde mange tout le temps et beaucoup, cinq fois par jour pour le moins, si possible ! Tout Indien rêvant d'avoir du ventre, toute Indienne de montrer trois plis de graisse entre son corsage et son sari. Les serviteurs du maharajah qui me reçoit consomment un kilo de riz par jour et par personne. Un kilo de riz sec, s'entend, un kilo... avant d'être confié à la marmite. Le repas terminé, ils se pavanent en tapant sur leur estomac rebondi. Ajoutons ce second témoignage : au cours d'un dîner de noces villageoises, chaque invité absorba plus de quatre kilos de nourriture !

La journée commence, autant que faire se peut, avec un demi-verre de thé au lait, toujours au lait. Le thé, réduit en poudre, est jeté dans une grande casserole avec la juste quantité de sucre et d'eau nécessaire, enrichie d'une cuillerée de lait, parfois d'une graine de cardamome ou d'herbes aux noms savants. Le tout est porté à ébullition, puis filtré à la chaussette, puis versé dans un verre, de très haut pour l'aérer, le rendre moussant, à moins qu'il ne soit battu énergiquement. On le boit par petites lampées en faisant du bruit avec la bouche. Partout délicieux, sauf dans les hôtels pour étrangers, on le préfère crémeux et sirupeux.

Vers 10 heures, on mange deux ou trois beignets de quelque

chose, on croque un concombre piqué de sel ou rougi de piment, on chipote une soucoupe de pois chiches, on grignote un truc ou un machin ; l'Inde a depuis longtemps inventé le pop corn, les corn flakes et les rice crispies mouillés d'eau, de lait, ou servis sur une couche de yaourt.

Mais un vrai repas — celui de midi — c'est du riz. Beaucoup de riz, tiède ou presque froid, toujours arrosé d'une soupe de lentilles — il s'en vend de toutes les couleurs — et relevé par le fameux *cari* (carri, cary, curry), préparation savante d'épices où entre le curcuma (safran des Indes), le poivre (dit de Guyane), le gingembre, le carvi, la coriandre, la muscade, la cannelle, le clou de girofle... parmi une vingtaine d'autres. Alchimie parfois si piquante aux papilles gustatives occidentales qu'elle peut provoquer un hoquet dès la deuxième boulette alimentaire. Plus la cuisinière est fruste, plus sa cuisine sera forte, inabordable parfois ! Le vrai cordon-bleu saura composer une infinité de mélanges à partir des produits de base, écrasés chaque matin au mortier domestique, suivant la saison et la santé de la famille. Car les épices ont aussi des vertus médicinales, on doit apprendre à en user !

MANGER, C'EST AVALER DU RIZ

Ni entrée ni dessert, en règle générale. Un grand plat rond ou un morceau de feuille de bananier, avec un tas de riz blanc et, tout autour, des petits bols pour les lentilles, le ou les caris qui parfument différents légumes cuits, une poignée de noix de coco râpée, la portion de lait caillé et deux ou trois morceaux de légumes crus ou des tranches de mangue macérées dans un vinaigre. A chacun de choisir avec ses doigts — uniquement ceux de la main droite — pour combiner à sa guise des bouchées savoureuses. Et, de même que l'on se lave les mains avant de passer à table — ou plutôt de s'asseoir par terre, en tailleur — on se rince les ongles et la bouche dès le dernier grain avalé.

C'est en fin d'après-midi, de préférence, que l'on se régale de friandises — généralement très sucrées, parfois aussi colorées que des lampions et, peut-être, partiellement recouvertes de véritables feuilles d'or ou d'argent, obtenues à partir de crème de lait cuit et recuit, décorées, pour les grandes occasions, d'une pluie de vermicelle. Mais le lait est devenu rare en Inde, et les desserts, dont la confection en exige beaucoup coûtent, hélas, très cher.

Le dîner répétera le déjeuner quand les finances le permettent. Mais se gaver de riz deux fois par jour est un luxe, un plaisir en tout cas dès qu'il est assaisonné différemment. S'il faut se contenter de fines galettes de blé qui sortent du four au fur et à mesure que les convives le demandent — à moins que la pâte déjà travaillée au beurre ne soit frite dans l'huile — et que l'on trempe peu ou prou dans un reste de lentilles plus ou moins beurrées aussi, ou un cari de pommes de terre, peut-on appeler cela manger ? Manger, manger... c'est avaler du riz ! On en apprécie des variétés qui valent dix fois la valeur des plus ordinaires et que l'on fera bouillir, peut-être, dans de l'eau de noix de coco.

— « Ce soir, je n'ai pas pris de repas ! » dira celui-ci qui vient d'engloutir une quinzaine de crêpes.

Un festin officiel, c'est d'abord une longue attente, dix ou quinze minutes de grande bouffe, et hop ! — on n'est pas là pour parler — tout le monde se retire en rotant plus ou moins et en s'essuyant les phalanges le long d'un mur tout en regardant ailleurs.

L'Inde est végétarienne dans son immense majorité hindouiste, aux exceptions qui confirment la règle, mais l'Inde musulmane garde le souvenir des traditions de ses empereurs moghols.

COMMENT SERAIT-ON ASSEZ FOU POUR INGURGITER DE LA CHAIR ?

La grande cuisine indienne, celle des hôtels de premier ordre et des meilleurs restaurants qui ont pignon sur rue dans nos villes, c'est — honni soit qui mal y pense ! — celle des envahisseurs. Le poulet *tandouri*, sec et rouge, le poulet au beurre, onctueux et de couleur crème, le *biriani* au poulet ou à l'agneau et dont l'accompagnement de riz cuit à l'étouffée est parfumé de raisins, de quartiers d'orange, d'ananas ou de prunes ou d'eau de rose, ce sont des mets d'origine musulmane, affirment les connaisseurs.

Il est aussi des plats colorés à dessein qui deviennent des dessins qui se mangent !

Au tiercé des grandes cuisines du monde, on trouve, par ordre alphabétique, la chinoise, la française et l'indienne ; libre à chacun de les jouer dans l'ordre de ses préférences.

Toujours est-il que nulle récompense n'est plus haute que de recevoir des aliments bénis par un brahmane, rappellent les textes hindous. Dis-moi ce que tu manges et je te dirai qui tu es ! Ici et là, seul le pauvre pêcheur ose absorber le produit de sa pêche. Comment serait-on assez fou pour ingurgiter de la chair, se remplir de désirs animaux ?

Le voyant qui rédigea la *Taittiriya Upanishad* réfléchit, bien avant nous, sur cette question, qui conclut son hymne par ces mots : « Oh ! prodige, oh ! prodige, oh ! prodige. Moi je suis nourriture, je suis nourriture, je suis nourriture. Moi, je suis mangeur de nourriture, je suis mangeur de nourriture, je suis mangeur de nourriture... Moi qui suis nourriture, je mange le mangeur de nourriture. J'ai surmonté tout l'univers. Celui qui sait ainsi possède une clarté d'or. Ainsi est la doctrine ésotérique. »

YVES VÉQUAUD

PHOTOS JEAN-PIERRE FAVREAU – TEXTE D'YVES VÉQUAUD

Un parapluie, c'est plus important
que des chaussures ! dit-elle.
Au soleil, cela permet de protéger
sa peau, de la garder un peu plus claire.

Le fils dort n'importe où.
Guenille, carton, voilà son lit !
Ne pas avoir un sou, à cause des voleurs.
Chaque aube est le début
d'une nouvelle vie !

Les filles sont restées au village.
L'an prochain, on les marie :
cela fera deux grandes bouches
de moins à nourrir.

Elles gardent les vaches tant aimées,
tant battues. Ô les coups
sur les vaches, l'inoubliable son :
bambou creux sur vache maigre !

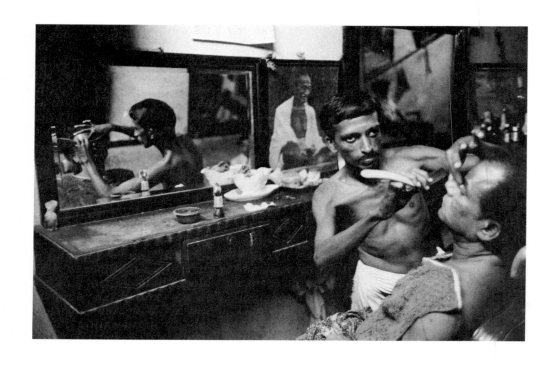

Le père soigne sa propreté.
L'impur barbier lui rasera aussi
les aisselles, lui coupera les poils du nez
et des oreilles, heureusement !

Heureusement aussi que l'impur
blanchisseur lui remet une chemise
propre chaque jour, pour aller au
bureau... et au cinéma.

LES TERMITES

L'auteur de la nouvelle Les Termites *est un maître d'école tout ordinaire, alors inconnu, et qu'aucun trait de personnalité ne signale à l'attention. M. Kondvilker enseigne dans des villages perdus du Konkan au moment où il écrit ses textes. C'est simplement un instituteur intouchable qui trouve la force de clamer sa dénonciation du consensus millénaire. Démarche qui le conduit à l'isolement, l'effort d'écriture lui permet alors de se renforcer dans ses convictions face au consensus des autres instituteurs, de l'administration, des castes dominantes du village, des notables, et encore plus des siens.*

Le scénario tragique de cette nouvelle met en scène, sous la forme d'un récit biographique construit, dont beaucoup d'éléments sont d'ailleurs autobiographiques, la vie sociale typique d'une famille intouchable chambhar.

Le récit montre l'accumulation, l'interdépendance et le renforcement mutuel des handicaps de tous ordres qui marquent depuis toujours la condition intouchable : l'état de dépendance entière et quotidienne par rapport aux autres castes, le poids des représentations culturelles, la pression des normes sociales et le dénuement matériel : un véritable système de l'impuissance. Tous ces termites s'entendent pour venir à bout de Bhiwa en rongeant ces forces les unes après les autres.

Sans trop savoir sur quoi il mettait les pieds, Bhiwa rentra chez lui. Il ôta sa veste déchirée que la sueur de son corps rendait poisseuse et l'accrocha au piton de bois au mur de la véranda. Il posa par-dessus son calot : l'huile de ses cheveux en maculait le pourtour de taches crasseuses. Il essuya sa poitrine en sueur avec le bout de la serviette qu'il portait sur ses épaules. Puis, il s'assit, adossé au poteau de la véranda. Il était tout courbatu après la marche qu'il venait de faire. Ses jambes lui faisaient mal. Il se racla la gorge pour que sa femme s'aperçoive qu'il était de retour à la maison. Bhiki, sans tarder, apporta un pot d'aluminium rempli d'eau. Tous les enfants accoururent derrière elle.

« Vous rentrez bien tard ? dit Bhiki à son mari, en posant le pot d'eau devant lui.

— Est-ce que notre maison est si près que ça ? répondit-il avec irritation.

— Fallait au moins revenir par le car. A marcher de nuit, on a peur de mettre les pieds sur quelque chose.

— Comme si le car était notre voiture particulière... pour s'y asseoir sans payer ? »

A la réponse de son mari, Bhiki réalisa son erreur. Elle se sentit coupable et s'en mordit la langue. Elle ramena sous le pan de son *sari* le petit qui pleurait après son lait et l'allaita, assise, en silence. Les enfants s'étaient assis et se regardaient les uns les autres. Beaucoup de temps s'écoula. Personne pourtant n'adressa la parole à qui que ce soit.

La petite lampe à pétrole qui pendait accrochée à un clou au mur tremblotait. Ses lueurs éclairaient tant bien que mal le centre de la maison. Partout ailleurs régnait l'obscurité. A bien des reprises, Bhiki avait inspecté la véranda du regard, d'un bout à l'autre. Nulle part elle n'y avait aperçu de peau. La peur la gagna. Elle dit alors à son mari :

« Comment, ç'a été ou non ?

— Que sa maison s'écroule avec la charpente par-dessus ! avait répondu Bhiwa comme dans un vomissement de colère.

— Qu'est-ce qu'il a dit ?

— Pas de crédit. »

Tous les deux, à nouveau, retombèrent dans le silence.

« Maintenant, demain, que raconter à ce maudit ? Comme si on pouvait se dire qu'il reste au moins quelques pots et des ustensiles à la maison, et qu'on pourrait en garder quelques-uns pour nous et déposer les autres en gage ! Non, ce maudit a déjà tout fauché de ce qu'on avait. Qu'il en crève, ce chien de maudit ! »

Bhiki avait parlé dans un emportement de colère.

« C'est que j'en suis maintenant arrivé à un tel point... que je me demande même comment je peux aller me montrer à ce maudit maintenant ?

« Aujourd'hui, je me suis prosterné à ses pieds, je lui ai dit : "Vos sous, je ne vais plus les garder longtemps. C'est que je suis mal pris en ce moment. Donnez-moi seulement un morceau de peau aujourd'hui." Mais le maudit ne voulait même pas m'écouter. Il s'est mis à répliquer : "Nous ne faisons crédit à personne. Une fois, et ça y est, l'habitude est prise, et vous autres, vous allez sans cesse revenir me tanner. Au lieu de ça, dès le début, pas de mauvaise habitude, voilà qui est mieux, n'est-ce pas ?" Voilà comme ils sont, tous ces salauds de riches ! Les pauvres, ça compte pas, pour ces salauds ! Quel bandit, faut voir l'argent qu'il a accumulé ! et qui reste à pourrir ! Mais pas question qu'il aide les miséreux, aucune générosité ! »

Il porta la main à son front où le destin avait écrit son malheur.

« Et maintenant, demain, que lui raconter à ce client, ici ? Hier, je lui ai promis de les lui donner demain, ses sandales. Putain, j'ai beau tout essayer, rien ne me réussit. Tout rate. Tout ce que je tente, ça échoue. Maintenant, demain, ce bandit va m'attraper. Tous ceux-là, après tout, ce n'est qu'une engeance de bâtards ! Mais demain matin, que lui raconter ? »

Bhiki eut un choc au cœur en réalisant à quel point son mari était tourmenté. Pour tromper sa peur, elle rassembla son courage et lui dit :

« Pourquoi tant vous tracasser ? A chaque jour suffit sa peine. On verra demain. Lui, quoi, est-ce que c'est un si grand seigneur que ça ? Il y a tant de gens qui ont emprunté de l'argent dans le monde, est-ce qu'on est les seuls ? »

La lampe au clou du mur s'éteignit soudain. Une profonde obscurité envahit toute la maison.

« Babi, apporte la lampe qui est à l'intérieur », dit Bhiki à sa fille.

Rekhema se leva dans le noir, pénétra à l'intérieur et en rapporta la lampe qui était auprès du foyer dans la cuisine. Les yeux de Bhiwa apparurent comme enfoncés tout au fond de ses orbites et les os saillants de ses pommettes émergèrent dans l'éclairage blafard de la lampe.

« Prenez donc un bain d'abord, et on verra après pour la suite. »

A ces mots, elle déposa sur la couverture en patchwork étendue à terre la petite qu'elle tenait sur ses genoux et gagna l'intérieur de la maison.

« Demain, j'irai voir au moins à Mangaon. Il y a un commerçant là-bas. Je verrai ce qu'il dira, dit Bhiwa en s'allongeant sur la natte.

— Qu'est-ce qu'il donnera ! Ce sera encore une course pour rien, comme aujourd'hui !

— On verra bien, une fois qu'on y aura été. S'il ne donne rien, c'est que le destin est là ! Que dire d'autre à ça ! avait reparti Bhiwa, en proie au découragement.

— C'est à vous de voir. Je n'ai rien à en dire. Mais, demain, il n'y a plus de quoi faire des galettes. Les gosses sont à l'affût comme des tigres affamés. Que faire, je suis terriblement en peine ! »

Tous les deux, mari et femme, parlaient de l'inquiétude que leur causait le maintien de leur famille. La nuit était déjà très avancée, pourtant le sommeil ne venait point. L'anxiété les rongeait comme des termites rongent les poutres de bois par l'intérieur. Bhiwa, de toute sa vie, n'avait jamais rien fait d'autre que de vendre des sandales. Son père en mourant l'avait prévenu :

« Mon gars, ne cesse jamais de servir les gens du village. C'est eux nos maîtres. Est-ce que tu manqueras jamais de quelque chose si tu les sers fidèlement ? »

Par fidélité à sa parole d'honneur, Bhiwa s'était esquinté de tout son cœur et de toute son âme. Il avait enduré sévices et détresse. Le père de Bhiwa n'avait rien acquis qu'il eût pu transmettre à son fils. Il ne lui avait laissé qu'une simple hutte faite d'herbe sèche, à l'extérieur du village, et le droit à la propriété des peaux des animaux crevés du village. Rien de plus ! Absolument rien d'autre ! Pas de terre, pas de logis, pas de respect, pas de dignité. L'unique but de sa vie était resté le même en permanence, à journée entière : réparer les chaussures cassées et déchirées des habitants du village, puis se rendre à leur porte en prenant un air qui inspire la pitié pour mendier une pitance en présentant son giron. Ceux qui lui donnaient quelque chose le chassaient ensuite en l'injuriant. On jetait dans son giron des morceaux rassis et rancis. Bhiwa s'en était contenté.

Il y avait deux familles de Chambhars au village : celle de Bhiwa et celle de Déouji, son cousin paternel. Ils s'étaient partagé le village, chacun une moitié. Chacun touchait aussi la moitié des peaux d'animaux crevés au village. Mais par la suite, le garçon de Déouji avait enlevé la fille de Shridher Satem et s'était enfui avec elle à Bombay. Depuis lors, on avait interdit à Déouji de sortir dans le village et de s'y montrer. Les villageois ne venaient plus que chez Bhiwa pour tous leurs travaux.

Une fois, Déouji, recherchant la confiance de son cousin, était venu dire à Bhiwa :

« Toi aussi, refuse de faire leurs travaux. On verra bien comment ils réagiront, les gens du village ! »

Mais Bhiwa ne suivit pas le conseil de son cousin. Il se contenta de lui répondre :

« Qu'est-ce que ça va m'apporter d'aller contre le village ? Où qu'il soit, on en est.

— C'est bon ! Je verrai à quoi m'en tenir ! »

Cela dit, Déouji cessa par la suite de lui adresser la parole. Puis les relations entre les deux cousins se gâtèrent. Pour un oui ou pour un non éclataient des querelles. Une fois, Déouji s'empara de force de toute la peau de la bufflesse de Pandou Bhet.

« Vas-tu au moins me donner ma part, pour mes chaussures ! avait insisté Bhiwa.

— Salaud, va donc chercher les poils de mon cul ! », répondit brutalement Déouji.

Le ton monta. Les deux femmes prirent chacune le parti de leur mari et entrèrent dans la querelle à leur tour. L'affaire fut finalement portée devant le conseil du village. Les villageois obligèrent Déouji à abandonner la peau à Bhiwa.

« Salaud, prends-la ! Mais si, un jour, je ne te l'arrache pas de la gueule, c'est que mon père était cocu le jour où ma mère s'est fait enculer ! »

Déouji crachait le feu en disant cela à Bhiwa. Depuis ce moment prirent fin les quelques rapports qui se maintenaient encore, tant bien que mal, entre les deux familles. On interdit aux enfants d'aller les uns chez les autres. Les emplacements des poules et des poussins furent détruits, chez l'un et chez l'autre. Pire encore, lors des célébrations familiales en l'honneur du dieu Guenepeti, on cessa de venir les uns chez les autres y vénérer le dieu. Au début, Bhiwa n'en fit presque aucun cas. Mais, peu à peu, en certaines occasions, il commença à en subir les inconvénients. La vieille mère de Bhiwa tomba malade. Or personne de la famille de Déouji ne voulut s'en apercevoir ni s'en préoccuper. Les gens dirent à Bhiwa :

« Quoi qu'il ait pu se passer, c'est quand même ton cousin, et il est ton aîné. S'il ne parle plus avec toi, faut que tu ailles lui parler, toi. Il n'y a pas de quoi se sentir inférieur. »

Bhiwa tomba d'accord avec les gens. A supposer que demain l'état de la vieille empire et qu'il ait besoin de l'aide de son cousin, mieux vaut aujourd'hui oublier ce qui s'est passé. Il envoya donc les enfants transmettre le message suivant :

« Ma mère est malade. Venez donc lui rendre visite. »

Mais Déouji ne bougea pas d'un pouce. Il fit répondre par les enfants :

« La vieille peut mourir, que ça ne me fait ni chaud ni froid ! »

Et de fait, c'est ainsi qu'il se comporta jusqu'à la fin. La vieille finit par mourir après être restée de nombreux jours allongée sur son grabat. Puis les rites de deuil furent accomplis aux jours prescrits. Pourtant Déouji n'eut aucun égard pour Bhiwa ni ne s'enquit jamais de rien.

Déouji n'avait pas de difficultés d'argent. Chaque mois, il recevait des sous de Bombay. Il ne dépendait pas du village. Il avait au contraire l'habitude de dire :

« Le village peut s'asseoir sur les poils de mon cul ! »

Personne n'aidait Bhiwa. Le village le rémunérait quand il y avait du travail.

Plus tard vint un temps où il ne toucha plus les peaux du village : les mahars, dont beaucoup s'étaient fait néo-bouddhistes, cessaient de dépecer les animaux, leur tâche et leur droit exclusifs de caste. Bhiwa commença de perdre pied et s'enfonça de plus en plus bas. Certains jours, il essaya d'utiliser des peaux de chèvre pour réparer les chaussures. Mais les clients furieux revinrent le voir le lendemain pour l'insulter en le prenant violemment à partie :

« Salaud, qu'est-ce que c'est que cette connerie, tu te fous de notre gueule ? Si tu veux travailler, travaille correctement. Sinon, ne fais rien du tout.

— Je n'obtiens plus de peaux, qu'est-ce que j'y peux d'autre ? répondit Bhiwa, d'un air qui faisait pitié.

— Ne viens pas nous raconter ça. Si t'es d'accord, c'est bon, ça va, sinon ferme-la ! » lui rétorquèrent férocement les villageois.

Bhiwa sécha de frayeur.

Les chambhars qui avaient de l'argent allaient au marché acheter des peaux de bonne qualité et vendaient les sandales à un tarif supérieur. Tailler des sandales dans des peaux achetées dans le commerce était en un sens un heureux progrès, trouvaient-ils. Ils étaient d'ailleurs assez habiles de leurs mains. Et quel empoisonnement n'était-ce pas de gratter les peaux fournies par les mahars ! Il fallait d'abord les enduire de chaux et les jeter dans la fosse, puis au bout de deux ou trois jours, les en retirer pour les frotter à la main. Il fallait les racler, les gratter puis les passer aux colorants. Il fallait ensuite les presser et les étreindre pour les essorer. Puis les coudre en forme de sac et les remplir de jus d'écorce d'arbre pentaptère pour les tanner. Il fallait, à cette fin, tout au long de l'année, faire une réserve de coquillages et les brûler pour en préparer de la chaux. Il fallait ramener de la forêt des myrobolans, les écraser et en préparer des sciures à conserver... Vraiment, une foule d'empoisonnements ! Sans parler, en plus de cela, de la saleté des peaux dans la maison et dans la cour ! Les peaux du marché, au contraire, qu'elles étaient propres ! On pouvait les charger sur la tête et se rendre n'importe où avec ; personne non plus pour faire la grimace ou se récrier à cause de la crasse qu'elles n'exsudaient plus. Les transbardeurs eux-mêmes pouvaient les soulever à la main de dessus les camions et les transporter sans peine sur la tête. Mais quand ces mêmes peaux étaient saignantes, personne ne pouvait même se tenir debout à côté.

Bhiwa, finalement, n'avait pas le choix. Il emprunta de l'argent de prêteurs, acheta des peaux commerciales et fit le tour du village avec sa première paire de sandales. Mais les villageois se mirent à les marchander pour un prix ridiculement bas et à se moquer de cette nouvelle allure d'entreprise que prenait son affaire.

« Cinq roupies, c'est bien assez ! Six, au plus !

— Voyons, ce sont des peaux achetées sur le marché. On les achète au poids. Réfléchissez-y un peu. J'ai mes enfants, c'est quatre bouches à nourrir. Et il faut bien qu'il me reste quatre sous en poche. »

Absolument personne n'écouta Bhiwa. Celui-ci n'arrivait jamais, à propos de quoi que ce soit, à récupérer l'argent qu'il avait engagé. L'existence de Bhiwa devenait semblable à une chaussure que l'on coud d'un côté pour qu'elle se déchire de l'autre. De plus en plus de trous se creusèrent dans sa vie, son affaire, son ménage en lambeaux. Les quelques biens qu'il avait dans sa maison passèrent en gage dans celle du prêteur d'argent. Et pourtant ça ne suffisait jamais. Le seul et unique collier que Bhiki avait à se mettre autour du cou disparut. Les bagues d'argent que Bhiwa portait aux doigts disparurent aussi. Quand l'usurier se rendit compte que Bhiwa ne pourrait jamais rembourser ses emprunts, il liquida les bijoux déposés en gage pour récupérer les seuls intérêts des prêts qu'il avait consentis. A la fin, il ne resta plus à la maison qu'un seul pot en cuivre. Celui-ci passa également en la possession du prêteur. Pour payer les intérêts, Bhiwa consentit à donner chaque année à l'usurier deux paires de sandales. Pour les obtenir, l'usurier ne cessait de passer chez lui. Mais les jours succédaient aux jours, avec la promesse répétée de Bhiwa de les fournir le lendemain, puis le surlendemain. Chaque fois, Bhiwa repoussait au jour suivant.

« Grand frère, aussitôt que j'en fais une, je vous la donne en premier. Je le jure sur le dieu, c'est pas pour vous tromper. »

Avec des propos de ce genre, Bhiwa se tirait d'affaire pour un bout de temps. Mais il s'enfonçait de plus en plus. Il s'épuisait, comme une maison en ruine qui fuit de partout et que les vents et les pluies finissent par anéantir. Il inventait chaque fois de nouveaux trucs pour déjouer l'usurier. Tantôt il se cachait tout en rôdant à distance ; tantôt il se camouflait, tapi, immobile, à la maison. Mais un jour l'usurier avait bien fini par l'attraper.

« Salaud, combien de tours faudra-t-il que je fasse pour venir à ta porte ? T'as emprunté de l'argent ou non, merde ? »

Les paroles de Deguedou Shindé tombaient sur lui comme la hache qui s'abat sur une pièce de bois pour y faire des entailles.

« Grand frère, je me prosterne à vos pieds. Patientez, maintenant, plus que deux jours, seulement. Je vais demain à Mahad. J'en rapporterai des peaux et la première paire sera pour vous. Je le jure sur la tête de mes enfants. »

Bhiwa avait répondu à Shindé sur un ton pitoyable, tout en montrant ses enfants du doigt.

« Aujourd'hui je m'en vais, mais si après-demain tu ne m'apportes pas la paire de sandales, tu auras affaire à moi, je te préviens ! »

Deguedou était reparti sur ces mots de menaces. Le lendemain, Bhiwa était allé à Mangaon. Pendant son absence, Bhiki, toute seule, suivait le cours de ses pensées : on ne pouvait savoir si aujourd'hui, enfin, Bhiwa réussirait à quelque chose ; hier, il avait couru d'un côté, aujourd'hui, c'était d'un autre ; jusqu'à quand pourrait-il continuer à galoper dans tous les sens ! Passe encore si ce n'était peine perdue ! Plus il se démenait, plus il échouait. A force de se crever ainsi, il faut que ça ait une fin ! Jamais sur le dos de sari comme elle aurait eu plaisir à en porter ; jamais rien d'appétissant à manger. Bhiki était prise dans le filet d'angoisse qu'elle tressait. Ses gosses, assis devant elle, criaient de faim. Elle se demandait que leur répondre. Finalement, dans un soupir de douleur, elle dit à sa fille :

« Que vous donner ? Attendez ! Je vais faire un tour dans le hameau. Au cas où quelqu'un donnerait quelque chose. Ne continuez pas à pleurer tout le temps. »

Sur ces mots, elle partit vers le hameau.

« Tante, donnez-moi quelque chose ! dit-elle sur un ton plaintif.

— Voyons, qu'est-ce qu'on peut bien te donner tous les jours ? On vous a déjà donné la part annuelle convenue. Que faut-il encore donner maintenant ! Et tu viendras ainsi chaque jour demander. »

La femme de Balka Rane lui avait répondu du tac au tac.

« Tante, les enfants n'ont plus rien à manger.

— Mais qu'est-ce qu'on peut y faire, nous ? »

Bhiki reçut cela comme un soufflet en plein visage. Elle fit le tour d'une dizaine de maisons, l'air abattu. Mais rien ne tomba dans son giron. Elle se fatigua à aller de maison en maison. Elle rentra chez elle et but de l'eau à grandes gorgées. La faim avait rendu les enfants surexcités. Ils faisaient pitié à regarder. Elle en eut le cœur brisé. Elle se dit à part soi : « Dieu ! ç'aurait été mieux si vous ne m'aviez pas fait naître. Combien de sacrées misères faut-il supporter ? Les gosses, c'est autant de bouches à nourrir. Ils s'agitent, tiraillés par la faim, mais je n'ai rien à leur donner quand la faim les tenaille. »

Dès la fin de l'école, Souresh rentra à la maison. La faim le mettait mal en point, lui aussi. Il s'était bien promis, dès qu'il rentrerait, d'aller demander une galette de mil à sa mère et de l'engloutir aussitôt. Mais dès qu'il aperçut le visage de Bhiki baigné de larmes, ses mots lui fondirent dans la gorge.

« Mon gars, toi aussi tu dois avoir faim. Mais que faire ! Je reviens juste de faire la tournée du hameau. Je me disais que quelqu'un me donnerait quelque chose, mais tout le monde refuse. Je vais tout de suite du côté de l'embarcadère, dans le quartier musulman. On verra bien, peut-être que quelqu'un donnera quelque chose. »

Sur ces mots, elle quitta la maison.

De tout le village, une seule maison lui apportait un soutien, c'était celle de Roshen Delvaï, une famille musulmane. Mais comment aller chaque jour les importuner, se disait-elle. Aujourd'hui, cependant, il n'y avait plus d'autre solution. Les tiraillements de la faim surexcitaient les enfants. Bhiki se rendit à la porte de Roshen et dit, toute tremblante :

« Femme, donnez-moi n'importe quoi, ce qu'il y aura. Sinon les enfants passeront la journée aujourd'hui sans manger. »

Sans marquer aucun signe de désapprobation, Roshen jeta dans son giron des grains et du bran de riz.

« Femme, je vous suis bien reconnaissante », dit-elle, et sur ces mots elle revint en hâte à la maison.

Vite, elle moulut le bran. Elle fit un brouet avec les grains et le servit aux enfants. Quand ceux-ci eurent fini de manger, elle se servait dans un plateau une demi-galette qu'elle cassait en petits morceaux pour en faire des bouchées, quand, tout d'un coup, lui parvint aux oreilles le son de la voix de l'usurier qui appelait.

« Bhiwa, est-ce qu'il est à la maison ? demandait Shindé.

— Il n'est pas là. Il est sorti pour votre travail. Il reviendra ce soir, avait répondu Bhiki qui s'était empressée de sortir au-dehors, toute chancelante.

— Est-ce que vous vous foutez de ma gueule ? Attendez un peu ! Je vais vous montrer et vous vous en souviendrez. »

En disant cela, Deguedou avait pénétré dans la véranda, comme une flèche.

« Non ! non ! cousin, je me prosterne à vos pieds. Mais ne faites pas de mal aux pauvres », avait supplié Bhiki en mots entrecoupés.

Mais Shindé n'était point d'humeur à l'écouter. Il ramassa les outils de l'échoppe dans la véranda et s'enfuit à toutes jambes. Bhiki ne put qu'assister impuissante. C'était comme si on lui avait lacéré le cœur avant de l'arracher.

Bhiwa rentra le soir, les mains vides. Il avait accroché ses vêtements et allait s'adosser au poteau quand Souresh lui apprit aussitôt :

« Papa, Shindé est venu prendre les outils. »

Bhiwa garda un temps ses yeux fixés sur le visage du garçon. Il resta un moment interdit, ne sachant si ce qu'il entendait c'était en rêve ou bien s'il était éveillé. Il était comme sonné, hébété. Au bout d'un instant, il tourna la tête et regarda du côté de la boutique et dit :

« La sale rosse, il m'a bien eu ! »

Puis, se recroquevillant sur lui-même, il s'assit à terre.

Tous les enfants et Bhiki, effrayés, vinrent s'asseoir dans la véranda.

« Où étiez-vous tous à ce moment-là ? Vous auriez dû l'attraper à la gorge et lui sucer le sang à ce maudit ! dit-il, rassemblant toute sa colère.

— Je me suis prosternée aux pieds du maudit. J'ai essayé de le raisonner. Mais le maudit ne voulait pas m'écouter », dit Bhiki d'un ton douloureux.

Avec la disparition des outils, la tourmente du malheur envahissait la maison de Bhiwa. Chaque jour qui se levait leur apparaissait ténébreux comme une nuit. Tous les deux, mari et femme, cherchaient dans l'angoisse le moyen de s'en sortir. Il n'était plus question d'aller se présenter à la porte de quelque prêteur que ce soit. Nul espoir non plus du côté des parents.

La famille entière en perdit le sommeil. Les enfants, le ventre vide, étaient en proie au bourrèlement de la faim.

A la fin, comme il ne voyait plus d'autre issue, Bhiwa s'enhardit et expliqua à sa femme l'idée qui lui venait à l'esprit. Celle-ci lui révéla la peur intérieure qui s'emparait de tout son être à l'entendre :

« Bien, mais qu'est-ce que les gens vont dire ?

— Les gens, laisse-les claquer, ces cons-là ! Est-ce que c'est eux qui vont nous nourrir ?

— Ce que vous dites, c'est vrai, mais par la suite, ils diront comme ça : "Un tel et un tel ont fait sombrer la caste." Quelle réponse leur ferez-vous ?

— "On a fait sombrer la caste." Quelle réponse donner à cela ? Laissons cela pour plus tard, on verra après. Aujourd'hui, on est condamnés à mourir de faim, à notre tour. Personne ne vient vers nous pour nous offrir quelque chose et nous dire : "Prenez et mangez !" Il y en a beaucoup pour nous railler, mais aucun pour nous aider. »

Bhiwa avait parlé avec amertume.

« Mais si on trouvait une autre solution !

— Quelle autre solution ? Est-ce qu'on a du terrain, des champs qu'on peut cultiver ? Et même si on avait de la terre, est-ce qu'on pourrait en tirer tout d'un coup de quoi se mettre sous la dent ? Aujourd'hui, c'est à notre tour de mourir de faim ! »

Bhiwa parlait comme un homme arrivé au bout de son rouleau et sans recours. Bhiki se contentait d'écouter ce que disait son mari, désemparée. Bhiwa s'esquintait au travail et ne restait jamais oisif. Elle en était convaincue. Elle ne pouvait donc s'opposer à son mari. Mais elle n'arrivait pas non plus à lui dire « oui, d'accord ». Elle se contenta de bafouiller :

« Voyez, vous, moi... je ne peux rien dire... »

Bhiwa sortit. Il se rendit auprès du bœuf crevé qu'il avait aperçu en rentrant. Il scruta l'obscurité, à droite et à gauche, pour s'assurer qu'il n'y avait personne aux alentours à l'épier. Sa résolution était ferme. Il sortit le rasoir de sa poche. Il joignit les mains et leva son regard vers la voûte du ciel et dit :

« Dieu ! *Pandourangue* ! Je vais faire ce que nul ancêtre n'a jamais osé faire. Fais-en retomber la faute sur moi. »

Il entreprit de dépiauter le bœuf. Comme, jusqu'à présent, il n'en avait acquis aucune habitude, il se trouva vite très embêté. Autrefois, il avait dépouillé beaucoup de chèvres crevées. Mais chèvre et bœuf ne se ressemblent pas ! Et surtout, en plus de cela, c'était là une tâche qu'il dérobait à une autre caste ! Si jamais quelqu'un le voyait, il en mourrait de honte au point de ne plus pouvoir soutenir aucun regard.

Une fois, un tigre avait attaqué une vache que des chiens et des renards avaient ensuite dépecée et dont il ne restait plus que la peau. Comme c'était un chambhar qui l'avait ramenée et raclée, quelle violente protestation ne s'était pas élevée au sein de la caste ! Une assemblée de tous les membres de la caste chambhar s'était tenue à Mahal. Tous avaient alors déchiré et dilacéré le coupable à la façon de corbeaux qui à force de coups de bec répétés dépècent et dévorent un autre corbeau blessé. En plus de cela, comme la caste avait essuyé un naufrage, une amende de cinquante roupies lui avait été imposée et la somme avait été perçue. Au souvenir de cette histoire, Bhiwa sentit ses poils se hérisser. Son pouls se mit à battre à une vitesse folle.

DES 16/25 ANS ACTIFS : JEUNES CRÉATEURS D'ENTREPRISE, MUSICIENS DE ROCK, PASSIONNÉS D'INFORMATIQUE... ILS SONT DE PLUS EN PLUS NOMBREUX À TRANSFORMER LEURS DÉSIRS EN RÉALITÉ, À PASSER À L'ACTE DE MANIÈRE TRÈS PRAGMATIQUE ET CONSTRUCTIVE MALGRÉ LES RÉSISTANCES D'UNE SOCIÉTÉ TROP ADULTE.

N° 50 - AVOIR 20 ANS ET ENTREPRENDRE - 60 F

NI FUNAMBULES, NI COMÉDIENS, LES DANSEURS INVENTENT MILLE FAÇONS DE BOUGER, MILLE FAÇONS DE PENSER. TELLE UNE VAGUE QUI EMPORTE TOUT SUR SON PASSAGE, LA DANSE "ACCROCHE" DE PLUS EN PLUS D'AMATEURS ET REFLÈTE À SA MANIÈRE DES MODES DE VIE, DES LANGAGES SOCIAUX. LA PREMIÈRE GRANDE ENQUÊTE SUR TOUTES LES FACETTES DE LA DANSE AUJOURD'HUI.

N° 51 - FOUS DE DANSE - 65 F

QUI CRÉE CES SLOGANS ET CES IMAGES ? QUI INVENTE LE SPECTACLE, QUELS SONT CEUX QUI TRAVAILLENT DANS LES COULISSES, À QUEL PRIX ET POUR QUEL PROFIT ? NI PUBLIPHOBE, NI PUBLIPHILE, CE NUMÉRO NOUS MONTRE LE SYSTÈME DE LA PUB, CE MONDE DE STARS ET DE PETITES MAINS, D'ARRIVISTES ET DE CRÉATEURS.

N° 53 - LA PUB - 70F

RÉTRO, FUTURISTE, RIV GAUCHE, PUNK, MUSE TE, BALAFON, C'EST SHOW-BIZ HEXAGONA BREL, PIAF, MAIS AUS HIGELIN OU CHARLÉLI DEVANT LE RIDEAU RO GE DE L'OLYMPIA. L CIGARES DE MONSIEU BARCLAY. DES PRINTEM À BOURGES. LA FRANC PROFONDE QUI S'ÉCLAT CHEZ LAMA. LES BRA CHÉS QUI VIBRENT SU LA NEW-WAVE. MOI, J'A ME LE MUSIC-HALL.

N° 58 - SHOW BIZ 65 F

ILLUSTRATION DE LAURIE ROSENWALD

UNE RENAISSANCE ARTISTIQUE ET TECHNOLOGIQUE EN FRANCE ? ALLONS DONC ! VOILÀ DÉJÀ LONGTEMPS QUE LES MÉDIA DONNENT DE LA FRANCE L'IMAGE D'UN PAYS CHANCELANT, INCAPABLE DE FAIRE PREUVE DE VOLONTÉ ET D'IMAGINATION FACE À LA CRISE ÉCONOMIQUE ET MORALE QUI DURE DEPUIS DIX ANS. POURQUOI DONC TOUS CES BRUITS QUI COURENT SUR UN RENOUVEAU DANS LES ARTS ET LES SCIENCES ? COMMENT UNE CULTURE APPAREMMENT EN DÉCLIN, ACCROCHÉE À SES TRADITIONS, PEUT-ELLE PRÉTENDRE CAUSER À NOUVEAU DES CHOCS ESTHÉTIQUES OU TECHNOLOGIQUES ?

VOICI QUELQUES INDICES,
QUELQUES PREUVES DE CETTE RENAISSANCE.
PREUVES APPORTÉES PAR DES ENQUÊTES, NOMBREUSES, MENÉES SANS COMPLAISANCE PAR AUTREMENT AVEC DES JOURNALISTES ET DES CHERCHEURS FRANÇAIS ET ÉTRANGERS. UNE VÉRITABLE ETHNOGRAPHIE DU QUOTIDIEN. AUTANT DE PIÈCES À CONVICTION POUR CEUX QUI S'INTÉRESSENT À LA SOCIÉTÉ FRANÇAISE CONTEMPORAINE, À SES VALEURS, MODES DE VIE ET PROJETS. DE LA DANSE À LA PUBLICITÉ, DU SHOW-BIZ AUX LOGICIELS, DE LA MODE AUX INNOVATIONS PÉDAGOGIQUES, DE LA LITTÉRATURE À L'OPÉRA, DES NOUVELLES IMAGES AUX BIO-TECHNOLOGIES, DE L'ARCHITECTURE AUX ARTS GRAPHIQUES,... DES CENTAINES DE REPORTAGES ET ANALYSES DESSINENT LES TRAJECTOIRES D'UNE NOUVELLE GÉNÉRATION.

UNE NOUVELLE GÉNÉRATION OUVERTE AU MONDE, PLUS SOUCIEUSE D'ENTREPRISES QUE D'IDÉOLOGIES, DE CRÉATION QUE D'ANALYSE. AVIDE DE TOUT INTÉGRER, RÉTRO ET TECHNO, ARTS ET SCIENCES, ÉLITISME ET POPULAIRE, INDIVIDUEL ET SOCIAL. UN CHANGEMENT D'IMAGINAIRE, DE STYLE.

CES QUELQUES OUVRAGES RÉCENTS REPRÉSENTENT UN "ÉCHANTILLON" DES PUBLICATIONS DES ÉDITIONS AUTREMENT. ILS TÉMOIGNENT, DE FAÇON INÉDITE ET CRITIQUE, DE CES MULTIPLES AVANCÉES.
LA RICHESSE ET L'ORIGINALITÉ DE CET ENSEMBLE D'OUVRAGES, TRÈS ACCESSIBLES, EN FONT UN OUTIL D'INFORMATION EXCEPTIONNEL POUR TOUS CEUX, FRANÇAIS ET ÉTRANGERS, QUI SOUHAITENT CONNAÎTRE LA FRANCE MODERNE CONTEMPORAINE. C'EST AUSSI UNE IDÉE DE CADEAU "INTELLIGENT".

QUELS SONT LES COURANTS — MUSIQUE, VIDÉO, B.D., MODE, RADIOS, RÉSEAUX, BOÎTES, IDÉOLOGIES, PRESSE — QUI MARQUENT LE PLUS AUJOURD'HUI LES JEUNES? NI LIVRE SUR LE ROCK, NI SOUVENIR D'UNE GÉNÉRATION, CET OUVRAGE VEUT ANALYSER, DANS UN STYLE TRÈS VIVANT, LA CRÉATIVITÉ DES MOINS DE 30 ANS ET MONTRER LES RESSORTS, LES FILIATIONS, LES IMPLICATIONS CULTURELLES ET POLITIQUES.

COLLECTION
CIEL OUVERT
"UNE SCÈNE-JEUNESSE" — 49 F
PAR BRICE COUTURIER

LE RENOUVEAU DE L'ARCHITECTURE EN FRANCE : UN PANORAMA DES DIFFÉRENTS MOUVEMENTS ET ARCHITECTES DEPUIS LA LIBÉRATION ET LA PRÉSENTATION DE NOUVEAUX TALENTS (CHEMETOV, CASTRO, GAUDIN, TSCHUMI, PORZAMPARC, CIRIANI...).

COLLECTION
CIEL OUVERT
"ENFIN L'ARCHITECTURE"
65 F PAR
JEAN-PIERRE LE DANTEC

NOTRE MODERNITÉ SE TRANSFORME. UNE MULTITUDE D'APPLICATIONS — MANIPULATIONS GÉNÉTIQUES, IMAGES NUMÉRIQUES, COMMUNICATIONS ET DÉTECTIONS À LA VITESSE LUMIÈRE... — NÉES DU DÉVELOPPEMENT DE LA TECHNOSCIENCE CHANGENT LE CONTENU DE NOTRE SAVOIR. AINSI BAIGNONS-NOUS DANS L'IMMATÉRIEL DES INFORMATIONS, DES ÉNERGIES, DES SITUATIONS INÉDITES. DES ARTISTES, DES HOMMES DE SCIENCE, DES PHILOSOPHES ÉVOQUENT ET ANALYSENT ICI CETTE AVENTURE DE LA POST-MODERNITÉ.

HORS COLLECTION
"MODERNES ET APRÈS" — 69 F

HORS COLLECTION
"MOTS DE PASSE"
69 F
ANTI-ŒDIPE, BARBECUE, PILULE, BUTANE, BIC, 4 CV, COLLANTS, DISCO, OVNI, PSY, SMIG, ULM, CHEWING-GUM, ZUP, GROUPIES,... ENTRONS DANS LE GRAND ABÉCÉDAIRE À REMONTER LE TEMPS ! ICI DÉFILENT LES MOTS CLÉS D'UNE ÉPOQUE, SYMBOLES DES MODES DE VIE ET DES CULTURES QUI ONT MARQUÉ LES ANNÉES 45/85. ET POUR NE RIEN IGNORER DES ÉVÉNEMENTS POLITIQUES, LITTÉRAIRES, SCIENTIFIQUES, CINÉMATOGRAPHIQUES DE CETTE ÉPOQUE, UN MARATHON CHRONOLOGIQUE, ANNÉE PAR ANNÉE, POUR RESITUER TOUS CES SYMBOLES, OBJETS ET CONCEPTS.

HYMNE AUX GROS
ONSTRES INDUSTRIELS,
IVÉS OU NATIONALI-
S, S'ACHÈVE DANS LE
CARME DES RECON-
RSIONS DITES "À VISA-
HUMAIN". ET LES PE-
ES ENTREPRISES IN-
VANTES LANCENT LES
EMIERS ACCORDS D'UNE
MPHONIE DANS LAQUEL-
LE POUVOIR POSTULE
RÔLE DE CHEF D'OR-
ESTRE. IL S'AGIT BIEN
N ENJEU NATIONAL :
E LES MUTATIONS
CHNOLOGIQUES S'AC-
LÈRENT...

° 59 - LES HEROS
DE L'ECONOMIE
70 F

TOUTES LES ARCANES DE
LA MODE ; LES CRÉA-
TEURS : DE BALENCIAGA
À BILLY BOY ; L'ÉCONO-
MIE ; LES BUREAUX DE
STYLE, SALONS, DÉFILÉS ;
LA RUE, DE SAINT-GER-
MAIN-DES-PRÉS AUX ZUP
DES BANLIEUES ; L'ANA-
LYSE DU SENS : LA MO-
DE COMME INVENTION,
TRANSGRESSION...

N° 62 - HUMEUR DE
MODE - 70 F

COLLECTION
CIEL OUVERT
"LA MODE POUR
LA VIE" – 49 F
PAR MARYLÈNE
DELBOURG-DELPHIS
UNE ANALYSE DU PHÉNO-
MÈNE "MODE" DANS LE
CADRE D'UN ENTRETIEN
AVEC JEAN-PAUL GAUL-
TIER, L'UN DES CRÉATEURS
LES PLUS DOUÉS DE SA
GÉNÉRATION.

L'AVENIR DE L'ÉCOLE,
LOIN DES QUERELLES
PARTISANES ! VOICI UN
OUVRAGE POSITIF ET DY-
NAMISANT : IL RECENSE
PLUS DE 1000 EXPÉRIEN-
CES ET INITIATIVES PÉ-
DAGOGIQUES (PUBLIQUES
OU PRIVÉES) EN COURS
DANS LES MATERNELLES,
LES COLLÈGES, LES LY-
CÉES FRANÇAIS, ET CELA
DU THÉÂTRE À L'ORDINA-
TEUR. DE CONCEPTION
PRATIQUE, IL ACCOMPA-
GNE CHAQUE DESCRIP-
TION D'EXPÉRIENCE D'UN
GRAND NOMBRE DE
RENSEIGNEMENTS UTI-
LES (NOMS, ADRESSES
D'ÉTABLISSEMENTS, AS-
SOCIATIONS, BIBLIOGRA-
PHIES...).

N° 67 - L'ECOLE PLUS
95 F

ORDINATEURS, MAGNÉ-
TOSCOPES, CÂBLES, SA-
TELLITES ET AUTRES
OBJETS ÉLECTRONIQUES
ENVAHISSENT NOTRE FIN
DE SIÈCLE. ILS BOULE-
VERSENT NOS FAÇONS DE
VOIR, DE COMMUNIQUER,
DE PENSER... LE GUIDE
DE LA RÉVOLUTION ÉLEC-
TRONIQUE A ÉTÉ CONÇU
POUR SE REPÉRER DANS
CE DÉDALE ET POUR
MIEUX COMPRENDRE LES
MUTATIONS TECHNOLO-
GIQUES DANS LESQUEL-
LES LE LECTEUR EST DI-
RECTEMENT IMPLIQUÉ.

N°⁵ 63/64 - GUIDE
DES TECHNOLOGIES
DE L'INFORMATION
145 F

LA LITTÉRATURE EST EN MOUVEMENT. L'INTENSITÉ SE MANIFESTE À NOUVEAU, L'ÉMOTION ; QUELQUEFOIS MÊME L'INNOCENCE PREMIÈRE DE LA LITTÉRATURE. DES THÈMES NAISSENT OU REVIENNENT APRÈS UNE LONGUE ABSENCE : LA MÉDITATION HISTORIQUE, L'AVENTURE ET L'EXPLORATION VOYAGEUSE DU MONDE, LA PASSION, LE ROMANESQUE. UNE CONVERSATION PASSIONNANTE ENTRE DES ÉCRIVAINS, D'AUTRES ARTISTES ET DES PROFESSIONNELS DE L'ÉDITION.

N° 69 - ECRIRE AUJOURD'HUI - 70 F

ACTEURS. FORMIDABLES RÉCEPTACLES ET VÉHICULES DE NOS PASSIONS, NOS TRAGÉDIES, NOS BOUFFONNERIES, NOS FANTASMES. ACTEURS. CEUX QUI SE GRAVENT DANS NOS MÉMOIRES, CEUX QU'ON OUBLIE, CEUX QUI BRILLENT SUR LES COUVERTURES DES MAGAZINES, CEUX QUI FONT BRILLER LES GRANDS TEXTES DE NOTRE ÉPOQUE. 50 ACTEURS FRANÇAIS DE THÉÂTRE ET DE CINÉMA PARLENT DE LEUR MÉTIER ET NOUS FONT PARTAGER LEURS EXIGENCES, LEURS MOMENTS FORTS, LEURS DOUTES, LEURS RENCONTRES EXCEPTIONNELLES.

N° 70 - ACTEURS 70 F

L'OPÉRA CÔTÉ COUR ET CÔTÉ JARDIN : DE LA SCÈNE AUX COULISSES, DES DIVAS À LEURS FANS, DES COMPOSITEURS AUX MACHINISTES, DES TÉNORS AUX SOUFFLEURS. RÊVES ET RÉALITÉS DE LA PLANÈTE LYRIQUE OÙ SE CÔTOIENT ARTS PLASTIQUES, PSYCHANALYSE, CHANT, SOCIOLOGIE, LITTÉRATURE, PHILOSOPHIE, TECHNIQUE THÉÂTRALE, MÉDECINE ET ARCHITECTURE.

N° 71 - OPERA - 80 F

PARIS EST EN PLEINE RENAISSANCE ARTISTIQUE. C'EST CETTE "RENAISSANCE" DE LA CRÉATION QUE L'ON A VOULU MONTRER DANS CET OUVRAGE. EN 16 RUBRIQUES, D'ARCHITECTURE À VIDÉO, LES INNOVATEURS ET LES COURANTS D'AUJOURD'HUI SONT MIS EN SCÈNE ET ILLUSTRÉS PAR UNE CENTAINE DES MEILLEURS JOURNALISTES, CRITIQUES, GRAPHISTES ET PHOTOGRAPHES FRANÇAIS ET ÉTRANGERS. UN LIVRE QUI BOUGE POUR UNE PÉRIODE QUI DANSE.

PARIS CREATION : UNE RENAISSANCE 460 PAGES. 700 ILLUSTRATIONS. 140 F

LES ÉDITIONS AUTREMENT, CRÉÉES EN 1975 PAR HENRY DOUGIER, S'INTÉRESSENT EN PRIORITÉ AU CHANGEMENT SOCIAL, CULTUREL, TECHNOLOGIQUE DANS LES SOCIÉTÉS CONTEMPORAINES. ELLES FÊTENT LEUR DIXIÈME ANNIVERSAIRE CETTE ANNÉE.

REVUE, LIVRES, GUIDES, ALBUMS, COLLOQUES, FESTIVALS, FILMS, ÉTUDES ET RECHERCHES... AUTREMENT VEUT TÉMOIGNER, DE FAÇON DIVERSE ET COHÉRENTE, DE LA VITALITÉ ET DE L'INVENTIVITÉ DE SON ÉPOQUE, DANS LE MONDE ENTIER, ET ÊTRE PORTEUR DE SENS. LES PUBLICATIONS AUTREMENT SONT EN VENTE EN LIBRAIRIE (DIFFUSION LE SEUIL). LA REVUE (CHAQUE NUMÉRO ENVIRON 250 PAGES) EST ÉGALEMENT DISPONIBLE SUR ABONNEMENT : 15 NUMÉROS THÉMATIQUES PAR AN : 810 F (FRANCE) - 920 F (ÉTRANGER).

DEMANDER LE CATALOGUE GRATUIT AU 4, RUE D'ENGHIEN. 75010 PARIS. TÉL. : 770 12 50.

Tant bien que mal, il finit par détacher la peau. Il se demanda alors où l'emporter. Ce n'était pas là une chose que l'on pouvait entreposer en cachette à la maison ni simplement laisser sécher sur le roc ! Son intention était de l'enduire aussitôt de chaux. L'angoisse lacérait son esprit en lambeaux comme des corbeaux et des vautours déchiquettent des lambeaux de chair dans une charogne. En se faufilant et en se cachant, il ramena la peau et la posa sur la fosse à chaux. Puis il gagna la maison pour aller y chercher de la chaux. En revenant avec la chaux, il dit à sa femme :

« Écoute. Je viens de finir le travail. Maintenant, vite, je l'enduis de chaux. Pendant ce temps, fais donc chauffer de l'eau. »

Bhiwa regagna la fosse en hâte. Il tremblait de tous ses membres en étendant la chaux sur la peau. Ça lui cognait dans la poitrine. Il se dit : « Jusqu'à aujourd'hui, nous avons accompli beaucoup d'affaires louches. Pour manger, nous avons commis beaucoup de larcins, tantôt ramené en cachette un fruit d'arbre à pain volé, tantôt ramené des mangues abattues dans l'arbre d'un autre. Pire encore, nous ne nous sommes pas privés de tordre le cou à des poules pour nous mettre quelque chose dans le ventre. Mais les ancêtres n'ont jamais fait ça. Ils ne s'étaient jamais permis de mettre la main à cette besogne, tâche de mahars. Pourtant, aujourd'hui, uniquement pour obtenir quelque chose à manger, il m'a fallu en arriver là ! »

Il plia la peau et la jeta dans la fosse. Il disposa des pierres pardessus et fit la prière suivante : « Dieu Pandourangue ! Prends-en bien soin, n'est-ce pas ! Que ça ne fasse de tort à personne, c'est tout ce que je désire ! » Comme il s'apprêtait à repartir, il s'aperçut soudain que Déouji était là debout devant lui. En le voyant, il eut comme un étourdissement. Il sentit toute sa force s'échapper de son corps comme quand il devait percer les peaux remplies de tanin suspendues aux trois piquets en triangle, pour que les matières colorantes s'en écoulent dans une grande et forte giclée. Le vertige le prit. Il s'effondra tout d'un bloc dans la fosse.

———— *MADHAU KONDVILKER* ————

Texte publié dans *Asmitadarsha* **et rassemblé par Guy Poitevin. Le Journal de M. Kondvilker est publié au éditions l'Harmattan.**

3

DES MONDES DANS UN MONDE

Éternelle Babylone avec ses centaines de langues, peuples et religions, le monde indien abrite des populations tenacement accrochées à leur identité mais convaincues tout autant d'appartenir à un même ensemble.

L'UNITÉ INDIENNE

Lorsque nous parlons de l'entité « Inde », il faut bien reconnaître que celle-ci n'a jamais représenté un peuple homogène, ni une nation, ni un État. Les noms qui lui sont appliqués proviennent, selon un usage général dans le monde, de certaines désignations partielles. « India », terme qui était déjà connu des anciens Grecs, dérive du sanscrit *Sindhu*, le nom du fleuve que nous appelons Indus, et par lequel les Perses désignaient le pays voisin. Quant à « Bharat », nom officiel de la République indienne, ce n'est que le nom de l'un des clans indo-aryens qui firent la conquête de l'Inde du Nord il y a quelque trois mille ans.

En réalité, l'entité indienne est née, dans la conscience occidentale, de la conception d'une communauté culturelle propre à un espace géographique. Les Grecs l'identifiaient nettement, lorsque Alexandre le Grand conduisit son armée jusqu'à l'Indus en 326 av. J.-C. Quiconque, en effet, descendait du plateau iranien vers le bassin de l'Indus, quiconque abordait les rivages verdoyants de Ceylan ou du Deccan, se rendait parfaitement compte qu'il pénétrait dans un pays différent, caractérisé par un certain genre de vie et par certains modes de pensée, quels que soient les peuples divers que l'on y rencontre. Cette communauté de style est due à l'isolement de ce milieu géographique, auquel l'océan et les barrières montagneuses assu-raient autrefois une relative étanchéité. Aujourd'hui encore, un Pakistanais, un Ceylanais, un Népalais peuvent bien affirmer qu'ils ne sont pas indiens ; ils le sont cependant aux yeux de l'étranger, qui reconnaît en eux des traits génériques d'une civilisation d'ensemble.

INDO-ARYENS ET DRAVIDIENS

A la base de cette civilisation, il y a la fusion intime de deux éléments, apparus dès la préhistoire. D'une part, une très vieille et brillante culture indigène, qui s'est perpétuée non seulement dans les langues dravidiennes du Deccan, mais dans un univers religieux et un ensemble de coutumes qui constituent le fond de l'hindouisme : c'est la culture des hommes à peau foncée que nous appelons les Dravidiens. D'autre part, la culture des Indo-Aryens, hommes à la peau blanche qui pénétrèrent dans le pays dès le IIe millénaire, qui firent la conquête de l'Inde du Nord et qui répandirent, grâce à l'influence intellectuelle des brahmanes, la langue sanscrite et les langues indo-aryennes, ainsi que les cadres sociaux et religieux de ce qui allait devenir l'Inde. C'est cette fusion qui a fait naître la personnalité indienne.

Le découpage politique de l'espace indien n'en répond pas moins à une certaine diversité des peuples. Il ne s'agit point, à cet égard, de la complexité raciale et linguistique ; car l'existence du Pakistan et du Bangladesh musulmans et de Ceylan à majorité bouddhiste souligne le rôle des grandes religions dans les clivages politiques. C'est cependant la République indienne qui maintient aujourd'hui la pérennité de l'entité « Inde » en intégrant dans son unité les formes les plus diverses d'une communauté multi-culturelle. Dans ses 750 millions d'individus, elle comprend non seulement la plupart des ethnies représentées dans l'espace indien, des Munda, des Tibétains, des Dravidiens, des Indo-Aryens, mais aussi toutes les grandes religions de ce même espace. Elle reste cependant un pays essentiellement hindou (pour 82 % de sa population) ; et l'hindouisme, en dépit de la diversité de ses poly-théismes régionaux et de ses coutumes de castes, contribue fortement à dessiner pour l'Inde un visage original et convaincant, parce que les brahmanes lui ont donné une cosmologie, une théo-logie et une éthique qui rayonnent aujourd'hui sur le monde. En dépit de ses importantes minori-tés religieuses, la République indienne reste l'incarnation uni-que de cet hindouisme qui perpé-tue des traditions préhistoriques. Mais elle est aussi un pays mul-ticulturel, notamment par la pré-sence de l'islam, qui fait d'elle — malgré la partition de 1947 — le troisième pays musulman du monde, comptant sur son terri-toire plus de 80 millions de musulmans (soit plus de 11 % de la population globale). Cette diver-sité est d'ailleurs mise en relief par le type de société qui prévaut dans l'Asie du Sud : le fractionne-ment des populations en commu-nautés ethniques, religieuses ou professionnelles. En pays indien, ces communautés s'appellent des *jâti* terme qui signifie « nais-sance », « origine », et que les Européens traduisent selon les cas par « caste » ou « tribu ». Ces jâtis, qui doivent à une endogamie séculaire la conservation de leur identité, ont naturellement été accusées de fractionner un grand peuple en d'innombrables unités étrangères les unes aux autres, bornant leur horizon intellectuel à la frontière sociologique par laquelle elles sont limitées. Mais en formulant un tel jugement, les Occidentaux, conditionnés par leurs propres concepts, ne voyaient pas que ce système était précisément ce qui assurait la cohésion de la société et permet-tait à tant d'éléments hétérogènes de coexister.

LE RÊVE DU MAHÂTMA GANDHI

La personnalité d'un peuple se forme, en réalité, à travers les épreuves de son his-toire. Et dans le cas de l'Inde, l'immensité du territoire et la dif-ficulté des communications ont toujours opposé un obstacle in-vincible au déroulement d'une his-toire commune. Concevoir une histoire de l'Inde reste aujour-d'hui une gageure, exigeant l'assemblage et l'imbrication de multiples histoires locales. Le plus vaste empire de l'Antiquité, qui fut celui d'Asoka (au IIIᵉ siè-cle avant notre ère), unifiait la plus grande partie de l'Inde du Nord, mais ne dépassait pas, dans le Deccan, la latitude de 13°. Au cours de l'histoire, aucune puis-sance régionale ne s'avéra capable d'unifier l'Inde. Quant aux Britan-niques, qui réalisèrent enfin l'unité indienne, et même en adjoignant à leur empire quelques annexes, ce fut grâce à des moyens de communication plus perfectionnés et au prix d'une construction politique complexe qui associait à « l'Inde anglaise » des États semi-indépendants. La dislocation de cet édifice, lors de l'indépendance en 1947, en révèle la fragilité ; et le rêve du Mahâtma Gandhi d'une Inde totalement unifiée apparaît, à la lumière de ces faits, non seulement comme un héritage culturel indien, mais comme un héritage politique de l'œuvre britannique, en contradiction avec les forces centrifuges qui tendent à désagréger toute construction hétérogène.

Néanmoins, en dépit des efforts de certaines communautés ou de certains États pour sortir du destin commun de l'Inde, les épreuves successives imposées au pays au cours de quatre décennies d'indépendance ont contribué à consolider la personnalité politique et morale de l'Inde. Depuis le XIXe siècle, les technologies modernes avaient développé les moyens d'administrer de vastes territoires ; les Britanniques avaient apporté à l'Inde, avec la langue anglaise, un puissant instrument fédérateur qui lui faisait défaut. C'est pourquoi le Congrès indien, qui célèbre en 1985 son centième anniversaire, peut se justifier d'avoir utilisé ces moyens nouveaux venus de la colonisation pour édifier la forte personnalité de l'Inde, qui était impliquée dans sa culture. Depuis l'écrivain grec Mégasthènes, ambassadeur de Séleucos à la cour de Chandragupta, au IIIe siècle avant notre ère, il y a toujours eu une personnalité indienne qui a survécu aux invasions en absorbant et en indianisant les conquérants, et de laquelle le peuple indien n'a pas cessé de prendre une conscience de plus en plus forte.

JACQUES DUPUIS

Chercheur. Auteur de plusieurs ouvrages sur l'Inde dont *L'Inde et ses Populations*, aux éditions Complexe.

LE KERALA :

CONSCIENCE SOCIALE

DE L'INDE

En mars 1957 le nom inconnu de « Kerala » fait la une des journaux du monde entier. Pour la première fois au monde un gouvernement communiste démocratiquement élu prend le pouvoir. De Washington à Paris, les politologues cherchent sur la carte cet État « rouge » de l'Inde. Leur ignorance est excusable puisque le Kerala, étroite bande de terre de la côte sud-ouest de l'Inde, n'avait été créé qu'un an auparavant. Le parti communiste indien (CPI) obtient 38 % des suffrages et en une nuit le Kerala s'identifia avec la nouvelle stratégie de « transition pacifique » et de « voie parlementaire » vers le socialisme. Depuis cet événement considérable, les Malayalis, habitants du Kerala, ont ajouté aux trois plus grandes confessions de l'Inde, l'hindouisme, l'islam et le christianisme, une quatrième : le communisme.

La première expérience fut brève. En effet, parce qu'il attaqua de front les pesanteurs sociales, le gouvernement du Kerala suscita une opposition qui appela à l'aide le gouvernement central pour mettre fin à la « tyrannie » et à l'« anarchie ». Après vingt-huit mois de pouvoir, le gouvernement fut démis le 31 juillet 1959, l'assemblée dissoute, et une administration nommée par le gouvernement central mise en place. Si 1959 avait marqué la fin de l'expérience communiste au Kerala, on aurait pu l'invoquer — comme l'expérience Allende au Chili — pour démontrer que dans une société libérale la transition pacifique au socialisme est impossible. Mais les communistes ont été en poste pratiquement sans discontinuer de 1967 jusqu'à leur chute en 1981. Leur influence durable — unique en Inde si l'on excepte le Bengale — est un des aspects caractéristiques du Kerala que certains n'hésitent pas à qualifier de région eurocommuniste d'Asie. Il est par ailleurs prématuré de tirer des conclusions à long terme, vu les fluctuations de l'électorat, mais ils ont vu leur audience continuer à se réduire aux dernières élections en décembre 1984.

Il est certain en tout cas que cette région, la plus alphabétisée de l'Inde, a été jusqu'à maintenant un laboratoire d'expérimentations politiques et principalement de deux d'entre elles : les gouvernements communistes et les gouvernements de coalition.

Le Kerala est l'un des plus petits des 22 États de l'Inde, mais avec ses 25 millions d'habitants, il est plus peuplé que l'Allemagne de l'Est ou que Cuba, et sa langue, le malayalam, plus employée que le tchèque et le roumain. Créé en 1956 lors du redécoupage des États sur des bases linguistiques, il apparaît bien plus homogène que nombre d'autres États indiens où la coexistence de langues diverses constitue un véritable casse-tête.

Ici aussi bien sûr existent quantité de dialectes, mais le malayalam, parlé du Nord au Sud, cimente l'unité de l'État. Tout comme les influences aryennes sont évidentes parmi la population, la langue a été plus marquée par le sanscrit que ne l'ont été toutes les autres langues du Sud. Elle rassemble une telle variété de sons que les Malayalis s'enorgueillissent de pouvoir assimiler la plupart des sons de toutes les langues du monde !

UNE RÉGION À PART, TOURNÉE VERS LA MER

Si l'un des traits marquants de l'Inde est son incroyable diversité, celle du Kerala donne à proprement parler le tournis ! Singularité d'une région qui se distingue déjà par son isolement géographique, puisque coupée du reste du pays par les ghâts, montagnes dont les sommets atteignent 2 000 mètres. Fermés les deux seuls cols qui s'ouvrent au nord et au sud des ghâts, quels auraient alors été les rapports de cette région avec le reste de l'Inde ?

Par contre, sa longue côte permettant les contacts maritimes depuis des temps fort lointains explique la sensibilité du Kerala à l'étranger. Les échanges avec les Arabes et le monde européen en quête d'épices, de caoutchouc, et de bois ont bouleversé les structures sociales. Pratiquement tout ce que le monde compte de religions a laissé un jour ou l'autre des traces ici. Chaque événement majeur du monde chrétien a eu un écho au Kerala. Une importante communauté de chrétiens de rite syriaque, dont les origines remontent à saint Thomas, qui, dit-on, serait venu au Kerala, voisine avec des groupes de jacobites. Les Portugais, qui apportèrent jusqu'ici l'Inquisition, firent construire l'église où Vasco de Gama, qui découvrit la côte du Malabar, est enterré. Une église qui passa ensuite aux mains des anglicans, puis des Hollandais, et appartient aujourd'hui à une secte protestante. Du bouddhisme il ne reste que quelques traces ; par contre l'islam prit racine dans le nord du Kerala où, contrairement au nord de l'Inde, les musulmans n'arrivèrent pas comme conquérants, mais comme commerçants et pêcheurs. Des fameux juifs de Cochin, il ne reste qu'une quarantaine de familles, beaucoup ayant émigré vers Israël, mais cette communauté, elle aussi, fut importante. Enfin, c'est le pays de Shankara, qui approfondit au IXe siècle la philosophie védantique, établit des monastères et revitalisa l'hindouisme — 83 % des habitants de l'Inde sont hindous. Au Kerala, ils ne sont que 60 % et font de cet État, avec le Pendjab, le seul du pays dont deux cinquièmes de la population est non hindoue. Il est aussi un exemple de coexistence entre les trois confessions. Pas de ghettos ici, mais des échanges quotidiens, y compris même pour certains rites religieux. Les conflits meurtriers entre communautés, si fréquents dans le reste de l'Inde, y sont rares.

Mais c'est aussi en amplifiant certaines caractéristiques du monde indien que le Kerala se distingue : pas une caste plus conservatrice dans le pays que les brahmanes Namboodiri, la plus haute caste du Kerala qui reste à l'écart de l'appareil politique, à quelques exceptions près comme celle du théologien marxiste Namboodiripad. Les *nairs*, qui représentent la caste majoritaire et la plus dynamique, ont une influence croissante dans l'appareil administratif, surtout depuis le développement de centres modernes comme Travancore ou Cochin. Ils forment avec les *ezhavas*, de basse caste, le pivot du mouvement communiste. Les trois millions de syriaques représentent la plus importante des communautés chrétiennes et 16 % de la population du Kerala. Aussi traditionnels que les brahmanes, les catholiques, deuxième communauté chrétienne, pratiquent le rite en latin et reproduisent, malgré les protestations de principe, le système des castes. Ils ont toujours été de fervents supporters du parti du Congrès et de véhéments anticommunistes. Mais depuis une quinzaine d'années, l'Église a modéré sa position et un concordat implicite a été instauré entre elle et les deux partis communistes. La majorité des musulmans, connus ici sous le nom de *moplahs*, sont plus soudés politiquement qu'aucune des autres communautés, supportant dans leur grande majorité, depuis l'indépendance, les ligues musulmanes. Comme si la diversité des réseaux humains n'était que le reflet physique des couleurs de la région Malabar, l'environnement se doit lui aussi d'être particulier et multiple. Grâce au climat le plus équatorial de l'Inde, le paysage est magnifique : plaisir de contempler ces scènes riches d'un patchwork de cocotiers et de rizières enlacées le long des lagunes et des bras d'eau sillonnés de magnifiques pirogues qui glissent au milieu d'une végétation luxuriante. Coton, caoutchouc, toutes les épices, tous les fruits que l'on peut imaginer poussent ici. Et jusqu'à maintenant, le problème a été beaucoup plus de drainer l'eau que de l'apporter vers les champs.

DES PRÉVISIONS AMBITIEUSES DÉJÀ DÉPASSÉES

Comme l'ensemble de l'Inde, le Kerala est essentiellement rural, mais contrairement au reste du pays, l'habitat est dispersé. L'extension urbaine ne se fait pas seulement le long des axes routiers, mais aussi dans les campagnes. Le village est plus un concept administratif qu'une réalité physique. Seule peut-être la région musulmane du Sud-Malabar compte des zones d'habitation groupée, ce qui d'ailleurs, ajouté à l'attraction des lieux de rassemblement que sont les mosquées, contribue à l'emprise de la Ligue musulmane sur la population moplah.

Le haut pays, sec, boisé et relativement clément, est resté, lui, inhabité jusqu'au XIXe siècle. A cette époque, des entrepreneurs européens ont expérimenté des variétés de plantations. Des champs de caoutchouc et de thé recouvrent maintenant toutes les collines. Grâce aux chutes d'eau et à l'orientation des pentes, d'importantes installations, comme celle d'Idukki, ont été mises en place. Cet important potentiel en électricité bon marché n'empêche pas le Kerala d'être sous-industrialisé. Pour des raisons aussi bien liées à une polarisation sur l'activité forestière et agricole qu'à une peur de mouvements syndicaux dans une région très politisée. Depuis une dizaine d'années, cependant, manufactures et industries chimiques, principalement dans le secteur public, commencent à s'installer.

Malgré cette faible industrialisation et une énorme densité de population (600 hab./km²), le Kerala ne s'en tire pas si mal. Récemment l'Overseas Development Council de Washington a mis au point un nouveau système d'évaluation plus évocateur de la réalité que le PNB, en prenant en compte l'espérance de vie, la mortalité infantile et l'éducation. Selon ce calcul, des pays du tiers monde comme le Koweit ou le Gabon, connus pour leur PNB élevé, se retrouvèrent alors dépassés par la Corée du Sud, Cuba et... le Kerala, seul État indien concerné. Une étude de la Banque mondiale en 1979 met en lumière la nette amélioration des conditions de vie. Le gouvernement indien avait fixé à tous les États pour l'an 2000 des objectifs très ambitieux dans le domaine social, en particulier au niveau du contrôle des naissances, de la prévention sanitaire et de l'alphabétisation. Le Kerala a déjà dépassé toutes les prévisions !

C'est que dans ces domaines, il hérite d'une longue tradition. Le vaccin antivariolique fut importé au Kerala aussitôt qu'il fut connu ; dès le milieu du XIXᵉ siècle, un intense réseau d'écoles tenues par les missionnaires chrétiens couvrait tout le pays — y compris les zones rurales. Et cette dynamique ne s'est jamais démentie.

Aujourd'hui 39 % du budget de l'État sont consacrés à l'éducation gratuite et 16 % aux services de santé. Quant au contrôle des naissances, il a permis de stabiliser le taux de croissance de la population à 1 %, alors que le taux moyen de l'Inde est de 1,8 %. Le taux d'alphabétisation est deux fois plus élevé que la moyenne nationale. Et dans cet État où, contrairement au reste du pays, il y a plus de femmes que d'hommes, le taux d'alphabétisation féminin est exceptionnel ; les officiels du Kerala ont foi en cette maxime : « Éduquer une femme, c'est éduquer une famille entière. »

Théoriquement tous les enfants malayalis dépassent l'école primaire. Ce qui distingue le système scolaire, ce n'est pas tant sa grande capacité d'accueil que son faible taux d'échecs. Autre originalité, le système éducatif du très communiste Kerala est, plus que tout autre en Asie, aux mains d'écoles privées. Il est en effet pour près des deux tiers constitué d'écoles issues des diverses confessions. L'État reste cependant le plus important employeur grâce surtout aux industries du secteur public.

LA POLITIQUE EST LE SPORT NATIONAL DES MALAYALIS

Cette imbrication de l'État, des religions, de la vie sociale et de la politique se retrouve à tous les niveaux, presse, littérature et bien sûr dans la prolifique industrie cinématographique malayalie, contribuant ainsi à la formation d'une forte conscience régionale. Les Malayalis se passionnent pour tout ce qui se passe dans leur pays. Mille fois plus qu'ailleurs en Inde, la presse ici est dévorée, et l'assertion comme quoi le porteur ou le laitier ne se saisira pas de votre bagage ou ne vous livrera pas votre lait avant d'avoir lu leur quotidien est à peine exagérée.

Cette cohésion qui est le trait marquant du Kerala risque cependant d'être entamée par un nouveau phénomène. Actuellement, des milliers de Malayalis travaillent dans les pays du Golfe. En envoyant chaque jour deux millions de dollars, ils contribuent certes au développement économique, d'autant plus rapide que la population est mobilisée et dynamique. Mais les multitudes de travailleurs qualifiés ou semi-qualifiés qui ont émigré vers le Golfe ont entraîné une série de bouleversements dans le système social. Villages où ne restent que des femmes attendant leur mari, déséquilibre entre ceux ayant acquis une rapide fortune à coups de pétro-dollars et ceux qui n'ont pu se rendre dans les émirats. Rares sont désormais les villages qui ne sont pas concernés par l'argent du Golfe et où il n'y ait ni frigo, voitures, vidéos, ni alliances qu'il ne soit permis d'acheter. C'est grâce à cet argent aussi que des maisons ostentatoires poussent comme des champignons, transfigurant la campagne luxuriante et les villages.

L'incapacité du gouvernement du Kerala à canaliser cette afflux de fonds au profit de l'appareil producteur révèle de sérieuses lacunes dans la planification. C'est que les responsables sont plus occupés à dénoncer la nonchalance de New Delhi à leur égard, que ce soit au niveau des subventions, de la prise en charge du déficit alimentaire, etc. Ils ont en effet de quoi être mécontents : le Kerala contribue pour dix pour cent au commerce extérieur de l'Inde grâce à sa production de caoutchouc, de thé, de café et de cardamome.

N'importe quel politicien du Kerala vous le dira : « Si New Delhi n'était pas aussi loin ou si Bangalore avait été la capitale, les Malayalis auraient gouverné ce pays. » Si transparaît ici un chauvinisme manifeste, l'allusion est claire cependant. La politique est le sport national des Malayalis et, s'ils n'étaient pas aussi éloignés de Delhi, ils prendraient une place importante dans la politique de l'Inde. Il est vrai d'ailleurs que des nombreuses expériences politiques menées au Kerala, certaines ont été reprises au niveau national.

Après tout, si le Pendjab est le cœur agricole de l'Inde, le Maharashtra avec son industrie, sa force musculaire, le Kerala est bien la conscience sociale du pays. *(Traduit de l'anglais par Denys Cruse.)*

——— *RAMESH CHANDRAN* ———
Correspondant en Europe du magazine *India Today*.

MALGRÉ

TOUS LES DIEUX...

Notre labeur se fait sueur. Souffle, souffle
Notre mère Nerbudda est bonne, nous le savons.

Oh, toute petite maina *qui siège là-haut*
Va, porte ce message à mon amour.

Les fourmis rouges grimpent le long du manguier.
La fille suit la voie par sa mère tracée.

Je ne peux même pas lui offrir citron-lime ou tabac
Je suis pauvre — comment pourrais-je jamais mon amour déclarer ?

Dans la Nerbudda inondée le bateau renversé
La femme du pêcheur pleure son mari noyé

L'amour d'un étranger c'est comme voir un rêve
Oublie-le amour, tien il ne peut être.

C'est maintenant minuit passé, ô maître maharajah,
Les pauvres travailleurs ont peiné, laisse-les s'en aller.

Le goût de la feuille de bétel que l'on mâchonne est doux
Comme des yeux charmeurs sont d'un cœur le trésor.

Les rivières soudain dans les bois sont gonflées de pluie.
Tu peux te cacher, mais un jour tu réapparaîtras.

Des arbres, sur les collines, tombent les fleurs mahua
Laisse ton habit, ainsi saurai-je que tu es revenu pour moi.

> Chant traditionnel des paysannes,
> des tribus au travail.
> Chaque couplet porte sur un thème.

L'entrée — malheureuse ? — des tribus de la région de Chattis-garh dans l'Histoire date sans doute de 1958, année où le gouverne-ment, avec la collaboration des Soviétiques, installa à Bhilai un com-plexe sidérurgique. Dès lors, la région des tribus devenait un terrain favorable à la formation de différents partis politiques, mais aussi un champ de bataille, les Chattisgarhis opposant une résistance farouche à l'exploitation croissante et au déplacement de leurs occupations traditionnelles. L'histoire des mines de Dalli-Rajahara est un exemple vivant de la manière dont l'industrialisation en marche entraîne dans sa spirale les populations tribales de la région. L'ensemble du bassin minier est d'une importance capitale car il fournit la plus grande partie du minerai de fer, de la dolomie et de la quartzite nécessaires aux « mines captives » du Bhilai, et constitue des réserves sûres pour les aciéries en expansion.

La structure même de l'organisation de la main-d'œuvre (Mines Labour Deployment) est source d'inégalités et d'injustices pour les tribus. La section mécanisée des mines dépend du district et on a assigné la direction de la section non mécanisée à des entreprises privées qui pratiquent des salaires très bas, sans scrupules quant aux conditions de travail et d'emploi des populations tribales.

Les conséquences du « progrès » ne sont pas moins désastreuses pour ceux qui ont échappé à l'enfer des mines. En effet les tribus de l'est du Madya Pradesh (Chattisgarh signifie « trente-six hameaux ») vivaient depuis longtemps de l'exploitation de la terre et de la forêt. Elles en tiraient leur nourriture, des petites quantités de graines oléagineuses, des fruits, du bois qu'elles vendaient sur les marchés locaux à des prix très bas.

LES NOIX D'AREC BRISÉES JONCHENT LA FORÊT

Or, des sociétés d'exploitation, avec l'accord des responsables officiels du patrimoine forestier, menèrent une politique de déforestation massive. Elles procédèrent à l'abattage systématique des arbres, puis au remplacement du sal, aux emplois multiples, par le teck ; ce qui ruina l'économie tribale, mettant la population à la merci des usuriers, commerçants et autres patrons privés. Les chiffres sont significatifs : contre cinq arbres coupés par la population tribale, les entrepreneurs de l'État en firent abattre cinquante, et ce au nom de « la protection des forêts ».

Un autre plan de « développement » a été mis en œuvre de façon tout aussi brutale : c'est l'installation de complexes hydro-électriques. Des terres ont été submergées et avec elles ont disparu les lieux de culte des tribus, leurs sources d'identité et une manière « d'être ». Aujourd'hui, beaucoup de ceux qui ont perdu leur terre sont devenus alcooliques, proies faciles de tous les vendeurs d'alcools qui prolifèrent.

Bien que cette région comprenne plus de 10 millions d'habitants, le réseau de communications ferroviaire et routier demeure très peu développé. Ce district, considéré comme « arriéré » par la Commission du Plan, comprend environ vingt-cinq tribus, les plus importantes étant les Pardhans, les Nagesias, les Korwas et les Kodakus.

Un chant très connu se fait l'écho amer de leurs vies brisées à jamais.

Les noix d'arec brisées jonchent la forêt.
Quand le malheur s'abat sur toi, personne ne t'aidera
Deux cœurs qui sont séparés ne peuvent être réunis
De même que la noix d'arec brisée l'est à jamais.

Peut-être naïvement à la recherche d'un paysage vierge qui n'aurait pas été affecté par la politique et les plans gouvernementaux, j'arrivai au village de Ratanpur, situé à 25 kilomètres au nord de Bilaspur Tahsil, principale ville du district. Pour des yeux non avertis, Ratanpur demeure encore, en 1984, relativement peu touché par les bouleversements qui marquent tant la vie d'autres régions du Chattisgarh. Le *bal-brisha* et le *pipal*, ces arbres tenus pour sacrés dans ce centre *kshetra* (lieu de pèlerinage), se dressent au milieu du paysage, inaltérables à travers les âges, témoins du passage du jaïnisme, du bouddhisme et de l'hindouisme. Ici les lieux de culte s'organisent autour d'un ensemble d'autels et de bassins sacrés, de citernes et d'*ashrams*.

La foule des pèlerins se mélange aux indigènes autour du temple Brideshwarnath, centre religieux voué au culte de Shiva, Rama-Panchaya et Hanuman. Ces divinités sont symboliquement représentées par des images, des idoles, des arbres, des pierres et des gravures. Dans l'iconographie religieuse tribale, on représente Shiva par une image anthropomorphique, le lingam et des cristaux de pierre. Les déesses sont également montrées sous forme de morceaux de pierre.

LE PARFUM DES FLEURS N'ENGRAISSE PERSONNE

Un devin, nommé localement *dewar*, assis devant le temple Mahamaya (1552), me raconte l'histoire de ces centaines de chèvres qui sont encore sacrifiées dans ce temple au moment du Maghimela (au mois de février) et du Navarathra — pratiques que l'on ne rencontre que chez les populations tribales.

Comme il se lance dans un long discours sur ces pouvoirs prophétiques, mon attention est attirée par un groupe de femmes nagesias se reposant près d'un bassin et bavardant en dialecte sadri. Les femmes nagesias ont la particularité de ne pas avoir de marques de tatouage sur le visage ni sur les bras. Elles ne portent pas de bracelets de verre.

Le soleil de midi fait luire le *tarka* (feuille de palmier enroulée) qu'elle porte aux lobes de l'oreille. Les tarkas sont toujours de couleur blanche. Leurs conversations tournent autour du *yatra*, marché situé à Samri Tahsil, dans le district de Sarjuja, qui a lieu le jour du Panchami (fête de la lune à son décours, au mois de Kartik du calendrier hindou). La poudre brillante de carmin ou de vermillon sur leur front, le chant qu'elles commencent à fredonner recréent cette mélancolie propre aux pèlerinages. Pour elles c'est un pèlerinage pour la survie.

A quoi bon se parer de santal
Alors que l'on a faim ?
Le parfum des fleurs n'engraisse personne
La mélodie des chants élève l'esprit
Mais quand on a faim, ils demeurent vides et vains

Je leur demande comment s'appelle ce chant. Elles me répondent en riant : « On ne vit pas du chant seulement. » Comme je m'éloigne pour manger du *bakhri* (sorte de galette de blé), je prends conscience des deux moments qui s'unissent et pourtant survivent côte à côte dans ce centre religieux. D'un côté, il y a les temples, anciens et nobles artefacts du mythe et de la foi, vivante expression de l'esthétique d'une histoire et, d'un autre côté, l'implacable nécessité de survivre dans un monde régi par l'argent et l'échange.

NARAYANADEO, PROTÈGE NOS FAMILLES DE LA MALADIE ET DU MALHEUR

J'avais entendu parler des tribus pardhanes, descendants des bardes et chroniqueurs des Gonds. Ainsi j'allai plus à l'ouest, vers le district de Mandlya. Aux alentours de presque tous les villages pardhanes je rencontrai le même autel, communément appelé *thakurdeo*, érigé sous un arbre en l'honneur des dieux et des déesses du village.

Tout en me menant vers sa petite hutte en chaume, un vieux paysan pardhane m'explique que le thakurdeo est supposé écarter maladies et malheurs du village et contribuer à la prospérité lors de la récolte annuelle. Il me raconte le manque d'eau dans les puits et les sécheresses qui sévissent depuis trois ans.

Sur le seuil de la maison, je remarque un autre autel, situé à gauche de l'entrée, sur une plate-forme légèrement surélevée. « C'est Narayanadeo. Il protège nos familles de la maladie et du malheur. A droite, vous pouvez voir Kalimata. Elle nous préserve des mauvais esprits. » C'est comme si tous les moments de la vie exigeaient un protecteur. Dans la cuisine, la mère de famille me présente Marchikmata, déesse qui protège les femmes pardhanes du feu et des mauvais esprits lorsqu'elles préparent la nourriture.

Ce n'est pas tout. Juste au-dessous de l'endroit où l'on garde le grain, dans la cuisine, la vieille femme me montre l'endroit réservé à Ratmaï qui préserve la maison de la famine et du vol.

De même qu'un ensemble de légendes revit sans cesse au travers des gestes quotidiens de la vie des Pardhans, il existe également un système très élaboré de rituels liés à leurs activités agricoles. Quand la terre est aplanie, quand les semences sont mises en terre, quand l'on attend la pluie, au début de la moisson, toutes ces maisons possèdent leur rituel que les Pardhans observent comme s'ils voulaient conjurer le monde extérieur, le monde naturel et spirituel, pour qu'il soit bienveillant envers le monde réel où ils vivent.

Depuis la chute du royaume centralisé Gond, qui dirigeait les tribus bardes pardhanes (aux environs du XIVᵉ siècle), les Pardhans expliquent que leurs malheurs sont dus à la colère des dieux.

VOILÀ TA PART,
PROTECTEUR DE CE CHAMP

Lors de la promulgation des nouvelles lois régissant l'exploitation des richesses naturelles, le droit coutumier du peuple tribal sur les jungles ne fut pas reconnu, ainsi durent-ils abandonner la pratique de la culture nomade à grande échelle. Certains Pardhans s'adaptèrent à l'agriculture sédentaire et ils survécurent, mais les autres devinrent des salariés. Ils portent en eux l'histoire de la première malédiction, la notion d'une fatalité qui ne peut les mener qu'aux limites du désespoir et de l'angoisse. Ils se sentent pris dans le cercle vicieux de la désintégration.

Quand dans son village, le paysan pardhan était confronté à la sécheresse, il pouvait prier et avoir recours à la déesse Panghat Ka Pahiharin, qui est supposée fournir les villages en eau propre. Mais au fond des mines, ou dans les centrales hydro-électriques, Pardhans, Nagesias, et Kodakus ne peuvent émouvoir aucun dieu, même si ce n'est que comme sublimation thérapeutique de leur désespoir. Ils vivent le temps du développement ininterrompu du capitalisme et celui des luttes syndicales acharnées pour des augmentations de salaires de 3 roupies.

Niyogi, un militant syndical brillant et le CMSS (Chattisgarh Mines Sramik Sangh) ont combattu avec acharnement pour que soient construites des écoles, pour que les toits de boue et de chaume soient recouverts de tuiles plus solides, pour la sécurité dans les mines, et pour que soient accordées des aides avant la mousson, des allocations-maladies, des primes, et des salaires corrects. Mais la misère gagne sur chacun des petits avantages obtenus, les tribus payent cher leur intégration. Leur manière de vivre détruite, ils ne trouvent dans aucun mouvement l'espoir d'une vie nouvelle.

Au début de la moisson le cultivateur gond cueille un épi de blé, il le jette le plus loin possible dans le champ de blé mûr et dit :

Voilà ta part, protecteur de ce champ
Prends-la et laisse-moi seul.

(Traduit de l'anglais par Marie-Hélène Richez)

VIJAY SINGH ET
SHOBA RAGHURAM

BOMBAY :

GRANDEURS ET MISÈRES

Bombay exerce un magnétisme irrésistible sur des millions d'Indiens pauvres qui déferlent par vagues sur la ville, à la recherche de travail, d'argent, en quête de la vie elle-même, fuyant l'écrasante misère, l'immobilisme des campagnes du cœur de l'Inde rurale.

La population de la ville ne cesse de s'accroître : 4,1 millions en 1961 ; 5,9 millions en 1971, 8,2 millions au recensement de 1981. Elle est maintenant estimée à 9 millions.

Bombay figure parmi les villes les plus congestionnées du monde, avec une densité quatre fois supérieure à celle de New York, soit environ 100 000 habitants au kilomètre carré. Cet afflux massif a précipité la ville au bord de la catastrophe. Y acheter une maison est devenu pratiquement impossible ; les routes, les trains sont saturés. L'eau, les espaces verts, les parcs et l'air pur se raréfient de jour en jour ; les immondices s'accumulent.

CITY
OF GOLD

Comme Londres, Paris, ou New York, Bombay est plus qu'une mosaïque formée de divers groupes sociaux. C'est un territoire où coexistent et s'ignorent de multiples communautés avec leur propre organisation sociale et leurs propres réseaux. Depuis toujours, elle a attiré des gens de toutes races et de toutes langues, des Indiens, des Européens, ou des Orientaux du Moyen-Orient, si bien qu'il n'y existe aujourd'hui aucune langue commune à tous. A une époque, la plus grande cité à l'est, de Suez jusqu'à Tokyo, et la plus grande ville de l'Empire britannique après Londres, Bombay a toujours manqué être une capitale mondiale. Aujourd'hui, elle est — comme toutes les villes indiennes aux yeux des Occidentaux — délabrée, désorganisée, et nécessite visiblement très rapidement une véritable politique sociale. Même si Gillian Tindal, auteur de *City of Gold*, en a une vision différente : « Comparée à Bombay, écrit-il, les plus illustres capitales occidentales ressemblent à de petites villes avec des prétentions de grandeur ; tournées sur elles-mêmes, provinciales, fossilisées dans une époque ou un rôle déterminé ; d'autres encore semblent avoir laissé derrière elles leur ère de gloire et ont perdu leur *raison d'être* ; elles sont comme de vieux arbres creux à l'intérieur. Bombay, par contre, vit. »

Écoutez la réaction d'un homme d'affaires du Pendjab et vous comprendrez pourquoi tant de ses compatriotes considèrent Bombay comme la « Cité dorée ». « A Bombay, dit-il, on sent toujours l'odeur de l'argent dans les rues. » C'est que capitale du Maharashtra et principale ville de l'Inde occidentale, Bombay est essentiellement depuis toujours un lieu d'échanges commerciaux et un centre financier. Aujourd'hui encore, aucune autre ville indienne n'a atteint ce degré d'influence dans les domaines financier et industriel. Le grand Bombay paie un tiers des impôts sur le revenu du pays, 20 % des contributions indirectes dues au gouvernement central, 60 % des droits de douane. Et bien qu'il ne représente que 4 % de la population de l'Inde, il fournit 10 % des emplois dans l'industrie. Ses filatures ont donné naissance au plus grand marché de textile du monde. Plus de 40 % du commerce maritime du pays passent par le port de Bombay, qui possède également des chantiers de réparation navale parmi les plus actifs du monde. Le chiffre d'affaires global de la ville est énorme, 250 milliards de roupies répartis entre un million et demi d'industriels et de commerçants.

Bombay abrite aussi le centre de la gigantesque industrie cinématographique indienne. C'est le Hollywood de l'Orient, unique, extraordinaire, peuplé de stars encore plus légendaires que les vedettes californiennes des années 30 et 40. Et pour le simple ouvrier des filatures, le marchand de fruits et légumes, le vendeur de cacahouètes, le vendeur ambulant, il est presque rassurant de savoir que l'on habite aux côtés de mortels si illustres.

Bombay est donc une ville vouée au culte de la richesse. Elle continue d'attirer producteurs de cinéma, artistes, musiciens, architectes, mais aussi mafias en tout genre et toujours, bien sûr, la cohorte de ceux qui viennent chercher ici un dernier espoir de survie.

AU BORD
DE LA FAILLITE

Celui qui voit Bombay pour la première fois est avant tout frappé par cet aspect négatif de la ville. Les gratte-ciel les plus luxueux et les plus rutilants côtoient des milliers de baraquements, d'affreuses cabanes en tôle ondulée, dans lesquelles des familles entières mènent une vie misérable. En tout, plus de la moitié de la population de Bombay vit sur les trottoirs, s'entasse dans des pièces de trois mètres carrés, dans des logements officiellement classés comme insalubres ou encore dans d'anciennes maisons de rapport appelés *chawls*. Sita Pawar est née sur les trottoirs de Bombay. Elle a maintenant vingt ans et vit dans un bidonville : « Je ne veux pas vivre ici pour le restant de mes jours, dit-elle, après tout ce n'est qu'une rue. Mais si je retourne au village avec mon mari, nous ne trouverons pas de travail. Ici au moins quand les choses vont mal on peut toujours mendier. »

Officiellement, on a recensé 570 bidonvilles disséminés dans toute la ville, dont Dharavi, le plus grand bidonville de toute l'Asie, dit-on ; plus d'un demi-million de personnes y vivent. Pour les pauvres, la vie à Bombay est une lutte perpétuelle dont l'issue est chaque fois plus incertaine. Alors que la ville, qui joue de plus en plus le rôle de centre nerveux financier de l'Inde, attire des vagues successives de chercheurs d'emploi, les services publics sont complètement débordés, au bord de la faillite. Les divers comités et organisations « Pour sauver Bombay » ont établi une liste des points qui leur paraissent les plus alarmants :

— *Le prix du terrain* qui dans certains quartiers s'est multiplié par 20, en vingt ans. Un appartement de luxe avec vue sur la mer y coûte aux alentours de 8 000 000 roupies. La moitié du paiement étant effectué en « argent noir ». Dans le sud de Bombay, qui prend de plus en plus des allures de Manhattan, on trouve des propriétés (terres souvent gagnées sur la mer) les plus chères de toute l'Asie du Sud. Cette spéculation sur le terrain rend d'autant plus difficile la construction de logements pour la petite bourgeoisie et à plus forte raison celle de logements sociaux, favorisant ainsi la prolifération des bidonvilles.

— *L'approvisionnement en eau* est tellement difficile que dans certains bidonvilles non autorisés, la disponibilité en eau par habitant n'est que de 23 litres, alors que le minimum recommandé par l'ONU est de 180 litres par jour.

— *Les espaces verts* à Bombay sont de 10 à 14 ares pour 1 000 alors que, selon les normes internationales, ils devraient être de 160 ares pour 1 000 habitants.

— *Les transports* également se révèlent nettement insuffisants. Les réseaux ferroviaires Central et Ouest transportaient chacun 150 millions de passagers en 1951. En 1983, 750 millions de banlieusards ont utilisé ces lignes. Les trains qui desservent le sud de Bombay, conçus pour 1 700 personnes, en transportent 3 400 à 5 000 par jour.

— *Les lignes téléphoniques* sont incroyablement surchargées. Pendant les moussons, beaucoup sont hors d'usage et il faut parfois plusieurs jours pour obtenir une communication avec Puna, une ville voisine.

— *Les maladies* transmises par l'eau, en raison d'un système d'égouts déficient augmentent de façon alarmante. La jaunisse est une maladie à l'état endémique à Bombay. Elle affecte une grande partie de la population et, de longue date, la plupart des habitants ne boivent pas l'eau du robinet. Faire bouillir et filtrer l'eau avant de la boire est devenu une routine. L'énorme population de rats et de chiens ne fait qu'aggraver la situation et contribue à répandre les maladies chroniques dont la ville est la proie. Le manque de lits d'hôpitaux apparaît d'autant plus crucial. Il y en a à peine 25 000.

Si, à une époque, il n'y avait pas de problèmes d'énergie ni d'électricité, depuis 1979, on a demandé aux usagers de réduire leur consommation de 5 à 6 % sous peine, au cas où ils n'observeraient pas cette consigne, de leur couper le courant.

LE SPECTRE
DE CALCUTTA

Les multiples problèmes auxquels la ville a dû faire face ces dernières années ont changé, voire même défiguré l'image irréprochable, à la fois libérale et paisible de cette ville pourtant foncièrement cosmopolite. Trois événements particulièrement marquants témoignent d'une dislocation dangereuse de la vie sociale : la rébellion des agents de police en 1982 qui a fait dix morts et des centaines de blessés ; la longue grève du textile qui a prouvé par ailleurs la montée du militantisme au sein de la classe ouvrière de Bombay ; enfin tout récemment les affrontements opposant hindous et musulmans qui ont fait des centaines de morts et ont laissé Bombay dans l'effarement le plus complet.

C'est le contraste grandissant entre la richesse et la misère qui confère à Bombay son caractère explosif. Nombreux sont ceux qui voient dans « ces explosions de violence spontanées » les symptômes d'une ville mortellement atteinte. Dans son aspect même est trop inscrite la disparité entre les divers niveaux de vie. Un architecte connu observe que « socialement, les gens pratiquent de plus en plus la politique de l'autruche. Ils ignorent délibérément la détérioration de leur environnement ».

Tout aussi sérieux est l'avertissement que lance Murli Deora, l'ancien maire de la ville : « Le spectre de Calcutta, exemple vivant d'une ville qui agonise, hante Bombay menacée de prendre la même voie. »

Ces avertissements ont été entendus à Bombay. Il a donc été décidé de construire New Bombay (appelé auparavant, mal à propos d'ailleurs, la ville jumelle). New Bombay est construite sur le continent, à Vashi. Par rapport à l'île de Bombay elle a une situation comparable à celle de New Jersey par rapport à Manhattan. Divers plans ont fait l'objet de discussions, dont l'un plus particulièrement, qui propose la construction de ponts jetés par-dessus le port de Bombay afin d'encourager les membres de l'administration à abandonner leurs immeubles de style gothique XIXᵉ siècle pour venir s'installer dans les nouveaux gratte-ciel en verre et acier qui s'élèvent à New Bombay. A l'origine, New Bombay devait accueillir 1 million de personnes en 1983 et 2 millions en 1991, ce qui aurait permis de décongestionner les quartiers sud de la ville. Or, pour le moment, 100 000 personnes seulement y ont emménagé et l'infrastructure du quartier, tout comme les transports et le téléphone, est encore en cours d'installation.

Les planificateurs de la nouvelle ville en sont donc toujours à se demander comment canaliser l'incontrôlable mouvement de masse qui menace dangereusement l'axe nord-sud. La tâche qui les attend est gigantesque. En effet, la ville est construite sur sept îles marécageuses, ce qui lui donne cette configuration géographique originale de ville-île mais en limite l'extension. Bombay ne peut donc pas s'étendre vers l'ouest, ni vers l'est ni vers le sud, si bien qu'elle s'étale sur des kilomètres vers le nord. Elle gagne sans cesse du terrain, engouffre villages et villes satellites, faire reculer les palme-raies, étouffe ces bungalows autrefois si plaisants sous la fumée de ses usines chimiques, et envahit de bidonvilles les criques du bord de mer.

En dehors des projets actuels concernant la construction de New Bombay, les planificateurs, les écologistes et les politiciens avancent un certain nombre de propositions pour « sauver Bombay ».

L'un des projets, parmi les plus controversés, préconise l'instau-ration d'un permis de travail pour les nouveaux arrivants. Une pro-position très critiquée car, selon certains, Bombay trouverait là « une autre mort » en se coupant encore plus complètement du reste de l'Inde. Toujours est-il que de nombreux jeunes scientifiques indiens, des technocrates et des chefs d'entreprise sont déjà peu enclins à risquer leur emploi pour venir à Bombay, à moins que le logement ne leur soit garanti.

LA LONDRES INDIENNE

Le visiteur européen est généralement frappé par la ressem-blance entre Bombay et Londres, due en particulier aux nombreux monuments néogothiques et aux bus rouges à impériale. Comme le fait remarquer Nirad Chaudhuri, un commentateur indien actuellement en résidence à Londres : « Ce n'est qu'après avoir vu Londres que j'ai enfin compris que ces deux villes étaient d'une même lignée. Bombay est l'héritière de Londres, tandis que les vil-les du nord de l'Inde sont avant tout influencées par les villes isla-miques et préislamiques du Moyen-Orient. Londres est l'archétype de la ville de notre époque, née d'un gouvernement moderne, d'une bureaucratie, d'un empire mondial, avec la participation du monde financier, du commerce et de l'industrie internationale. C'est la méga-lopole mère de notre ère. »

Bombay a toujours ses inconditionnels, ses amoureux, malgré les fréquentes critiques dont la politique de son gouvernement fait l'objet. Ainsi, B.S. Desai, un commerçant du Gujerati, depuis long-temps installé à Bombay, déclare : « J'aime cette ville, avec ses odeurs, sa foule et sa cohorte de problèmes. Elle continue à fonc-tionner et d'ailleurs aucune autre ville ne possède son originalité. » Et certes, Bombay est unique au monde et son charme est indéniable.

Aujourd'hui, malgré cette pauvreté dont on parle tant, l'Inde est l'une des nations les plus industrialisées du monde, et l'axe Bombay-Puna forme le complexe industriel le plus important de tout le con-tinent sud-asiatique[1] ! Il n'en demeure pas moins, comme l'écrit G. Tindall, « qu'il existe une contradiction inhérente à Bombay, un paradoxe qui ne réside pas tant dans le contraste entre richesse et misère, mais dans le curieux amalgame entre influences orientales et occidentales ».

Un observateur faisait remarquer que le paysan qui arrivait à Leeds ou Londres avait, en l'espace d'une génération, complètement oublié ses origines rurales et formait le nouveau prolétariat des villes. Il n'en est pas de même pour son équivalent à Bombay où l'ouvrier et le docker continuent à penser à leur village natal et même à y revenir en visites. Néanmoins, si, désespéré, il quitte Bombay et rentre au village, inévitablement il échouera de nouveau à Bombay, car il n'y a pas de travail pour lui dans la campagne indienne.

Mais Bombay ne peut plus assumer. Et si les mesures ne sont pas prises pour résoudre les problèmes de logement, d'hygiène, si l'on ne crée pas les services publics adéquats, l'ancien « Joyau du Raj » risque de sombrer à tout jamais. *(Traduit de l'anglais par Marie-Hélène Richez.)*

———— *RAMESH CHANDRAN* ————

1. **Près de 200 km ininterrompus d'usines et d'industries.**

La ville s'anime plus tard
que la campagne.
Les boutiques ouvrent vers dix heures.
Il faut souvent marcher longtemps
pour arriver au travail.

Les jours de fête, un prêtre
ou un musicien vient à la maison
célébrer la puja devant l'autel domestique.

Et puis on descend au ghat,
en rickshaw *pour ne pas se salir.*
Les rues sont souvent sales,
poussiéreuses ou inondées.

« Om, je me prosterne
devant le Gange qui prend toutes
les formes. » On murmure ainsi au bord
du fleuve ou de la mare.

On boit de l'eau dans sa main droite,
on salue le soleil et les points cardinaux,
on s'immerge trois fois.
On en ressort régénéré.

Jusqu'à sept ans,
l'enfant est considéré comme un dieu ;
de sept à quatorze, comme un animal...
et puis comme un homme.

Certaines constructions créent
une atmosphère propice au culte.
Mais l'Univers entier est un temple.
On prie où l'on veut !

LA TRÈS ACTIVE DIASPORA DES SIKHS LONDONIENS

LES SIKHS ONT SUBI DEPUIS LONGTEMPS ET JUSQU'À CES DERNIERS TEMPS DES PERSÉCUTIONS. ON NE DOIT PAS OUBLIER POUR AUTANT QUE CETTE COMMUNAUTÉ EST TRÈS RICHE ET PUISSANTE EN INDE MÊME ET QU'ELLE CONSTITUE UNE GRANDE DIASPORA (PLUSIEURS MILLIONS), ÉTABLIE PRINCIPALEMENT AUX ÉTATS-UNIS, CANADA ET ROYAUME-UNI.

La diaspora sikh a établi en Grande-Bretagne sa plus forte communauté. Les sikhs sont arrivés pour la première fois sur le sol britannique en 1897, soit près de soixante-dix ans avant les premiers hindous. Premiers représentants du sous-continent indien en Grande-Bretagne, ils sont aujourd'hui moins nombreux que les hindous et les musulmans. Mais ils sont les seuls à avoir pu s'intégrer dans quasiment toutes les couches socioprofessionnelles de la société britannique. Ils sont notamment présents dans l'administration, l'armée, la justice, la police, les professions libérales, l'enseignement y compris universitaire, le commerce et l'industrie. Quelque 400 000 sikhs résident au Royaume-Uni, principalement dans les Midlands, autour de Birmingham (centre de l'Angleterre) et dans la région londonienne. Mais la plus forte concentration se trouve à Southall, dans la périphérie ouest de la capitale britannique, où environ 30 000 sikhs se sont installés, les premiers au début des années 50.

LE PLUS GRAND TEMPLE D'OCCIDENT EST UNE ANCIENNE LAITERIE

A première vue, le décor est celui d'une banlieue anglaise classique : maisons basses alignées aux briques noircies, vastes étendues de gazon réservées au football, au cricket ou simplement à la promenade, auto-bus à impériale rouge dans les rues, *bobbies* aux carrefours... Mais, dans les rues, à l'intérieur des maisons, des magasins, des bureaux et des lieux publics, hommes enturbannés et femmes en sari dominent. Bien qu'ils ne soient pas les plus nombreux — il y a aussi 35 000 Britanniques d'origine européenne et 10 000 hindous et musulmans — les sikhs ont pris en mains les affaires du quartier. Ils y occupent la majorité des emplois dans les commerces, les banques, les administrations. Ils sont médecins, notaires, avocats. Ceux qui n'ont pas la chance d'avoir un travail dans le quartier vont à Heathrow, le principal aéroport de Londres, situé à deux kilomètres de là, où ils occupent des emplois divers, y compris ceux de manutentionnaires.

Les sikhs de Southall ont leurs journaux, leurs agences immobilières et, bien sûr, leurs lieux de culte : trois temples, parmi lesquels le Siri Guru Singh Sabha, « le plus grand non seulement de Grande-Bretagne mais aussi du monde occidental », selon son secrétaire général Beant Singh. (Il y a cent trente temples sikhs dans tout le Royaume-Uni, dont dix-sept à Londres et quinze à Birmingham.)

Le Siri Guru Singh Sabha, situé dans Havelock Road, n'a rien de comparable avec le Temple d'or d'Amritsar : c'est une ancienne laiterie achetée en 1967 pour trois fois rien... A l'intérieur, quelques dorures, notamment autour de l'autel où repose le livre saint, tentent de lui donner un lustre très artificiel. Son prestige tient au fait qu'il accueille 2 000 personnes par semaine et qu'il est le seul temple sikh de Grande-Bretagne et d'Occident à être ouvert vingt-quatre heures sur vingt-quatre. Lorsqu'il n'y a pas de prières, hommes, femmes et enfants viennent y manger. La nourriture est gratuite. Mais cet édifice grisâtre et peu confortable va bientôt être remplacé par un autre, bien plus beau, qui doit être inauguré le 14 avril prochain, jour anniversaire de la communauté sikh. Situé dans Park Avenue, à quelques centaines de mètres d'Havelock Road, construit pierre par pierre par des sikhs, comme le Temple d'or, il a coûté 1,3 million de livres (près de 15 millions de francs français). Avec un temple digne de ce nom les sikhs vont enfin disposer d'un monument représentatif de leur importance en Grande-Bretagne.

LES JUGES À TURBAN SONT DISPENSÉS DE LA PERRUQUE

Parmi les sikhs de Southall, un grand nombre viennent des zones rurales du Pendjab. Les plus âgés maîtrisent mal l'anglais. Mais les jeunes obtiennent des résultats scolaires encourageants. « Sur les 1 200 élèves sikhs de notre établissement, 20 sont entrés l'an passé à l'université et, parmi eux, 5 ont entrepris des études de médecine », indique M. Wilson, l'adjoint du chef d'établissement d'un des trois collèges du quartier. « Nous ne faisons aucune concession sur le niveau des cours et nous sommes satisfaits de l'intérêt montré par nos élèves », ajoute-t-il, faisant preuve d'un degré de satisfaction rarement rencontré dans le corps enseignant en Grande-Bretagne comme ailleurs. « Les trois collè-

ges de Southall sont composés à 58, 75 et 95 % d'enfants d'origine indienne, dont une majorité de sikhs. De petits problèmes d'ordre racial entre enfants d'origine européenne ou indienne se posent parfois dans le collège qui possède la moins forte proportion d'Asiatiques, mais en général la cohabitation est satisfaisante », estime M. Wilson.

Les autorités scolaires britanniques, malgré leurs efforts, ne parviennent pas à proposer aux enfants de sikhs des cours de pendjabi, la langue de leurs parents. Il est en effet difficile de trouver des gens capables de l'enseigner selon les critères réclamés par le ministère de l'Éducation. Mais cet enseignement est de toute manière assuré par les familles, selon des méthodes sans doute moins académiques. Quoi qu'il en soit, l'identité culturelle des parents comme des enfants sikhs est garantie en Grande-Bretagne. Ils ont gagné, après des années de lutte, le droit de porter le turban partout et en toute circonstance. Les enfants peuvent le porter à l'école. Les motocyclistes sikhs sont dispensés de l'obligation de porter un casque et les juges sikhs de la perruque bouclée blanche traditionnelle portée par les magistrats.

Bien intégrés, vivant pour certains dans l'aisance (il y a toutefois très peu de grosses fortunes comme il en existe aux États-Unis ou au Canada), les sikhs sont-ils heureux en Grande-Bretagne ? « Oui assurément », répond Amolak Singh Glani, receveur des postes de profession mais surtout président du Conseil suprême des sikhs du Royaume-Uni, c'est-à-dire de la branche britannique de l'Akali Bal, le principal parti politique sikh. « On fait preuve d'un grand respect à notre égard et dans l'ensemble tout va pour le mieux », dit-il. Pour lui, la seule ombre au tableau tient au fait que certains employeurs britanniques pratiquent une discrimination déguisée à l'embauche, au profit des Britanniques « blancs » et au détriment des jeunes sikhs. Le niveau élevé du chômage en Grande-Bretagne favorise cette tendance.

FONDATION D'UN GOUVERNEMENT EN EXIL DE LA « RÉPUBLIQUE DU KHALISTAN »

L'assaut du Temple d'or d'Amritsar et le massacre qui l'a suivi ont transformé la paisible communauté sikh britannique en un centre politique particulièrement actif. Une évolution qui préoccupe au plus haut point le gouvernement de New Delhi et embarrasse celui de Londres.

Quelques jours après la prise du Temple d'or plus de 50 000 sikhs ont défilé dans les rues de Londres, sous l'œil étonné des badauds peu habitués à voir des manifestations aussi importantes. D'autres manifestations ont eu lieu dans d'autres grandes villes, Birmingham notamment. L'aile dure de l'Akali Dal a créé le gouvernement en exil de la « République du Khalistan ». Un homme s'en est proclamé le président, Jagvit Singh Chauhan. La « République » a émis ses propres passeports et billets de banque. C'est un sikh de Toronto qui s'est chargé de leur confection. Le Khalistan indépendant, tel qu'ils le rêvent, comprendrait l'actuel Pendjab et quelques territoires des États voisins de l'Union indienne.

Les partisans de J.S. Chauhan sont certes minoritaires, mais l'assaut contre le Temple d'or et les représailles sanglantes contre les sikhs qui ont suivi l'assassinat d'Indira Gandhi ont radicalisé les opinions de la communauté sikh britannique tout entière. « Il n'y a plus de modérés, tout le monde est extrémiste », disaient dans les rues les sikhs en manifestant bruyamment leur joie dans les rues de Southall, le 31 octobre, après l'annonce de la mort du Premier ministre indien. « Jusqu'à ces derniers mois, je n'étais pas favorable à la création du Khalistan, mais il est clair maintenant que les sikhs sont devenus indésirables en Inde et qu'ils n'ont plus d'autre choix que de fonder leur propre nation », soutient Gurcharan Singh Khalsa, historien, rédacteur en chef du *Punjab Times*, un des deux principaux hebdomadaires politiques sikhs publiés à Southall, et dirigeant d'un mouvement modéré, l'International Supreme Council of the Sikhs, très proche de l'Akali Bal.

Dans ce contexte, « l'extrémiste » Jagvit Singh Chauhan est devenu le leader sikh le plus en vue. Longue barbe blanche aux reflets argentés, regard perçant, ruban noir et poignard à la ceinture, main droite amputée depuis les affrontements pour l'indépendance de l'Inde en 1947, il multiplie les déclarations. Il avait notamment prédit l'assassinat d'Indira Gandhi et a laissé entendre que son fils Rajiv pourrait connaître le même sort. Il reçoit avec empressement tous les journalistes qui le désirent dans sa maison de Talbot Road, située un peu à l'écart du centre de Southall et baptisée « La maison du Khalistan ». Dans son salon tout simple, devant un drapeau bleu et jaune (celui du Khalistan) et un portrait de Sant Bhindrawale, le leader sikh extrémiste tué pendant l'assaut du Temple d'or, J.S. Chauhan cherche à gommer l'image de « chef terroriste » donnée de lui par certains médias indiens. « Je suis un pacifiste par nature, affirme-t-il, mais je n'y peux rien si l'histoire punit ceux qui osent s'attaquer au temple sacré. » Juste après l'assassinat il avait pourtant évoqué la « campa-

30%
de réduction

Plus

un cadeau

En cadeau de bienvenue pour l'abonnement simple ou couplé, ce superbe ouvrage : New York création, 300 pages, 99 F, un panorama complet de la création contemporaine.

autrement

Bulletin d'abonnement

Je souscris à :

☐ L'abonnement simple : 10 numéros mensuels d'AUTREMENT axés sur les problèmes de la société contemporaine.
1 an (10 numéros) : 495 F (au lieu de 700 F vendu au numéro, soit 3 numéros gratuits sur 10) – Étranger : 570 F.

☐ L'abonnement couplé : 10 numéros mensuels, plus 5 numéros hors série centrés sur les villes et pays étrangers.
1 an (15 numéros au total) : 810 F (au lieu de 1075 F vendu au numéro) – Étranger : 920 F.

☐ L'abonnement aux 5 numéros hors série : 315 F (au lieu de 375 F au numéro) – Étranger : 350 F.

Je joins mon règlement par :

☐ chèque bancaire
☐ mandat-lettre
☐ chèque postal

à l'ordre de NEXSO AUTREMENT

Nom et Prénom : ....

....

Adresse ....

....

Code postal ....

Localité ....

Ce bulletin est à renvoyer avec votre règlement à AUTREMENT, Service Abonnements, 4, rue d'Enghien, 75010 PARIS.

N° 39
New York – 75 F

N° 53
La pub – 70 F

N° 55
La bombe – 99 F

Nᵒˢ 63/64 – Guide
des technologies
de l'information
145 F

N° 67
L'école plus – 95 F

N° 68
Les médecins – 70 F

N° 69
Écrire aujourd'hui
70 F

N° 70
Acteurs – 70 F

N° 71
Opéra – 80 F

HS 6
Londres – 75 F

HS 8
Tokyo – 75 F

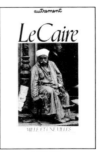

HS 12
Le Caire – 75 F

HS 13
L'Inde – 75 F

Une sélection parmi les numéros récents.

gne de terreur » qui ne faisait selon lui que commencer. « Les commandos des forces du Khalistan s'en prendront à tous ceux qui sont responsables des massacres », avait-il précisé. « Tôt ou tard, assure-t-il, les sikhs auront leur propre terre. » Mais comment y parvenir sans utiliser la violence ? « Par la non-coopération, rétorque-t-il. L'Inde est dans une situation chaotique. C'est nous qui, avec les récoltes du Pendjab, nourrissons le pays. Si nous refusons de les aider, ils ne pourront pas s'en sortir et seront bien obligés de nous accorder ce que nous réclamons. »

Quels sont les alliés des sikhs ? « Les sikhs sont les amis de tout le monde », fait-il remarquer mais il devient très vite évident, au fil de l'interview, qu'un futur État du Khalistan serait plus proche de Washington et du Pakistan que de Moscou.

J.S. Chauhan s'insurge des allégations de la presse indienne selon lesquelles il organiserait des collectes pour acheter des armes et les livrer aux sikhs du Pendjab. « Nous n'avons que 100 000 livres (1,15 million de francs) sur un compte en banque et cet argent est destiné à l'aide médicale en faveur de nos frères persécutés », affirme-t-il.

Une chose est sûre : le président autoproclamé du Khalistan est sous surveillance. Margaret Thatcher avait déclaré à New Delhi, après avoir assisté aux obsèques d'Indira Gandhi, que le directeur des poursuites publiques britanniques (procureur général) avait cherché à inculper J.S. Chauhan pour propos incitant à la violence, mais avait dû renoncer par manque de preuves.

Également dans le collimateur : deux organisations extrémistes de jeunes sikhs, International Sikh Youth Foundation, dont le siège est à Southall, et Youth Movement, basé à Birmingham. Le gouvernement britannique est soucieux de ne pas laisser se développer une agitation politique sur son sol qui affecterait gravement ses relations avec l'Inde, marché très important pour les entreprises de l'ancienne puissance colonisatrice. Un certain froid s'est déjà installé entre New Delhi et Londres. L'ambassade indienne a exprimé au Foreign Office son inquiétude de voir se fomenter ce qu'elle considère comme un complot contre l'unité de l'Inde. Un voyage à New Delhi que devait effectuer le ministre britannique de la Défense Michael Heseltine, au mois de février dernier, a été reporté à la demande du gouvernement de New Delhi. Raison officielle invoquée : trop proche des élections. Version donnée par la presse britannique : activités politiques des sikhs en Grande-Bretagne. Ce report arrive à un mauvais moment pour Londres car d'importants contrats de vente d'armes sont actuellement en discussion.

Désormais surveillés plus étroitement, les sikhs sont de toute façon bien conscients qu'ils ne doivent pas aller trop loin dans leur combat politique, même sur le sol britannique. Car s'ils appellent de leurs vœux la création du Khalistan, la plupart d'entre eux n'ont aucune envie d'aller s'y établir...

FLORENT RICHARD
Journaliste à Londres.

167

4

MUTATIONS TRANQUILLES

Ici on est loin des exaltations suivies de crash de certains pays du tiers monde. On avance tranquillement. Le pays est ancré dans des traditions solides mais ne refuse pas d'intégrer à son monde les technologies nouvelles et les représentations culturelles de cette fin de siècle.

4 BÉBÉS

TOUTES LES 5 SECONDES

A peine 2,4 % des terres émergées
mais 15 % de la population du globe
750 millions d'habitants
25 millions de naissances par an
68 000 par jour
4 toutes les 5 secondes

« La surpopulation est un terrible cancer qui ronge l'Inde. » — « L'Inde est atteinte d'une démographie galopante, qui l'affame et met en danger notre monde. » — « Tout effort dans la voie du développement est anéanti par un taux de natalité exponentiel. » (Les journaux.)

S'il en est ainsi, le remède apparaît comme évident : couper le mal par la racine et limiter (et pourquoi pas supprimer ?) les naissances. Mais cette solution et la façon même d'envisager la question sont absurdes.

Pendant des siècles, la population de l'Inde fut assez stable, la mortalité pondérant la natalité. Elle avoisinait les 100 millions au début de notre ère et a longtemps plafonné aux alentours de 160 millions. Population et production alimentaire maintenaient un équilibre relatif. Les bonnes moussons apportaient l'opulence, qui a émerveillé les voyageurs au cours des âges. L'ambassadeur grec Mégasthène, au siècle d'Alexandre, notait : « Il ne doit pas y avoir de famine dans ce pays. » Près de deux mille ans plus tard, Pyrard de Laval, commerçant heureux, écrivait : « Il y a si grande quantité de riz, qu'outre la nourriture et provisions de tout le pays, on en transporte par toute l'Inde et en Sumatra, aux Moluques et par toutes les îles de la Sonde, de tous lesquels pays le Bengale est la mère nourrice. »

LE PILLAGE
PAR LA COMPAGNIE DES INDES

Mais l'exploitation du pays par la Compagnie des Indes, aggravée par les exactions éhontées et la corruption de beaucoup de ses fonctionnaires, ne cessa de porter atteinte à l'économie. La modification du système foncier, grâce auquel les Britanniques s'assuraient d'importants. revenus par la perception

170

d'impôts iniques, entraîna une dégradation de la situation des paysans et une diminution de la production alimentaire. Douze famines et quatre disettes graves marquèrent la centaine d'années que dura la souveraineté de la Compagnie, depuis l'installation de son gouverneur à Calcutta jusqu'au transfert de son empire à la Couronne britannique (1765-1858). Par la suite, l'application d'une politique coloniale plus systématique augmenta sans doute la pauvreté des masses en favorisant les cultures commerciales d'exportation : opium, café, thé, coton, canne à sucre, indigo, arachide, jute. L'agriculture alimentaire, moins lucrative, fut négligée d'autant. L'Empire des Indes, qui exportait encore un million de tonnes de grains en 1880, dut, dès 1920, s'ouvrir à des importations de plus en plus considérables : 160 000 tonnes par an en 1920-1925, 1 million de tonnes en 1935. En 1947, au moment de l'indépendance, la production alimentaire stagnait alors que la population s'accroissait de presque 2 % par an. La situation était donc désastreuse. La partition et la conjoncture politique devaient la détériorer encore. Comment oublier la grande famine de 1943, qui a fait plus de 3 millions de morts dans le seul Bengale ? Vingt ans après, deux mauvaises moussons successives, en 1965 et 1966, provoquaient au Bihar une grave disette, dont l'opinion mondiale se souvient encore aussi ! Certes, de tous temps, les mauvaises moussons devaient traîner derrière elles leurs séquelles de famine, de misère et de mort. Et pourtant on n'en trouve pas trace avant le XIXe siècle dans la mémoire des livres. Les voyageurs étrangers, il est vrai, sont uniquement frappés par ce qu'ils ne voient pas chez eux. Or famines et épidémies étaient le commun partage de tous les peuples. La grande peste qui a ravagé l'Europe occidentale au XIVe siècle a fait mourir plus de la moitié des Français et notre pays a connu ses dernières famines au siècle des Lumières. On comprend que, dans une contrée où la vie est véritablement régie par la mousson, les caprices du climat puissent avoir de terribles conséquences. Il n'en est pas moins vrai que la population indienne demeurait stable. C'était encore le cas au début de ce siècle. Entre 1891, date du premier des recensements décennaux effectués par les Britanniques, et 1921, elle passe de 239 à 251 millions, soit 5 % d'augmentation seulement en trente ans. Pendant les trente années suivantes, de 1921 à 1951, elle s'accroît de 30 %, taux inférieur à celui des États-Unis pendant la même période. Mais de 1951 à 1971, en vingt ans seulement, elle augmente de 53 %, passant de 361 millions à 548 millions, pour atteindre sans doute 750 millions en 1985. Elle s'accroît en moins de quatre ans d'une population égale à celle de la France. Au rythme actuel, la population de l'Inde doublerait en moins de trente-cinq ans, dépassant le milliard avant l'an 2000.

LA GRANDE PEUR DE L'OCCIDENT

ffrayés par ces chiffres, nous projetons une image de l'Inde qui s'exprime en des formules hyperboliques et des clichés lapidaires : « ... ses villes grouillantes, ses foules pitoyables, ses cortèges d'enfants trop maigres aux yeux trop grands, ses processions de mendiants affamés et hagards, ses dizaines de millions de sans-travail... » (Les journaux.) Comment ne pas accuser l'incurie, l'imprévoyance et le manque de responsabilité des Indiens ?

Pourtant les faits sont là : depuis soixante-dix ans le taux de natalité n'a pas cessé de baisser : 51 %₀ en 1911, 33,3 en 1981.

Mais cela n'a pas empêché la population d'augmenter : en effet, *il ne naît pas plus d'enfants qu'avant, il en meurt moins.* En soixante-dix ans, la mortalité a diminué plus vite que la natalité, passant de 50 %₀ à 12,5 %₀ — signe d'un immense progrès dans le domaine de l'hygiène et de la médecine. En 1911, lorsqu'un bébé indien naissait vivant, il avait une chance sur trois de mourir avant d'atteindre sa première année. L'espérance moyenne de vie ne dépassait pas dix-neuf ans, comme en France au siècle de Louis XIV. Aujourd'hui, elle atteint cinquante-cinq ans, et le nouveau-né a presque neuf chances sur dix de survivre. Ainsi la population a-t-elle augmenté de tous les enfants qui ne sont pas morts et qui sont maintenant en âge de donner la vie : 110 millions de couples sont dans la plénitude de leur fécondité. Or, malgré ces conditions, le taux de natalité baisse et le taux d'accroissement de la population, inférieur à 2,1 %, est un des plus faibles du tiers monde.

Il n'empêche que, face au problème alimentaire, on ne peut négliger de chercher à ralentir cette croissance.

C'est sous l'impulsion de Nehru, dès 1951, que le gouvernement indien fut le premier au monde à adopter un programme officiel de planification familiale. Nehru souhaitait d'abord « assurer une meilleure santé à la mère et une meilleure éducation aux enfants ; améliorer le sort de la femme... prévenir les naissances non désirées ». Afin d'éviter les mariages précoces, cause de familles trop nombreuses, une loi fut votée en 1956, interdisant le mariage des jeunes filles avant seize ans. Dans le même esprit, afin d'occuper plus longtemps les filles, on facilita leur accès à l'enseignement secondaire.

Brusquement, les résultats inattendus du recensement de 1961 mirent le gouvernement en face de dures réalités. La population s'était accrue de 6 millions en 1951 ; elle augmentait de 10 millions en 1961, prête à doubler en quarante ans. Certes, le 1er Plan quinquennal avait enregistré de remarquables progrès économiques depuis 1951 et la production alimentaire avait dépassé l'augmentation de la population. Mais pourrait-elle maintenir indéfiniment ce rythme ? Sans doute les planificateurs, avaient-ils suivi de trop près les modèles occidentaux, qui n'ont pas à tenir compte d'un fort accroissement démographique. Il est vrai aussi que, si les progrès techniques et économiques sautent aux yeux, l'augmentation de la population apparaît aux dirigeants sous forme de statistiques, mais on ne la voit pas. Les familles ne mettent pas au monde davantage d'enfants ; il en meurt moins, voilà tout. Pour autant qu'on s'en aperçoive, comment ne pas se réjouir d'une telle bénédiction ? Il faut attendre plusieurs générations pour qu'un changement démographique s'inscrive dans la conscience collective et qu'un ajustement naturel se produise. Puisqu'il était impossible d'attendre, il fallait hâter artificiellement cet « ajustement ».

DES MILLIONS
DE CALENDRIERS OGINO

*L*es dirigeants s'y employèrent d'urgence. Ils obtinrent la priorité pour les programmes de planification familiale qui désormais étaient destinés à « stabiliser la croissance de la population sur une période raisonnable ».

Pendant dix ans, sous le patronage pompeux de l'Organisation mondiale de la santé, on s'était limité à distribuer par millions des calendriers Ogino et des bouliers à des paysannes ignorantes des réalités physiologiques. Les calendriers en couleurs furent accrochés au mur et les bouliers « magiques » utilisés dans l'idée que, pour ne pas être enceinte, il suffisait de pousser toutes les boules du même côté. Les résultats furent aussi décevants que le programme...

On allait désormais changer tout cela et mettre en œuvre toutes les techniques connues. Ce qu'il fallait, avant tout, c'était convaincre une population dont les quatre cinquièmes (comprenant 80 % d'illettrés) vivaient dans 600 000 villages. Tâche difficile : la presse, la radio, la télévision, le cinéma en touchent à peine 25 %. On utilisa tous les supports publicitaires existants : panneaux-réclames et affiches sur les routes, dans les villes, les trains, les bus, les gares ; brochures, stands dans les grandes foires et les lieux de pèlerinage. Les vertus de la contraception, mises en chantefables, furent vantées par les conteurs populaires et les marionnettistes de foire.

Appuyée par ce soutien logistique, l'infanterie des éducateurs familiaux rend visite aux jeunes ménages pour les convaincre et leur proposer les techniques existantes, ce qui exige tact, patience et beaucoup de temps.

Derrière eux, arrive l'intendance : les contraceptifs conventionnels sont distribués gratuitement par les hôpitaux, les dispensaires et les médecins, ainsi que dans les gares les plus fréquentées. L'État a mis en place un extraordinaire réseau : employés des chemins de fer, facteurs, maîtres d'école, vendeurs de cigarettes et de bétel, coiffeurs, commerçants reçoivent les produits pour les vendre à un prix dérisoire, dont le montant total leur revient. Dans de nombreuses usines et entreprises, en même temps que leur salaire hebdomadaire, les travailleurs reçoivent des préservatifs. Ils les échangent volontiers, à l'échoppe voisine, contre une cigarette ou une chique de bétel...

1965 fut l'année du stérilet, gadget doté de toutes les vertus qui, après une campagne de grande envergure, remporta un franc succès : 1 million et demi de femmes l'adoptèrent en dix-huit mois. Cette victoire fut de courte durée. Les infections étaient plus nombreuses que prévu. La rumeur s'en répandit ; le stérilet dut battre en retraite. Quant à la pilule, des grèves ou un retard de distribution et, dans les 600 000 villages, la courbe de natalité monterait en flèche.

173

C'est pourquoi le Conseil indien de la recherche médicale met en œuvre des moyens considérables, dans le domaine de la biochimie, en même temps qu'il étudie de près certaines plantes locales, parfois utilisées avec succès dans les villages. Un vaccin pour les hommes, à validité assez longue, aurait été mis au point récemment.

POUR UN SEAU
EN PLASTIQUE VERT

S i le remède idéal ne se trouve pas encore sur le marché, il existe néanmoins une protection efficace à 100 % : la stérilisation.

Dès 1960, le gouvernement annonça qu'il prendrait à sa charge la stérilisation des pères de trois enfants et plus. A titre d'encouragement il offrait même une prime de 15 roupies. La vasectomie ne nécessite aucune hospitalisation, bien que, surtout dans les villages, elle soit fréquemment suivie d'infection. On l'appelle pudiquement « opération ».

Des campagnes régulières de propagande furent organisées ; la prime passa de 15 à 30, puis à 45 roupies, pour atteindre aujourd'hui 150 roupies si la stérilisation est pratiquée quand le couple n'a que deux enfants. La somme dépasse le salaire mensuel d'un journalier. Dans les grandes entreprises, des gratifications supérieures parfois à 100 roupies, assorties de huit jours de congé, s'ajoutent à la prime.

J'ai vu, il y a une quinzaine d'années, offrir à chaque volontaire un billet de 10 roupies et un seau en plastique vert. C'était à la foire, dans un bourg de la moyenne vallée du Gange. Affiches de propagande, prospectus illustrés, haut-parleurs, musique de cinéma, harangue de bateleur. Les paysans du voisinage regardent, écoutent, bavardent, discutent entre eux, feignant d'en savoir long sur le problème : on parle plus volontiers de « ces choses-là » en dehors de chez soi. On se plaint aussi de la mousson, des difficultés de la vie, de la fatigue de la femme, des maladies des enfants, de la mort du petit dernier. Mais voici que la voix envahissante du bateleur fait écho à ces confidences. Il détient, lui, le remède à tous ces maux, la panacée sans danger ; un bien pour tous, avec une prime de 10 roupies et un seau en plastique par-dessus le marché. Un homme d'une trentaine d'années s'approche, hésitant, de l'entrée de la tente, regarde les seaux verts alignés sur le sol, se retourne, hésite encore, prêt à s'éloigner, quand il est agrippé par un rabatteur qui ne le lâchera plus. Il va lever les derniers obstacles, les ultimes scrupules : non, cela ne fait pas mal ; non, il ne perdra pas sa virilité ; non, il ne deviendra pas aveugle. Oui, sa femme sera d'accord ; oui, il pourra revenir quand il voudra, pour qu'« on remette tout ça en ordre » ; gratuitement bien sûr. Une dernière hésitation. Mais les 10 roupies sont là, à portée de la main, et un seau en plastique comme il n'y en a pas au village. Quand il est sorti de la tente, j'ai eu honte. Il avait l'air anxieux et il titubait un peu en s'éloignant, son seau vert à la main. Le bateleur continuait sa harangue.

On m'a raconté l'histoire d'un « opéré », plus jeune, qui s'était

174

laissé convaincre, parce qu'il ne voulait plus de filles et qu'il avait déjà deux fils. Même si l'un d'eux disparaissait avant lui, il pourrait mourir tranquille : les rites funéraires seraient accomplis. Rentré au village, il fut la risée de tous ; on le traita d'impuissant et de châtré ; on lui dit que sa femme n'éprouverait plus de plaisir avec lui et que si elle était de nouveau enceinte, tout le monde, cette fois... Lui, au contraire, faisait le fier, tant et si bien que ses voisins se mirent à l'envier. Or, l'année suivante, ses deux fils moururent de maladie. Fou de douleur, il se rendit à la ville pour être opéré de nouveau. Mais on lui rit au nez. Depuis lors, aucune « opération » n'a pu être pratiquée dans la région.

En revanche, on ne compte plus les « opérés » qui se présentent périodiquement à différents dispensaires et qui partagent avec un complice bien placé la prime à laquelle ils n'ont plus droit.

GRAND-MÈRE
À TRENTE ANS

Neuf sur dix de ces interventions sont pratiquées sur des hommes, car la stérilisation des femmes, véritable opération chirurgicale, nécessite une hospitalisation et touche donc une population limitée. Pourtant, contrairement à une opinion répandue, les femmes indiennes sont bien plus motivées que les hommes, et pour cause, en matière de planification familiale. Rien, d'ailleurs, dans les préceptes religieux de l'Inde, n'interdit la prévention. Au contraire, quand on devient grand-mère pour la première fois, souvent vers trente ans, le deuxième âge de la vie est, selon la tradition, terminé et on ne devrait plus procréer ; aussi le seul remède radical des Indiennes est-il l'abstinence. Sinon, une contraception précaire les réduit le plus souvent à l'avortement, très pratiqué bien qu'interdit par la tradition (médicalement autorisé par la loi depuis 1971). Disons aussi que la fraction la plus nombreuse, la plus déshéritée, la plus prolifique de la population — c'est-à-dire la plus concernée — est paradoxalement la moins touchée par la planification familiale : isolement, ignorance, influence négative de la caste des accoucheuses, désir de compenser la mortalité infantile en sont les causes principales.

A l'autre extrémité de l'échelle, on prend appui sur cet échec pour se justifier et j'ai maintes fois entendu des Indiens de caste et de classe élevées s'exprimer ainsi : « Si nous limitons le nombre de nos enfants, l'Inde sera bientôt un pays peuplé uniquement d'arriérés ignorants. » Ils tiennent le même raisonnement spécieux à l'égard des musulmans.

Il n'en est pas moins vrai que, entre 1965 et 1983, plus de 35 millions de stérilisations ont été pratiquées. Il faut savoir pourtant que les couples concernés avaient déjà quatre à cinq enfants en moyenne et avaient dépassé pour la plupart leur période de plus forte fécondité. La « rentabilité » de chaque stérilisation est, en conséquence, assez dérisoire.

Au cours des années, toutes les mesures imaginables ont été prises pour limiter les naissances. Légères, comme par exemple une nouvelle élévation de l'âge du mariage en 1976 : dix-huit ans pour les femmes et vingt et un ans pour les hommes ; coercitives et draconiennes comme les décisions édictées pendant l'« état d'urgence » (1975-1977) : entre autres, l'obligation pour chaque fonctionnaire de faire exécuter un quota de stérilisations — mesures qui ont donné lieu à des abus éhontés.

Trente ans de campagnes, des milliards de dollars engloutis au cours de cinq plans quinquennaux pour un résultat assez mince, en somme, et qui nous paraît hors de proportion avec les efforts déployés. Comment ne pas mettre en question la politique démographique qui a été suivie ? Le gouvernement indien ne s'est-il pas laissé leurrer par l'image mythique que l'Occident reflète sur l'Inde ? « Explosion démographique », « hordes affamées » et tant d'autres formules hyperboliques et alarmantes cachant en vérité l'inquiétude de l'Occident qui prend soudain conscience, au début des années 60, que le monde est un espace fini dont les richesses ne peuvent se multiplier à l'infini. La crainte d'un abaissement éventuel de leur niveau de vie conditionne les nations riches et les rend pressantes : « Si vous ne réduisez pas la croissance de votre population, nous ne pourrons plus garantir notre aide. » De là toutes les mesures d'urgence adoptées. Étaient-elles réellement justifiées par les faits ?

Point du tout : entre 1951 et 1961, si la population de l'Inde avait augmenté de 22 %, la production alimentaire avait, elle, augmenté de 45 %. Entre 1951 et 1981 la population est passée de 361 millions à 685 millions ; elle a presque doublé. La production alimentaire de base, elle, est passée de 51 millions de tonnes à 133 millions de tonnes : elle a presque triplé. Le pari a été tenu et il a été gagné. Depuis 1971 l'Inde a atteint, en fait, son indépendance alimentaire, malgré l'échec de sa politique de limitation des naissances. Cette politique a été surtout menée pour conjurer la menace et apaiser les angoisses des pays riches d'Occident. On s'est contenté de prendre pendant trente ans des « mesures d'urgence » qui ont ignoré les réalités indiennes.

PETITE FAMILLE, FAMILLE HEUREUSE

L'hindou ne se sent exister que quand il s'éprouve « un avec l'Univers ». Les nombreux rites qui rythment sa vie et sa journée n'ont pas d'autre but que de l'intégrer au bon ordre du monde, le *dharma*. Entre tous, les rites funéraires jouent un rôle privilégié. Or seul le fils, prolongement du père, peut les accomplir et les renouveler par des rites anniversaires. Il vit ainsi son intégration à sa lignée et prépare sa propre mort. S'il n'y a point de fils pour accomplir ces rites, le père lui-même ne sera pas intégré à la lignée de ses pères et la chaîne sera rompue.

Or, depuis toujours, la mortalité infantile était telle que, pour être assuré d'avoir un fils qui survive jusqu'à la mort du père, il fallait en mettre au monde deux, sinon trois. Ce fait est gravé depuis des siècles dans la conscience collective. Les progrès tout récents de la santé infantile n'y sont pas encore inscrits. Si le couple indien a rarement moins de quatre ou cinq enfants, ce qui implique souvent six ou sept naissances, c'est *par prudence* et non *par imprévoyance*. Il agit naturellement en fonction de sa culture traditionnelle, qui fait passer la famille, la lignée, l'éternité avant ce que nous appelons « l'intérêt national », notion qui lui est étrangère.

Le fils n'est pas seulement indispensable à l'accomplissement des rites qui suivent la mort. Il l'est aussi pour assurer la survie avant la mort. Selon la coutume indienne, les filles, à leur mariage, quittent la maisonnée du père pour aller vivre dans leur belle-famille. Mais les fils y demeurent avec femme et enfants. Les maisonnées où il n'y a pas de fils, que deviendront-elles, quand les filles seront mariées ? Qui travaillera pour que les parents survivent quand ils seront vieux ? La famille nombreuse est la seule garantie de prospérité. « Petite famille, famille heureuse. » Combien sont-ils qui croient aux slogans exprimant *notre* point de vue et que l'on affiche dans *leurs* langues, sur les murs de *leurs* villes et de *leurs* villages ? « Un ou deux enfants, ça suffit »... Ils savent bien que, *pour eux*, cela n'est pas vrai et ils ne changeront pas d'opinion avant d'avoir réalisé que leurs enfants ne meurent plus en bas âge et que, de toute façon, leur vieillesse est assurée. Combien de générations faudra-t-il encore attendre ? En tout cas, le nouveau slogan que l'Inde a lancé à Bucarest lors de la Conférence mondiale sur la population ne disait pas autre chose : « La meilleure contraception, c'est le développement. »

POPULATION

Recensements (en millions)	Accroissement %	Taux de natalité °/oo par an	Taux de mortalité °/oo par an	Espérance de vie	
				Hommes	Femmes
1911 : 252	— 0,3	48,1	47,2	19,4	20,9
1921 : 251	+ 11	46,4	36,3	26,9	26,6
1931 : 279	14,2	45,2	31,2	32,1	31,4
1941 : 318	13,3	39,9	27,4	32,9	31,7
1951 : 361	21,5	41,7	22,8	41,9	40,6
1961 : 439	24,8	39,9	18,1	47	45,6
1971 : 548	24,8	35,9	14,8	51,3	49
1981 : 685	20,8	33,3	12,5	55	53

ALPHABÉTISATION

	Hommes	Femmes
1951	24,9 %	7,9 %
1971	39,5 %	18,7 %
1981	46,9 %	24,8 %

PIERRE AMADO

Chercheur au CNRS

MADE IN INDIA

« L'Europe c'est le passé, *Queen Elizabeth* et *la Joconde*. A New York, Tokyo, Hong Kong et Bombay se construit l'avenir. » Discours triomphaliste de certains Indiens. En 1974, la première bombe H indienne éclate. En 1982, un nouveau satellite est mis sur orbite par Challenger. A Bangalore, physiciens et biologistes rivalisent avec les meilleurs chercheurs du monde. A longueur de colonnes, les journaux parlent de la révolution vidéo.

L'Inde produit tout, tout est en Inde. Du camion jusqu'au micro-ordinateur et au satellite, en passant par le téléviseur : *made in India*.

Et pourtant plus de 300 millions d'Indiens vivent en dessous du seuil de pauvreté et, en moyenne, un Indien consacre les deux tiers de son revenu à la nourriture. Les réussites industrielles et technologiques n'ont donc pas modifié les conditions de vie de la grande majorité des Indiens même si les mutations de l'Inde moderne concernent l'ensemble de la population. Elles sont le résultat d'une politique élaborée dès 1947.

Si à l'origine le Parti du Congrès, qui a conduit le pays à son indépendance, rassemblait essentiellement des Indiens éduqués à l'anglaise et contestant le monopole industriel et économique des Britanniques, Gandhi a su donner au mouvement une base populaire ancrée dans la tradition indienne. Pour lui, l'Inde devait avant tout se libérer, se purifier de l'influence anglaise pour construire, sur des bases morales, une société garantissant la dignité humaine. Ainsi, bien qu'il n'ait pas été opposé à l'introduction de techniques nouvelles en tant que telles, la mécanisation lui paraissait néfaste chaque fois qu'elle privait un homme de son moyen de subsistance. C'est-à-dire dans presque tous les cas, dans ce pays où le sous-emploi est endémique. L'autosuffisance à l'échelle d'un village, d'une région, lui semblait être le meilleur moyen de s'en sortir.

PROGRAMME NUCLÉAIRE
AUDACIEUX

Après l'indépendance, ces préoccupations gandhiennes ont, pour l'essentiel, été laissées de côté. Le Premier ministre Nehru, fasciné par le modèle soviétique d'économie planifiée et surtout par les grandes réalisations de l'URSS, ne cesse de répéter que la misère ne pourra être vaincue que par les moyens formidables de la science moderne. Cette profession de foi largement partagée par l'élite dirigeante, qu'elle soit scientifique ou non, conduit alors à l'élaboration de programmes de recherche audacieux.

Pour s'attaquer aux domaines les plus modernes de la science et de la technologie, l'Inde prend le parti de former d'abord des experts pour parvenir à plus long terme à un maximum d'autonomie face au savoir-faire des pays industrialisés.

Les programmes de recherche en physique nucléaire, tant au plan fondamental qu'au plan des applications, illustrent parfaitement une ambition qui n'a jusqu'à présent jamais été remise en cause.

Dès 1944, deux ans avant l'indépendance et près de dix-huit mois avant l'explosion d'Hiroshima, le Dr Homi Bhabha, père du programme nucléaire indien, était en pourparlers avec des membres du géant industriel indien Tata pour la création d'un institut de recherche fondamentale. Il prophétisait que, grâce à cet institut, l'Inde n'aurait pas à chercher ses experts à l'étranger lorsque quelque vingt ou trente ans plus tard l'énergie atomique serait appliquée à la production d'électricité.

Cette conquête du nucléaire fut marquée par la mise en service dès 1956 du premier réacteur expérimental d'Asie, Apsara. Par la suite, différents types de réacteurs ont été construits avec l'aide de pays occidentaux (Canada notamment), mais en développant au maximum la formation des ingénieurs et techniciens indiens, en utilisant prioritairement du matériel indien. Toujours, dans la mesure du possible, la mise au point d'une production locale, même plus longue, même plus coûteuse, a été préférée à l'importation de matériaux ou d'appareillages disponibles sur le marché. Le nucléaire a ainsi joué un rôle moteur dans le développement de secteurs comme l'électronique.

Cette politique visait bien sûr à acquérir une autonomie au niveau de la conception, mais aussi de la production. Et d'abord de la production d'électricité. L'Inde établit alors un plan en trois phases : une première génération de centrales fonctionnant grâce à des réacteurs de type Candu produisent de l'électricité et du plutonium ; les deux centrales de ce type construites à ce jour utilisent de l'uranium partiellement produit en Inde. Une seconde génération de réacteurs devra ultérieurement produire de l'uranium 233 à partir du thorium, grâce au plutonium fourni dans la première phase. La troisième génération de centrales sera équipée de surgénérateurs utilisant de l'uranium 233 et du thorium. Une stratégie guidée par les ressources minières de l'Inde : peu d'uranium, mais plus de la moitié des ressources mondiales en thorium. Mais une stratégie risquée : les surgénérateurs présentent en effet de très grosses difficultés techniques et des risques d'utilisation qui ont conduit la plupart des pays industrialisés, dont les États-Unis, à abandonner cette voie.

Aujourd'hui, l'Inde a effectivement acquis au niveau du prototype une réelle capacité à maîtriser les problèmes du nucléaire. Pourtant, le bilan de la production d'énergie est loin d'être aussi brillant. Le programme de construction de centrales souffre de retards très importants et les centrales existantes fonctionnent mal.

La production d'électricité reste inférieure de 50 % à la puissance théorique. Un des deux réacteurs de la centrale du Rajasthan ne fonctionne plus depuis plus de deux ans à cause d'une fissure dans un mur. Quant à l'autre, il fonctionne trop bien, ce qui incite les autorités à refuser de l'arrêter pour procéder aux vérifications d'usage, pourtant bien nécessaires ! La centrale de Tarapur marche correctement mais c'est aussi celle où la part de réalisation indienne est la plus faible, et le prix du kW/h y est supérieur à celui produit par les centrales hydro-électriques ou thermiques.

PASSAGE DIFFICILE ENTRE EXPÉRIMENTATION ET PRODUCTION

Faire fonctionner des centrales nucléaires conventionnelles, et *a fortiori* des surgénérateurs, touche à la limite des capacités technologiques des pays industrialisés, et l'Inde n'apparaît pas capable de bénéficier dans un proche avenir des efforts considérables qu'elle a fournis dans ce domaine. Elle produit actuellement environ 3 % de son énergie électrique dans les centrales nucléaires, résultat bien faible en regard des investissements. En 1982-1983, le département de l'énergie atomique, placé sous la responsabilité directe du Premier ministre, était doté d'un budget de 740 millions de francs, comparable aux sommes investies dans la recherche pour l'agriculture, et près de neuf fois supérieur au budget de la recherche médicale.

Sur le plan militaire, les avantages de ce programme nucléaire sont évidemment très difficiles à évaluer. L'Inde, qui n'est pas signataire du traité de non-prolifération, a fait exploser une bombe H en 1972 dans le désert du Rajasthan. Des conflits ont éclaté à plusieurs reprises avec la Chine et le Pakistan, avec lequel la situation reste tendue.

Quoi qu'il en soit, il n'y a jamais réellement eu d'évaluation de la rentabilité du nucléaire. Toutes les grandes décisions ont été prises par une poignée d'hommes comme Nehru et Bhabha, et personne n'a vraiment pu ou voulu remettre en cause ces choix. Mais dans quel domaine la réussite scientifique de l'Inde aurait-elle été plus symbolique ?

Cette profonde disparité entre une réelle réussite en matière de prototypes et de très grandes difficultés sur le plan de la production n'est pas propre au nucléaire. Ainsi l'Inde fait désormais partie du club spatial. Des satellites expérimentaux de télécommunication et de télédétection construits en Inde ont été lancés par la France et l'URSS. Le centre de lancement de l'île de Thumba en Andhra Pradesh a même réussi la mise sur orbite d'un satellite de taille modeste. A terre, pourtant, il suffit de décrocher un téléphone pour s'apercevoir que tout ne va pas aussi bien. Après une dizaine de tentatives, la tonalité vient enfin ; mais cette première étape franchie, la ligne est généralement occupée et lorsque finalement quelqu'un décroche au bout du fil, il n'est pas du tout sûr qu'il entende quoi que ce soit. Retour à la case départ. Il faut entendre les gens hurler dans le récepteur... Au moment de la mousson, d'autres difficultés apparaissent : l'humidité qui sature l'atmosphère pénètre partout ; le système D consiste alors parfois à envoyer de l'air comprimé dans les gaines isolantes pour sécher les fils !

On reproche souvent à l'Inde de vouloir voler alors qu'elle ne peut se nourrir. L'intérêt des satellites est pourtant évident. Une meilleure connaissance des moussons, pour ne prendre que cet exemple, est d'une importance vitale et ne présente autant d'enjeux pour aucun pays industrialisé. L'Inde est donc contrainte de développer ses propres recherches dans ce domaine.

Du côté de l'industrie, le pendant de cette politique scientifique est une économie planifiée où se côtoient et se développent, à l'abri de fortes barrières douanières, secteur privé et secteur public. Tout est en Inde, l'Inde produit tout. Là aussi, l'objectif est l'autonomie. La présence d'industries étrangères n'a jusqu'ici été tolérée que dans la mesure où leurs activités s'accompagnaient à terme d'un transfert de technologie. Ceux qui ne veulent pas se plier à cette loi sont expulsés. Ce fut le cas pour Coca-Cola et pour IBM.

Le contrôle de l'État s'exerce par un système de licences, longues et pénibles à obtenir, pour entreprendre une production, mais aussi et surtout pour importer. Cette course d'obstacles, d'où la corruption n'est pas absente, a dégoûté plus d'un industriel.

Dans le secteur public, la volonté d'autonomie se traduit par une politique hésitante et une très grande lenteur due à la bureaucratie. Ainsi la création d'un centre de fabrication de circuits intégrés, recommandée par un comité officiel en 1971, a attendu jusqu'en 1978 l'approbation formelle du gouvernement, et la production n'a pas encore démarré. Dans bien des secteurs, pendant que les Indiens s'emploient à prendre une décision, les Japonais ou les Allemands ont le temps de concevoir, produire et commercialiser !

UNE USINE D'ÉLECTRONIQUE
GRAND PUBLIC
DANS LA BANLIEUE DE NEW DELHI

Ses 800 employés fabriquent des téléviseurs, des calculatrices et des magnétoscopes. Dans le bureau du directeur qui me reçoit entre deux clients, un slogan encadré proclame « Be indian, buy indian » (Soyez indien, achetez indien), mais la berline japonaise aux vitres de verre fumé et le chauffeur attendent à l'ombre du porche d'entrée !

Il me propose de visiter son usine et en chemin me précise : « Les postes noir et blanc sont 100 % indiens ; pour les télés couleur, les vidéos, nous importons du Japon certains composants comme les circuits intégrés. » En arrivant dans l'atelier, il me vante le modernisme de son entreprise : « Nous n'employons que des ouvriers et des techniciens qualifiés. Les salaires sont plus élevés qu'ailleurs, 4 à 500 roupies par mois (environ 350 F). Il n'y a jamais eu de grève ici. »

Au début de la chaîne, des ouvriers assis par terre assemblent et clouent des carcasses de télévision qui partent ensuite vers l'intérieur du bâtiment. Sous une impressionnante batterie de ventilateurs, une cinquantaine d'ouvriers soudent les différents composants. Au premier étage, des techniciens contrôlent la qualité des postes avant l'emballage. L'inévitable panne d'électricité leur fait à peine lever la tête. Quelques secondes plus tard, le générateur Diesel de l'usine permettra de reprendre le travail.

Bien des usines ne disposent pas de groupe de secours et dans certains cas, comme pour la production d'aluminium, les conséquences sont vraiment dramatiques. Les coupures sont très fréquentes, pour ne pas dire quotidiennes. En juillet dernier, des centaines de millions de personnes se sont ainsi retrouvées sans électricité à la suite d'une panne qui a touché plusieurs États du nord de l'Inde. Un record mondial. On estime que les fournitures d'électricité sont inférieures de plus de 10 % aux besoins immédiats.

Lorsque je ressors de l'usine, le générateur fonctionne toujours. Un amoncellement impressionnant de caisses vient d'être déchargé d'un camion. Les étiquettes « *made in Korea* » laissent peu de doute au sujet de la fabrication « *hundred per cent India* » de ces téléviseurs.

Je demande alors au directeur s'il arrive à satisfaire la demande. « Non, la demande est beaucoup plus forte, et pour le consommateur, il y a souvent des délais pouvant atteindre plusieurs mois. » Il restera extrêmement discret sur les raisons de cette situation.

En fait, la production est soumise à un système de quotas (loi antitrust). Cela limite évidemment beaucoup la concurrence et contribue à la productivité légendairement faible de l'industrie indienne. Déjà, à l'abri des barrières douanières, les industries nationales se meuvent sur un marché très peu compétitif. De plus les quotas empêchent de réduire les coûts par l'augmentation de l'échelle de production. Le secteur privé se retrouve ainsi coincé entre le secteur public et l'artisanat que le gouvernement a toujours soutenu.

On produit donc peu, cher, mal et toujours la même chose. Jusqu'à l'année dernière par exemple, les seules voitures qui roulaient en Inde étaient toujours fabriquées sur le même modèle, une licence rachetée à Austin Morris dans les années 50. Rebaptisés Ambassador, ces monstres consomment allègrement 15 litres aux cent. La production de voitures n'est heureusement pas une priorité en Inde, mais quel pays continuerait à produire de tels engins !

PROTECTIONNISME
ET PLEIN EMPLOI

*B*ien que les salaires indiens soient parmi les plus bas du monde, plus de dix fois inférieurs aux salaires français, cet avantage du point de vue de la rentabilité est en grande partie grignoté par l'absence de rationalisation du travail. Il n'est pas rare de voir quatre ouvriers pour un poste. Une certaine idéologie du plein emploi contribue d'ailleurs à freiner l'automatisation.

Malgré ces difficultés, cette politique a permis d'acquérir une réelle indépendance économique. L'Inde n'est pas un supermarché pour multinationales, même si une libéralisation s'est amorcée depuis 1980 sous forme de facilités à l'importation et d'un assouplissement des lois sur l'investissement étranger. Une ouverture qui fait hurler certains industriels indiens trop habitués à exercer leurs activités sur un marché ultra-protégé. Sans doute nécessaire, peut-être un peu tardif, cet ajustement de la politique économique est certainement plus facile à réaliser que le chemin inverse. Car c'est tout de même ce protectionnisme qui a permis à l'Inde de se construire une industrie nationale.

J'ai souvent demandé à des Indiens quelle production était réellement performante et rentable. *A priori*, tout ! Mais en parlant un peu, il fallait laisser de côté l'industrie textile, qui connaît actuellement de graves difficultés, les voitures qui sont très chères (plus de 80 000 F), l'électronique... Invariablement, parmi les produits de consommation, il ne restait que les vélos. Une situation que reflètent parfaitement les exportations de l'Inde : en dehors de certaines matières premières et des échanges avec l'URSS dans le cadre d'accords paritaires roubles/roupies, l'Inde exporte principalement vers des pays réputés peu solvables comme le Nigeria.

La réussite en matière d'exportation, c'est le savoir-faire et la matière grise. L'Inde a ainsi conquis de nombreux contrats d'engineering, dans les pays du Golfe notamment. Des constructions de ponts, de systèmes d'adduction d'eau, d'aéroports ont ainsi été confiées à des équipes indiennes. Ingénieurs, techniciens et ouvriers feront le voyage, mais la plupart du temps les pays concernés refusent d'utiliser des équipements indiens si ceux-ci doivent rester sur place une fois le travail fini.

Tout au bout de la presqu'île de Colaba, à Bombay, se trouve le Tata Institute for Fundamental Research (TIFR), l'institut de recherche fondamentale le plus prisé et le plus prestigieux de l'Inde, fondé en 1954 par Bhabha et financé à ses débuts par l'industriel Tata. 300 chercheurs indiens et quelques étrangers de passage y rivalisent avec les meilleurs laboratoires de physique et de biologie du monde. Tout ici est propre, efficace et fonctionnel.

A l'intérieur du bâtiment, entièrement air conditionné, les toiles abstraites de la collection Bhabha ornent les murs ; par les fenêtres, on découvre la mer et les autres bâtiments du campus. Tous les chercheurs habitent sur place. Bibliothèques, ciné-clubs, concerts, tout est prévu pour ne pas avoir à sortir. Tout autour s'étend le quartier très pauvre des *dhobis*, communauté des blanchisseurs. On se côtoie, mais on s'ignore totalement.

Le TIFR est un microcosme bien à l'abri des problèmes du reste de l'Inde, même si ceux-ci, au détour de conversations, peuvent inopinément réapparaître : le fait que 70 % des chercheurs appartiennent encore à la caste des brahmanes, par exemple, n'est sans doute pas anodin.

Cet institut privilégié dépend directement du cabinet du Premier ministre et échappe ainsi à la lourde bureaucratie. Les chercheurs obtiennent facilement et rapidement tout ce dont ils ont besoin. Pas d'ennuis de financement non plus. Lors de ma visite, une équipe suisse installait un appareil permettant d'analyser la structure des peptides par résonance magnétique nucléaire, un appareil que seuls une dizaine de laboratoires au monde possèdent et qui coûte plus d'un million de dollars.

183

DIASPORA
SCIENTIFIQUE

C es moyens, cette efficacité sont loin de se retrouver partout dans les 125 universités indiennes. Des étudiants de Kalina, la nouvelle université pourtant assez cotée de Bombay, m'ont fait part de leurs préoccupations. Le manque de moyens s'y fait cruellement sentir : certaines expériences ne peuvent être réalisées faute d'appareils assez précis, et un programme de recherche demande le plus souvent deux fois plus de temps qu'aux États-Unis pour aboutir. La réflexion la plus fréquente : « Nous saurions le faire, mais... » Des difficultés qui poussent bien des chercheurs à une approche très spéculative de leur travail.

La plupart des scientifiques que j'ai rencontrés ont travaillé en Occident. Beaucoup sont partis, peu sont revenus. L'évasion des cerveaux est un phénomène d'une ampleur énorme. L'Inde possède la troisième communauté scientifique du monde et, malgré une sélection très dure, le plus fort taux de chômage chez les diplômés. La possibilité de trouver un travail, un salaire beaucoup plus élevé, des conditions plus intéressantes sur le plan professionnel et une certaine fascination pour l'Occident poussent les scientifiques indiens à s'expatrier. Cette diaspora scientifique est probablement la plus importante du monde.

On part de préférence aux États-Unis, puis au Canada, en Angleterre, en RDA ou à défaut n'importe où ailleurs. Une hiérarchie clairement établie ! Mais à l'étranger, les Indiens restent cependant très attachés à leur pays. Ils affichent souvent une grande fierté d'appartenir à une civilisation riche et ancienne et ne manquent jamais de rappeler que leur goût et leurs réussites dans les domaines les plus fondamentaux se situent tout à fait dans la tradition de leur pays.

Il n'est pas rare de voir un médecin, un ingénieur, établi depuis plus de dix ans aux États-Unis, revenir en Inde une semaine pour épouser selon la tradition une femme choisie par les parents. Rares sont ceux qui abandonnent totalement l'idée de rentrer un jour en Inde. Un retour difficile cependant, sur le plan matériel comme sur le plan professionnel.

Il y aurait pourtant dans le retour des scientifiques émigrés la potentialité d'un transfert de savoir auquel le gouvernement s'intéresse bien sûr, comme en témoigne le projet de création d'une « City of Sciences », conçu pour séduire les candidats au retour en leur promettant de larges facilités matérielles (logement, véhicule...) et la possibilité d'investir dans des industries de pointe. Une idée qui est accueillie plus que fraîchement par ceux qui sont restés au pays et qui ressentent cela un peu comme une injustice.

Ce difficile retour, certains l'ont pourtant réussi comme le professeur Singh que j'ai rencontré dans une université. Après près de vingt ans passés en Occident dans de grands laboratoires, ce play-boy dynamique est désormais à la tête d'un département de biologie moléculaire ouvert aux techniques les plus modernes. Dans ses labos très bien équipés, on travaille sur des sujets fondamentaux, comme l'étude de l'expression des gènes pendant le développement embryonnaire ou l'étude au niveau moléculaire de la résistance aux pesticides d'insectes vecteurs de la malaria.

Quoique très enthousiaste sur son travail et sur les possibilités de l'Inde, il ne cache pas les problèmes : « Déjà au niveau de l'enseignement dans les universités, il y a un manque cruel d'échanges entre disciplines. Entre les maths et la biologie par exemple. Si on ose parler d'informatique en biologie, les gens tombent à la renverse ! Même un simple calcul fait peur.

« Le financement des universités indiennes ? L'University Grant Commission répartit le budget entre les 125 universités. Celles-ci sont pauvres et l'enseignement pratique est très réduit par manque de fonds. Pour la recherche, il faut s'habituer à travailler à l'économie. Mais il y a heureusement une entraide entre les laboratoires indiens et aussi avec les étrangers : les gens connaissent nos difficultés. » Le professeur Singh déplore néanmoins le manque d'échanges entre l'industrie et les centres de recherche des facultés. « Il y a d'ailleurs, ajoute-t-il, dans l'industrie privée des milliers de laboratoires où il ne se fait la plupart du temps strictement rien. Les fonds utilisés pour la recherche sont déductibles des impôts, une bonne façon de détourner l'argent du fisc. »

Il mesure également les pertes subies par l'évasion des cerveaux ! « Évidemment, les meilleurs partent, mais il en reste toujours assez de bons. Cela dit, ces départs font perdre beaucoup d'argent au pays, spécialement en ce qui concerne les médecins. Mais le phénomène est en train de se ralentir à cause de la conjoncture internationale. Il faut aussi parler des filles dans les universités. Beaucoup, après leur mariage, ne terminent pas leurs études, la plupart ne travailleront jamais. C'est une perte sèche. J'ai perdu comme ça des chercheuses très brillantes. »

Le projet d'une cité des sciences ne l'enthousiasme pas vraiment. « Un projet très fumeux. On a toujours tendance en Inde, quand on veut un centre de valeur, à créer un nouvel institut, plutôt que d'investir dans les centres qui existent déjà. Il ne suffit pas de rassembler des compétences individuelles, encore faut-il qu'une dynamique se crée et c'est ce qui est difficile. »

S'il admet que les labos indiens accusent deux ou trois ans de retard en biologie moléculaire et en génie génétique, il remarque cependant : « Un gros effort a été entrepris depuis cinq ans et il y a de réelles opportunités pour faire quelque chose. Un effort qui est rarement salué à l'Ouest. Avec un certain paternalisme, on nous dit : "Avec les problèmes qu'il y a en Inde, contentez-vous donc de faire de la recherche appliquée !" »

Cet agacement, je l'ai souvent retrouvé chez les chercheurs indiens. Pourtant un autre biologiste travaillant sur la tuberculose, encore très répandue en Inde sous des formes différentes, m'a parlé d'emblée de la nécessité de s'occuper des problèmes immédiats. « L'Inde ne peut être compétitive dans des recherches qui ont démarré il y a longtemps comme la génétique de la droso-phile. Et puis, il faut avoir une certaine morale. On peut faire ici un travail scientifique valable sur des sujets qui débouchent sur des applications. Certains d'entre eux d'ailleurs n'intéressent pas ou plus l'Occident. Si on ne le fait pas, personne ne le fera. »

Recherche fondamentale ou recherche appliquée, la question prend en Inde une acuité particulière. En quête d'un centre de recherche appliquée, j'ai trouvé la BAIF (Bharat Agro-Industries Foundation), un centre de recherche agronomique que Michel Rocard a visité lors de son dernier séjour en Inde. Fondé par Mohan Desaï, un compa-gnon du Mahatma, ce centre a su allier idées gandhiennes et pro-ductivité. Il affirme la volonté de rendre les techniques modernes accessibles aux paysans les plus pauvres.

LES PAYSANS AISÉS
SONT LES PLUS APTES À INNOVER

*P*armi ses multiples activités, l'amélioration des bovins par croisement avec des races étrangères illustre bien ces préoc-cupations. Le cheptel indien est le plus important du monde, mais aussi le moins productif. En Inde, les bovins sont surtout utilisés pour tracter des chars ou des charrues, et les vaches produisent dix fois moins de lait que les vaches normandes. Le lait est plutôt considéré comme une production secondaire, mais il est aussi une importante source de protéines pour les paysans qui peuvent se permettre de ne pas le vendre, d'où l'intérêt d'un accroissement du rendement.

La BAIF a donc mis au point un réseau d'insémination artificielle dans les villages de la région, avec un suivi très soigné des résul-tats. A côté de la production et de la diffusion à prix coûtant de vaccins (3,5 millions de doses par an), elle teste les possibilités d'uti-liser comme fourrage de nouvelles espèces végétales. Sur plusieurs hectares, des subalbuls ont ainsi été plantés. Un arbre miracle dont les feuilles peuvent être utilisées pour la nutrition du bétail, le bois comme combustible ou pour la construction, et qui pousse à une allure vertigineuse même sur un sol très aride.

Malgré les efforts de l'institut pour expliquer le fruit de ses recherches aux paysans (expositions itinérantes, démonstrations, visi-tes du centre...), les plus démunis d'entre eux ne peuvent se permet-tre de risquer une quelconque partie de leur revenu sur une techni-que nouvelle. Les possibilités d'épargne ou d'investissement sont sou-vent nulles, et un échec, même sur une année, aurait des conséquen-ces dramatiques. Pour ces raisons, ce sont les paysans aisés qui sont les plus aptes à innover, ce qui tend à accroître les disparités.

Cette contradiction se retrouve partout. Ainsi c'est le Pendjab, un État déjà assez riche de l'Inde, qui a le plus bénéficié des avanta-ges de la révolution verte, parce que c'était là qu'il était le plus ren-table à court terme de faire porter l'effort... pendant ce temps, d'autres États s'enlisaient.

UNE TRADITION INTELLECTUELLE TRÈS FORTE

Après quarante ans d'efforts, l'Inde est incontestablement devenue une puissance scientifique. L'année dernière, 5 milliards de francs ont été consacrés à la recherche et à la technologie. Un budget qui augmente plus vite que l'indice des prix. Un choix audacieux qui répond à une nécessité vitale alors que les dépenses des pays du tiers monde en achats de technologies ne cessent de s'accroître et que, sans parler des pressions qui accompagnent le plus souvent ces transferts, ce que propose l'Occident est de moins en moins adapté aux besoins réels de ces pays. Mais par rapport aux autres, l'Inde a un atout, sa taille, qui lui impose et lui permet de développer tous les domaines de la science et de la technologie.

Même si souvent elle n'arrive pas encore à tirer un parti industriel de ses succès sur le plan de la recherche fondamentale ou de l'élaboration de prototypes, l'Inde profite dès à présent de ses capacités : les technologies les plus modernes offertes par l'étranger peuvent être évaluées par des experts indiens qualifiés, ce qui permet d'éviter d'acheter des équipements vieillis, trop chers ou inadaptés.

Pourtant les conditions de vie de la majorité des Indiens n'ont pas beaucoup changé, malgré une croissance économique faible mais stable et une augmentation constante des ressources alimentaires, parce que la population s'accroît pratiquement au même rythme. En chiffres absolus, les plus pauvres sont toujours aussi nombreux. Et devant la misère, beaucoup d'Indiens ont la même réaction : la tare, la source de tous les problèmes, c'est l'absence d'éducation. Le savoir est une valeur, un remède magique.

Il y a en Inde une tradition intellectuelle très forte et bien des concepts scientifiques y ont vu le jour. C'est donc avec douleur que les Indiens ont pris conscience de la supériorité industrielle et scientifique de l'Occident. Pour eux, il n'y a là qu'un accident de l'Histoire. Pour Mme Gandhi par exemple, « lorsque l'Europe fit de nouvelles découvertes à partir du XVIIᵉ siècle, la connaissance en Inde se dissocia de sa relation avec l'appareil productif, pour des raisons qui sont peut-être une certaine autosuffisance, un laisser-aller dans la discipline... » Mais ce retard ne saurait être que passager. Le credo scientiste est plus que jamais présent. On croit toujours que l'éducation, la science résoudront tous les problèmes. Décidément le progrès scientifique n'a jamais ici le côté suspect qu'il peut avoir en Occident.

MICHEL ARTHUR
biologiste

LES TRIBULATIONS
D'UN ENTREPRENEUR DYNAMIQUE

L'usine est organisée selon un aimable désordre. A l'intérieur, les fils électriques pendent et s'entrelacent en toile d'araignée. Des ampoules de faible puissance éclairent vaguement la machine-outil sur laquelle s'affairent un ouvrier et son fils apprenti. Il fait chaud, très chaud sous la toiture en tôle de ce module standard. D'étroites fenêtres tentent d'aérer le bâtiment où poussière et limaille de fer se conjuguent dans la pénombre. Pour passer d'une machine à l'autre, il faut se frayer un chemin dans le dédale de ferraille et d'objets de toute sorte qui jonchent le sol : aucun espace n'est réservé aux fabrications en cours, aucun lieu n'est réellement destiné aux matières premières. L'atelier tient du labyrinthe où, à tout moment, l'inattendu peut survenir.

Le propriétaire lui-même n'est pas mieux loti : il n'a qu'un petit local, à droite, près de la porte roulante, dans un angle. C'est une sorte de cagibi adossé sur deux côtés et clos de murs vitrés à mi-hauteur : au milieu d'un amoncellement d'objets divers, un bureau et une table métalliques, des chaises disparates et l'inévitable *almyrah* (armoire en fer), apanage de tout intérieur « moderne »... Là, Jagdish S. montre ses registres de commandes, pleins pour plusieurs mois. Des plans accrochés aux murs voisinent avec des calendriers publicitaires ornés d'images pieuses aux couleurs sucrées : Lakshmi, Ganesh, Venkateswara sont là, à leur place, entourés de guirlandes de fleurs fanées des *pujas* anciennes, d'*agarbathis* à demi consumés et tachetés de poudre de vermillon et de curcuma mêlés ; ils veillent sur la prospérité de l'entreprise.

DE PETITS ATELIERS
AU TOIT DE TÔLES BRANLANTES

« Our learned proprietor Lion JSRS », lit-on en légende de sa photo sur la première page du fascicule qu'il me remet, un petit cahier illustré de reproductions de machines portant la mention « made in Tenali ». Le texte de couverture est en télougou, celui des pages intérieures, plus techniques, est en anglais.

Jagdish S. est fier de lui, fier de sa réussite. C'est chez lui, sur la terrasse, que nous dînerons le soir, après avoir obéi au rituel des albums de photos : celles de son mariage, bien sûr, mais aussi celles de toute sa famille et de ses voyages — son appareil japonais, il l'a acheté à Singapour.

Sa femme, belle, douce et cultivée, a reçu une éducation complète : études secondaires, de musique et de danse. Elle enseigne elle-même le Bharata Natyam à ses deux jeunes fils et les initie à la musique. Plus tard, eux aussi auront un maître qui viendra régulièrement parfaire cette éducation culturelle. Rekha s'occupe d'une partie de la comptabilité de l'entreprise, tandis que son mari réalise ici, dans son bureau, une partie de ses recherches.

Nous sommes à Tenali, en Andhra Pradesh côtier.

Bien que Tenali soit une ville moyenne (150 000 habitants), c'est un centre administratif et commercial qui attire quotidiennement une population équivalente à celle qui y réside. On s'y rend pour vendre et acheter, mais aussi à la recherche d'un hypothétique emploi pour la journée et pour quelques roupies.

Tenali contrôle en grande partie la commercialisation de la production agricole du delta. Si on ne peut en aucun cas la qualifier d'industrielle, elle a cependant pu s'équiper de petites usines mécanisées, industries agro-alimentaires surtout (huileries, moulins à *dal* et rizeries) et petite métallurgie. Comme dans toutes les villes indiennes, de très petits ateliers au toit de tôles branlantes, regroupés plus ou moins par spécialités, assurent toutes sortes de réparations et de petites productions. A la périphérie de la ville est aménagé un domaine industriel qui offre terrains viabilisés et bâtiments standards aux petites entreprises modernes. On lit ainsi dans le paysage la volonté que manifestent les pouvoirs publics de les promouvoir afin de créer des emplois, de mobiliser ressources et savoir-faire dispersés, et d'accélérer le transfert des capitaux commerciaux et usuraires vers des secteurs productifs. Pour atteindre ces objectifs, des offices de promotion de la petite industrie, très décentralisés, couvrent tout le territoire indien. C'est en diffusant une culture technique et en assistant les petits entrepreneurs que leur rôle économique, social et idéologique se concrétise.

La situation de Tenali, au cœur de la partie méridionale du delta de la Krishna, la privilégie. La maîtrise des eaux du grand fleuve régit la vie paysanne sur cette terre soumise au rythme saisonnier des pluies de mousson. Rendue possible par la construction en 1855 du Krishna Anicut (digue de dérivation) qui alimente un réseau de canaux, renforcée par le barrage de Prakasam en 1961, elle a transformé le delta en une aire de riziculture intensive avec l'adoption récente de variétés à hauts rendements.

LE DELTA,
TERRE PLATE À L'INFINI

Sur les canaux principaux qui traversent la ville voguent de grosses barques à voile carrée, parfois halées par des hommes depuis le rivage lorsque le vent faiblit, qui assurent encore le transport de certaines marchandises. Cependant, les routes encombrées de camions et de bus, les voies ferrées reliant Tenali à Madras, à Calcutta et aux villes de l'intérieur du Deccan ne laissent qu'une portion congrue au transport fluvial. S'échappant à intervalles réguliers des canaux principaux, des canaux secondaires se ramifient jusqu'à devenir rigoles pour amener l'eau dans les rizières. A la mi-juillet, avec la mousson, l'eau ranime les canaux, suffisante pour une récolte de riz, parfois deux. A la fin de l'année, ils seront à sec, mais il restera, pour irriguer des étendues plus petites et pour d'autres cultures nécessitant une irrigation d'appoint, les puits à pompe électrique ou diesel alimentés par la nappe phréatique.

Sur le delta, terre plate à l'infini, les rizières en ce début de mousson alignent leurs touffes de paddy nouvellement repiquées dans le miroir des eaux retenues par des diguettes en terre. La monotonie du paysage n'est rompue que par les taches denses et plus claires des pépinières. Au-delà des rizières s'alignent les petits champs de curcuma, les jardins de *bétel* aux lianes fragiles enroulées autour de jeunes bambous qui les ombragent et les protègent. Encore plus loin, des bananeraies — culture coûteuse et rémunératrice — élancent leurs larges feuilles charnues déployées au vent. Plus près du fleuve Krishna, les champs de canne à sucre et les cultures maraîchères s'étendent sans jamais évincer les rizières. Partout l'horizon est souligné par la frange des cocotiers et des palmiers rôniers, et parfois un bouquet d'arbres abrite un village ou un hameau.

L'intensification des méthodes de culture a changé les rendements de riz, et l'électrification des villages a bouleversé les conditions de sa transformation. Avec des récoltes qui atteignent 40 quintaux de paddy à l'hectare (soit 30 quintaux de riz décortiqué), les gros et moyens propriétaires peuvent commercialiser l'essentiel de leur récolte et les petits paysans quelques sacs. La vente du riz est réglementée par une législation qui protège les petits producteurs. Pourtant, encore maintenant, elle est souvent réalisée par les courtiers du village, qui s'interposent entre les paysans et l'usine de décorticage. C'est le plus prospère des intermédiaires, commerçant et usurier, ou le plus influent des propriétaires terriens, qui a pu réunir les fonds requis (100 000 à 200 000 roupies) pour créer, dans le village même, une rizerie et saisir ainsi une belle opportunité d'asseoir son emprise économique.

LES LOIS VARIENT DE PLACE EN PLACE

Tous ces moulins à riz, de petite taille mais équipés de machines électriques, demandent une surveillance et des réglages que l'ouvrier qualifié par une longue expérience est capable d'assurer, tandis que des journaliers, portant des sacs, s'affairent autour des machines. Une rizerie emploie, selon sa taille, de 10 à 20 *coolies* ou davantage qui, tous, hommes et femmes, habitent au village et louent leurs bras pour de maigres salaires. Les réparations simples sont effectuées par l'ouvrier chargé de la maintenance ; s'il y a une pièce à changer, le propriétaire s'adresse aux petites fonderies et aux façonniers de Tenali.

La petite usine de Jagdish S., située dans le domaine industriel, assure aux rizeries l'entretien et la réparation du matériel, fournit des pièces de rechange. Mais Jagdish S., plus qualifié que ses concurrents, est en mesure d'équiper en totalité une rizerie avec des machines fabriquées dans son atelier. Son itinéraire contredit certains schémas tendant à expliquer les difficultés de développement industriel de l'Inde : on a tantôt argué d'un blocage culturel lié au détachement des « choses matérielles » ; tantôt on a avancé que la rigidité du système de caste et de la famille indivise entraînait toute une série de résistances économiques et affectait gravement l'esprit d'initiative. L'exemple de Jagdish S. — et de bien d'autres... — met en évidence une conception réductrice d'une réalité économique et sociale, certes, différente de la nôtre, mais qui a ses propres dimensions.

Son diplôme d'ingénieur électricien obtenu en 1974, il est engagé par une grande entreprise de Hyderabad avec un salaire de 150 roupies. Originaire du Rayalasima, région plus pauvre que le delta, d'une famille de *vayshia* peu fortunée, il épouse la fille de Jal Rao, homme d'affaires et personnalité politique de Tenali.

Motivé par les promesses de sa compagnie — qui cherche à s'assurer les services d'entreprises subordonnées — et aidé par des membres de sa communauté, c'est à Tenali qu'il choisit de créer un petit atelier de carters de transformateurs et devient sous-traitant de la firme qui l'employait. Mais il obtient ses contrats en soumettant les offres les plus basses, ce qui ne lui permet pas de contrôler la qualité de sa production. Son entreprise périclite.

Peu à peu au fait des besoins de la région, il conçoit des machines qui améliorent le système de décorticage du paddy. Appuyé par son beau-père, il bénéficie des avantages du programme d'installation à leur compte de jeunes ingénieurs et techniciens sans emploi (ou Self Employment Technocrate Scheme, opérationnel depuis 1971). La formation prévue par ce programme ne lui sera pas proposée, du reste il n'en a pas besoin ; en revanche, un plan de financement bien adapté et un emplacement dans le domaine industriel lui seront accordés. Le taux d'intérêt sur le prêt consenti est supérieur à celui prévu par les textes, ce qu'il accepte : « Les lois varient de place en place », dit-il en souriant. Comme ses ressources personnelles sont insuffisantes, il doit, en plus du crédit bancaire, faire appel à des partenaires financiers membres de sa caste. Il fonde une société en nom collectif, où seuls apparaissent les gens de sa famille, ses associés étant en réalité plus nombreux. De l'argent noir[1], investi ainsi dans une industrie, est donc réinvesti dans le circuit productif légal.

Son entreprise démarre alors avec, pour commandes essentielles, des pièces détachées destinées aux rizeries, dont il obtient des contrats oraux de maintenance. Les propriétaires des moulins à riz de la région appartiennent en majorité à sa caste et ils s'adressent massivement à lui, par solidarité comme en raison de la qualité de son travail. Il augmente progressivement sa production d'équipements neufs, qui constitue bientôt l'essentiel de son activité. En 1981, il a déjà équipé complètement 80 rizeries du district de Guntur et d'autres districts de l'Andhra Pradesh. Pour chaque ordre, il reçoit un tiers de la valeur à la commande. Les machines construites et installées par ses ouvriers sont garanties un an.

AVOIR UN EMPLOI, C'EST DÉJÀ BEAUCOUP, SANS DOUTE

A l'occasion d'une exposition industrielle, en 1980, il conçoit un prototype de machine qui rend inutile la tâche domestique, quotidienne et fastidieuse, de tri du grain et qui préserve les qualités des acides gras contenus dans le son de riz. Ce procédé, précieux pour l'Inde qui manque d'huiles comestibles, fonctionne déjà dans les gros moulins du FCI (Food Corporation of India, organisme public de stockage et de contrôle des grains) ; il l'adapte aux petites usines, ce qui permet de vendre le son aux huileries. Il obtient immédiatement deux commandes de cette nouvelle machine, mais ne peut y répondre, faute de main-d'œuvre qualifiée. Bien qu'il existe des ouvriers professionnels, il ne veut pas embaucher de diplômés d'une ITI (Indian Training Institute, écoles techniques de formation industrielle) : « Ils sont trop difficiles à commander, revendicatifs, et une petite entreprise comme la mienne ne peut pas payer de salaires très élevés », confie Jagdish S.

En 1977, son usine comptait six ouvriers, et c'est régulièrement que l'effectif a augmenté jusqu'à atteindre vingt personnes en 1982, soit vingt-cinq avec les peintres et les tôliers. Seulement quinze emplois sont déclarés à l'inspection des usines : « Il y aurait trop de charges autrement », dit-il. Pourtant, pas plus dans celle-ci que dans toutes les petites entreprises industrielles du district de Guntur, les protections sociales reconnues par la législation du travail ne sont respectées : ni retraite, ni participation aux bénéfices, ni congés payés, ni congé-maladie, ni statut d'ouvrier permanent.

C'est une constante. On se défie des ouvriers munis d'un diplôme professionnel et l'on engage peu d'artisans, car, dit-on, « ils ne sont pas habitués au travail en usine ». De préférence, on embauche parmi les relations de clientèle et selon les liens anciens tissés avec certaines familles : des gens fidèles et sûrs. Les ouvriers de ces usines appartiennent à de très basses castes, et les syndicats délaissent la petite industrie. Dans ces conditions, il est aisé de contourner la loi. D'ailleurs, qui peut contrôler ? Les inspecteurs du travail, trop peu nombreux il est vrai, n'ont-ils pas un mode de vie plus proche de celui des entrepreneurs que des ouvriers ? Avoir un emploi, c'est déjà beaucoup, sans doute. Quoiqu'on ne puisse avancer de chiffres précis, il est certain que la petite industrie génère beaucoup plus d'emplois que la grande. Cela explique peut-être l'absence de désir d'y contrôler et d'y réglementer effectivement le travail.

Tous les types de rémunération existent ici, chez Jagdish S : au mois, à la journée, à la tâche. Les tourneurs, qu'il a formés lui-même ou dont il a amélioré la formation acquise sur le tas, reçoivent un salaire mensuel de 400 roupies, et de 50 roupies pour les apprentis de moins de quatorze ans. Jagdish S. n'embauche

que des gens qu'il connaît et offre 7 roupies par jour aux manœuvres. « Les fondeurs viennent de Madras, ce sont de bons ouvriers habitués à ce travail pénible et dangereux (le creuset manié par les hommes pèse 450 kg) », précise-t-il. Ils sont recrutés par l'entremise d'agences de main-d'œuvre, les *contractors* (dont les réseaux couvrent parfois l'Inde entière), moyennant une avance sur salaire de 1 000 à 2 000 roupies, versée à ces intermédiaires. Les fondeurs sont payés 500 roupies par mois, viennent là seuls et ne retournent chez eux qu'une fois l'an, pour *Divali*. Les tôliers et les peintres rémunérés à la tâche, encadrés par le *mistri* (contremaître) qui les a engagés, sont de Tenali. Les travaux de tôlerie ou de tournage supplémentaires sont effectués hors de l'entreprise, dans l'un des nombreux ateliers de la ville. Ces derniers ne travaillent qu'à façon *(job work)*, en sous-traitant au rythme des commandes.

Le salaire mensuel minimal est de 250 roupies pour huit heures de travail quotidien. Par rapport à d'autres entreprises où, comme dans la sienne, la journée de travail excède parfois dix heures, celle de Jagdish S. propose tout de même un salaire enviable.

DES VOYAGES DE FORMATION FINANCÉS PAR LE LION'S CLUB

M. Jagdish ne se contente pas de contrôler lui-même la production, la prospection du marché et l'achat de matières premières : il s'informe. Il se déplace dans l'Inde entière pour assister à des réunions et des séminaires sur les rizeries. Le parti politique de son beau-père organise ses voyages et assure son hébergement ; il lui arrive cependant d'être accueilli par des associations de vayshias, qui fonctionnent à travers toute l'Inde à la manière d'une guilde. Sa compétence est reconnue : il figure sur la liste des conseillers du ministre de l'Agriculture de New Delhi. C'est lui qui, en 1977, a suggéré que soit introduite dans les ITI une formation de mécanicien de rizerie, qui existe aujourd'hui dans plusieurs États de l'Union.

Secrétaire local du Lion's Club, il a pu se rendre en Malaisie et en Thaïlande pour assister à des congrès sur le décorticage industriel du riz. Le Club s'est chargé de ses contacts, de son voyage et de son séjour. Le DIC (agence décentralisée de promotion et d'assistance à la petite industrie au niveau d'un district) a facilité l'obtention de devises (500 dollars par voyage) et l'a aidé à recevoir une délégation malaisienne à Tenali. L'année prochaine, il ira au Japon dans les mêmes conditions.

L'Inde manque de certaines matières premières, qui sont donc distribuées de façon réglementée. Elles sont délivrées à chaque petite entreprise selon un quota trimestriel fixé en fonction de leurs besoins estimés, des stocks disponibles et des bonnes relations établies avec les fonctionnaires du DIC. Fort complexe, le circuit de distribution mobilise au moins cinq agences gouvernementales aux niveaux fédéral et central. Jagdish S. se débrouille... A présent, il bénéficie d'une certaine priorité grâce à sa notoriété et aux amitiés qu'il entretient au sein du DIC. Mais il n'est pas livré en temps opportun et n'obtient que rarement les qualités requises. Il revend donc une partie de son quota au marché noir pour acheter ensuite, en utilisant ses relations avec les grossistes de Tenali, tous vayshias, ce que requiert sa production. Les liens tissés avec d'autres industriels au cours de séminaires favorisent le troc de matériaux.

En profitant de tous ces contacts judicieux, Jagdish S. a pu développer son entreprise. Il a maintenant trois dépositaires en Andhra : à Tenali, à Hyderabad (capitale de l'État) et à Proddatur, sa ville natale. « C'est une production liée aux relations », reconnaît-il.

Alors que plus de la moitié des petites industries indiennes appartiennent aux membres des castes commerçantes, auxquels on peut faire grief de ne porter qu'une faible attention aux problèmes techniques, Jagdish S. est représentatif des petits entrepreneurs qui allient connaissances techniques et aptitudes commerciales. Ainsi tire-t-il avantage et de sa qualification et de son origine sociale. Il est une figure typique de la libre entreprise en Inde, c'est-à-dire d'un libéralisme où le jeu complexe de la hiérarchie des castes et de leurs spécialisations influe sur la structure industrielle. Ce système se caractérise par la mobilité des capitaux à l'intérieur des castes commerçantes aptes à les disperser dans des secteurs à fortes marges bénéficiaires et à les orienter ailleurs dès que les profits diminuent... Mais s'agit-il d'une spécificité indienne ?

Ceux qui possèdent quelques biens, et eux seuls, comme le veut la logique bancaire, sont aidés efficacement par l'octroi de prêts institutionnels — et cela en dépit des déclarations d'intention des pouvoirs publics. Issus des castes supérieures et des castes dominantes d'agriculteurs, nombreux sont pourtant les ingénieurs et techniciens — privilégiés d'un système éducatif coûteux —, inventifs et entreprenants comme Jagdish S., qui ont su bénéficier des incitations gouvernementales pour s'installer à leur compte. Ils ont cherché un créneau et se sont lancés dans l'industrie, avec succès souvent, avec succès toujours lorsque leur milieu familial facilite les relations à l'intérieur du monde des affaires.

LA BONNE SANTÉ
DU PETIT CAPITALISME SAUVAGE

Comment croire, dès lors, que l'absence d'esprit d'entreprise puisse expliquer une certaine lenteur dans l'industrialisation de l'Inde ? Ce n'est pas l'absence d'initiative et de savoir-faire, mais bien le manque de capital et l'étroitesse du marché intérieur qui entraînent les freins importants constatés. Il est également réducteur de décrire une économie parallèle stérilisant la production. Il y a transfert et réinvestissement dans l'économie légale de capitaux issus du marché noir, et vice versa. L'absence d'étanchéité entre les deux secteurs est notable, ce qui relativise ici le concept même d'économie parallèle. La corruption, le marché noir agissent plutôt comme une soupape face à une bureaucratie tatillonne et pesante, soupape qui permet à l'économie, et singulièrement à la petite entreprise, de fonctionner... Ainsi les intérêts des fonctionnaires et des petits entrepreneurs se rejoignent parfois. Les salaires des fonctionnaires sont très bas, les chances de promotion liées à l'ancienneté et la hiérarchie rigide laissent si peu de place au mérite qu'il est tentant de faire rémunérer par un entrepreneur une compétence mise à son service. Une redistribution des fonds s'opère ainsi, une forme de partage des profits... Est-ce une voie vers une société plus égalitaire ou une perversion ultime du rôle de l'État et de ses agents ?

Il faut noter le rôle direct des groupes de pression, dont la reconnaissance sous la forme de conseils — ainsi en est-il des rizeries — donne à la démocratie indienne d'autres interlocuteurs que les politiciens classiques. Sont-ils seulement des groupes d'intérêt ou des conseillers agissant dans l'intérêt général ? Omniprésents, le Rotary Club et le Lion's Club facilitent les échanges locaux et internationaux en organisant un vaste réseau commercial et technique. S'ils servent de prétexte à des notables pour se rencontrer, leur importance s'affirme à travers diverses actions ponctuelles de développement économique et d'aide sociale, aussi efficaces que celles entreprises par les instances gouvernementales.

Les normes et les codes de morale sociale occidentaux ne sont pas directement applicables à l'Inde, où l'efficacité dans le monde des affaires est bien souvent le seul critère admis, et ce, de façon spontanée. Le sens des affaires, comme le dépeint si bien Satyajit Ray dans *L'Intermédiaire* (1975), est aussi l'un des moteurs de la société.

La petite entreprise en Inde révèle une dynamique sociale assez opaque : une structure de promotion ambitieuse et complexe l'assiste, tandis que, parallèlement, elle se « débrouille ». De fait, ce petit capitalisme, « sauvage » sous bien des aspects, se porte bien.

—— *BRIGITTE SILBERSTEIN* ——
géographe

1. **Argent noir** : capitaux issus du marché noir et circulant dans l'économie parallèle ; échappent à tout contrôle et à toute taxation.

VERS
L'AUTOSUFFISANCE
ALIMENTAIRE ?

entretien avec
——————— *MICHEL ROCARD* ———————
ministre de l'Agriculture

DANS L'ENTRETIEN QUI SUIT, MICHEL ROCARD EXPLIQUE SON
INTÉRÊT POUR LA POLITIQUE DE DÉVELOPPEMENT INDIENNE,
POLITIQUE DONT IL VÉRIFIA LES EFFETS LORS D'UNE VISITE OÙ
LE MINISTRE FUT VIVEMENT IMPRESSIONNÉ PAR LES
RÉALISATIONS DANS LE DOMAINE DES COOPÉRATIVES AGRICOLES
ET, PLUS GÉNÉRALEMENT, PAR LA VOLONTÉ POLITIQUE D'UN
DÉVELOPPEMENT RURAL SUR DU LONG TERME. POUR MICHEL
ROCARD, QUI ÉVOQUE ÉGALEMENT LA PLACE ORIGINALE DE L'INDE
DANS LES RAPPORTS INTERNATIONAUX, IL EST IMPORTANT DE
POURSUIVRE DES PROGRAMMES DE COOPÉRATION ENTRE L'INDE
ET LA FRANCE, COMME C'EST LE CAS DEPUIS UN CERTAIN TEMPS
AUTOUR DE LA RECHERCHE AGRONOMIQUE.

**Denys Cruse — Contrairement à
une image encore très persistante
l'Inde assure désormais son autosuffisance alimentaire et elle s'est
largement ouverte à des techniques modernes dans le domaine
agricole. Vous avez pu vous en
faire une idée lors de votre séjour
l'année dernière, qu'est-ce qui
vous a semblé le plus marquant ?**

*Michel Rocard — D'abord la
découverte de cette perfor-
mance agricole extraordinaire
et, deuxièmement, les moyens
mis en œuvre pour arriver à
ces résultats étonnants. Je crois
que pour parler de ces choses
il faut se souvenir que dans les
débuts de la décennie 1970, la
famine dans le monde était le
grand problème de réflexion de*

*beaucoup d'élites intellectuel-
les : il y a eu quantité de rapports, on a travaillé là-dessus,
notamment par le biais de
l'ONU, mais toutes les institutions internationales et aussi
les institutions caritatives non
gouvernementales publiaient
beaucoup à ce sujet. La certi-
tude de l'époque, c'était que le
monde allait à une aggravation
de la famine, qu'il était notamment incapable de se nourrir
globalement et que l'immense
continent asiatique, aussi bien
avec la Chine qu'avec l'Inde,
annonçait des perspectives
extraordinairement sombres.
Personne ne voyait comment
éviter ces menaces de famine*

195

considérables. Or depuis un peu plus d'une dizaine d'années on enregistre en Inde des résultats extrêmement étonnants, quoiqu'il faille tout de même savoir de quoi on parle. L'Inde, c'est maintenant un peu plus de 700 millions d'habitants, dont probablement 300 millions en dessous d'un seuil annuel de 260 dollars.

Il faut certes être réservé sur tous ces calculs. Le vieux comptable national que je suis sait comment on les fait et j'ai les plus grands doutes. Vous connaissez la référence classique : vous prenez un briquet, que vaut-il en comptabilité nationale ? Eh bien, la différence entre la France et l'Inde, c'est qu'en France on le jette, et en Inde on en trouve des quantités qui sont percés en bas et rechargeables. Donc la valeur d'usage d'un tel briquet n'a rien à voir selon qu'on le recharge ou qu'on le jette, mais il sera comptabilisé de la même manière parce qu'il y a un prix mondial des marchandises fongibles. Toujours est-il qu'il y a 300 millions de gens qui, en Inde, sont dans une situation d'extrême pauvreté. A l'inverse, il y en a 50 millions qui ont un niveau de vie comparable au nôtre et un peu plus de 300 millions dont le niveau est comparable à celui des Algériens. Donc, derrière ces chiffres, il faut tenir compte des systèmes de récupération qui représentent plus de facultés de survie que nous ne l'imaginons. Selon nos seules références économiques personne ne pourrait vivre. Par rapport à cela, dire que l'Inde a atteint son autosuffisance ali-mentaire, c'est dire une chose qui exige immédiatement un commentaire. C'est l'autosuffi-sance moins la moitié des 300 millions en dessous du seuil de pauvreté, ceux qui sont sans aucune espèce de res-sources. C'est-à-dire au moins 150 millions de gens qui certai-nement continuent et continue-ront à mourir de faim en Inde.

Cela est dû, par exemple, aux pro-blèmes de distribution.

Pas seulement. C'est le fait que bien au-delà de la seule carence de produits alimentai-res, il s'agit là d'une popula-tion sans terre, analphabète totalement, dont une partie réside en bidonville et qui n'est inséré dans aucun circuit éco-nomique. Et on ne peut dire que l'Inde a atteint son auto-suffisance alimentaire que pour les autres qui représen-tent quand même 550 à 600 millions d'Indiens : tous ceux qui ont quelque rapport avec une activité, fût-elle à mi-temps ou à quart de temps, à partir d'un outillage d'artisan ou d'un peu de terre, qui ont une insertion dans la vie éco-nomique qui n'est pas celle du clochard. La majeure partie de la population est donc entrée dans une phase d'autosuffi-sance alimentaire depuis une décennie : c'est déjà un résultat foudroyant. Comme la Chine a fait des choses à peu près équi-valentes, deux des plus grandes inquiétudes qu'avait le monde sur sa capacité à se nourrir dans les années 70 sont réso-lues. Et la famine dans le monde aujourd'hui est un pro-blème régional : l'Afrique, la moitié nord de l'Amérique du

Sud et certaines autres parties de l'Asie.

Ce qui m'a précisément marqué, ce sont les moyens mis en œuvre pour cette évolution. Ces moyens, pour moi, tiennent au courage, peut-être même à la brutalité, de la décision politique. Il y a en fait deux décisions politiques de principe qui sont à la clé de l'affaire. La première, c'est que les choix gouvernementaux doivent être favorables à la campagne plus qu'à la ville, que le développement agricole est une absolue priorité et qu'à ce titre notamment la politique des prix des produits et la politique fiscale doivent conduire la ville à payer pour sa nourriture le prix minimal nécessaire pour développer l'activité dans le monde rural. Derrière ce choix, il y a aussi l'idée qu'on ne peut rien dans l'état actuel des choses pour le sous-prolétariat urbain de l'Inde, sinon faire qu'il n'augmente pas. Le deuxième élément de la même décision, mais il est aussi considérable, c'est que l'Inde a développé — ce qui ne peut se faire sans doute qu'à l'échelle d'un continent, d'une fédération d'États et reste inopérant au niveau d'un simple État-nation — un protectionnisme agricole important. Le fait que les céréales sur le marché mondial se vendent maintenant en dessous de leur prix de revient américain fait que, même en Inde, le prix mondial des céréales serait dissuasif d'une production locale. Pourquoi cela ? Les Américains produisent leurs céréales d'une manière extensive, avec des moyens beaucoup plus performants que l'Inde. La quantité et la faiblesse des rendements indiens explique qu'il leur faut tout de même maintenir un certain prix.

Mais les rendements les plus élevés du monde en céréales sont au nord de l'Inde, au Pendjab !
Oui, mais ça, c'est la partie moderne de l'Inde ; on a toujours cette divergence qu'il faut garder en mémoire.
En ce qui concerne le lait, une de mes surprises, c'est la constatation que le prix du litre de lait payé à un paysan indien est le double de celui payé à un paysan communautaire, le double. Comme le lait est un produit mondialement fongible et soumis à des échanges internationaux, là encore l'Inde se protège aux frontières. Il faut dire que chez nous le troupeau moyen est de dix-huit vaches, en Inde il est d'une vache et d'une bufflette.

C'est numériquement le premier cheptel du monde, mais sa productivité est très faible.
Absolument, c'est du 450 à 500 litres par an contre bientôt 5 000 chez nous. Mais c'est précisément parce que la productivité est faible et le troupeau réduit à une tête par fermier qu'il faut bien que le prix soit un peu rémunérateur pour tenir. Même avec le double du prix du litre de lait français, à 500 litres par an pour une seule vache, il n'y a pas de quoi faire vivre grassement une famille. Mais ils ont eu le courage de le faire. Et ce courage politique est tout à fait significatif. Je plaide pour ma part que le drame alimentaire

197

africain est très lié au fait que la plupart des gouvernements d'Afrique ont fait des politiques inverses, favorables à la ville et défavorables à la campagne.

Vous évoquiez les distorsions sociales du pays qui faisaient que l'aide alimentaire, par exemple, était difficile à appliquer. Ne craignez-vous pas des problèmes identiques quant aux relais des techniques nouvelles sur le terrain ? Ces laiteries coopératives, ces centres de recherche agronomique, toutes ces expérimentations sont liées aux capacités techniques et de recherche des Indiens et à des opérations entre l'Inde et la CEE. Pensez-vous qu'elles ont des chances de parvenir aux paysans les plus démunis, qui n'ont souvent pas les moyens de les utiliser ?

Prenons l'exemple du lait, qui est un bon exemple. Je voudrais commenter plusieurs de vos termes, vous avez employé celui d'expérimentation. Quand il y a des millions de producteurs confédérés dans la structure des NDDB[1], dans ce système coopératif qui est derrière, et que ça touche un nombre considérable de personnes avec les femmes et les gosses de ces chefs d'exploitation, on n'est plus expérimental, on alimente l'Inde, c'est de la réalisation. Deuxièmement, techniques nouvelles, dites-vous ? En Occident, notamment en France, pour les lecteurs, l'expression « techniques nouvelles » va faire référence à la génétique, aux modalités d'alimentation, à l'ensemble des traitements et techniques du problème du bétail, etc. On n'en est pas là. Il n'y a rien de

très novateur dans toute l'affaire du Dévelopment Board, du côté proprement technique et scientifique.

L'innovation fondamentale, elle est dans l'idée gestionnaire. Elle est dans l'opérationnalité sociale du système. Et c'est là qu'il y a une innovation absolument fabuleuse. L'idée majeure, c'est d'utiliser l'aide alimentaire européenne dans des conditions structurelles telles qu'au lieu de simplement nourrir des gens et puis de laisser le problème se reposer inchangé dès l'instant qu'on a mangé, on fait naître des structures de développement agricole capables de s'autoproduire et de progresser. Comment cela s'est-il fait ? Par l'utilisation d'une aide alimentaire en poudre de lait, dont les produits locaux tirés, c'est-à-dire du lait consommable, reconstitué, et puis des fromages, des yaourts, etc., ont été vendus en Inde au prix du marché, et non au-dessous, à même coût que les produits importés classiques, donc relativement cher pour les gens des villes, mais en monnaie locale bien sûr. Et c'est cette contrepartie en monnaie locale qui a constitué une espèce de trésor de guerre pour le NDDB, qui lui a permis d'organiser sa propre progression et son propre développement.

Deuxième élément, les conditions de fonctionnement quotidiennes des collectes laitières des coopératives. Il a en effet fallu que les producteurs se groupent pour permettre — c'est l'élément central du système — que la collecte laitière soit faite, comme il convient, deux fois par jour, une fois au petit matin et l'autre fois en fin d'après-midi. Ensuite chaque apport — un litre et demi, trois litres, quatre litres — est immédiatement quantifié, mesuré dans sa teneur en matière grasse, inscrit, expertisé donc, sur un petit livret que chaque paysan indien qui est dans le système laitier possède. Puis ce lait est payé à la collecte suivante, c'est-à-dire que le laitier reçoit de l'argent toutes les demi-journées. Le principal résultat, c'est de rendre inutile l'emprunt donc l'usure. Et la pénétration du système se fait au fur et à mesure que « physiquement » — parce qu'on s'est battus vraiment à coups de poings — les paysans prennent conscience du caractère fondamentalement progressiste pour eux d'un pareil fonctionnement par rapport aux usuriers. Dans les zones qui nourrissent nombre des principales villes et où le NDDB a pris toute son extension, l'usure a disparu. Ce qui est naturellement un très grand soulagement. En cinq, six ans à partir du moment où un nouveau village entre dans le système coopératif du NDDB, les augmentations du revenu agricole des producteurs de lait ont à peu près doublé, et le système a ainsi fait tache d'huile.

Mais ça suppose une vulgarisation tout à fait considérable et tout ça a une origine. Vous savez qu'au moment où l'Inde est arrivée à l'indépendance, la construction du pays a reposé sur trois hommes : Gandhi donnant toute sa souplesse et tout son charisme à la cons-

truction de l'État sans y participer lui-même, Nehru, Premier ministre, et Patel, le très fort ministre de l'Intérieur qui a façonné l'Inde.

Le frère de Patel était un gros agriculteur riche. Mais il avait déjà des idées d'avenir plutôt positives et généreuses, et réussi à regrouper des paysans en une coopérative pour laquelle avait été embauché un admirable ingénieur qui venait du secteur nucléaire, le Dr Kurien. Celui-ci a été l'inspirateur de tout le système de développement, qu'il a organisé en s'appuyant sur l'aide européenne qu'il est venu négocier.

Nous avons des rapports de coopération très suivis avec lui. Après une méfiance initiale devant la montée d'un système de pouvoir coopératif très puissant qui échappait au pouvoir central — et qui est rejoint chaque année par un millier de villages supplémentaires —, le gouvernement indien s'est rendu compte qu'il fallait plutôt l'appuyer. Il a donc décidé de l'étendre à l'échelle nationale en créant le NDDB, en élargissant le champ des coopératives laitières et en demandant même à Kurien d'appliquer la même chose pour l'alimentation des villes indiennes en fruits et légumes.

Kurien a accepté de travailler à la gestion centrale, à la condition que ce ne soit pas à Delhi afin d'avoir la paix. Il est donc à Anand, une bourgade du Gujarat à des centaines de kilomètres de Delhi et de Bombay. C'est intéressant aussi en sociologie administrative.

La coopération entre la France et l'Inde est-elle privilégiée ?

Oui, mais je souhaiterais que l'on en fasse plus. Mais nous sommes coopérants techniques depuis longtemps. Avec la BAIF[2], par exemple, qui est un centre dirigé par un disciple de Gandhi et avec lequel nous avons toujours été en coopération en matière de génétique, d'expérimentation sanitaire sur le bétail, etc. La BAIF a une approche différente de celle du NDDB. Le Dr Kurien affecte de les trouver trop chercheurs et pas très réalisateurs. Les gens de la BAIF, agronomes mais philosophes de tempérament, trouvent que Kurien se compromet dans la brutalité marchande, la bagarre avec l'usure, etc.

Nous avons été en relation directe avec la NDDB à travers la CEE où il fallut imposer, impulser le projet. Ce sont des commissaires français qui l'ont fait. Nous avons été intéressés dès le départ. Il faut également souligner nos rapports dans le domaine aéronautique et nucléaire. C'est vrai que nous ne sommes qu'un partenaire parmi d'autres pour ce pays anglophone, mais les Indiens savent que la France est la plus indépendante, dans son discours international et dans sa politique étrangère, des grands pays de l'Alliance atlantique. L'insistance sur l'indépendance nationale, sur la nécessité pour le monde entier de peser pour que le dialogue États-Unis-URSS n'oublie pas le reste du monde crée une assez grande convergence entre les politiques étrangères de nos deux pays. C'est un point décisif dont à mon sens nous n'avons pas tiré, de loin, toutes les conséquences dont il est porteur.

Qu'en est-il de la coopération triangulaire à laquelle les Indiens semblent très sensibles ?

Oui, Mme Gandhi elle-même m'avait dit son ferme accord de principe à ce sujet. Cela consiste en une utilisation en commun des moyens financiers et techniques d'un pays développé et des techniques sociales de ce grand pays à la limite du tiers monde et du développement qu'est l'Inde, afin de proposer conjointement la reproduction de certaines de ces expérimentations, leur adaptation au tissu social dans d'autres pays. Éventuellement aux Philippines. C'est délicat à organiser mais nous sommes très résolus dans ce sens.

Aviez-vous une attirance pour ce pays avant de vous y rendre et quelle perception en avez-vous eue, lors de votre dernière visite ?

Quelle personne un peu cultivée, à moins de n'avoir aucune curiosité, pourrait ne pas avoir d'attirance pour cet immense pays, son enracinement, ses traditions, ses cultures ? Je suis curieux de tout ce qui est différent d'ici. Et je suis revenu très heureux d'avoir découvert des structures, des hommes, des façons d'être, et très satisfait de mesurer efficacement les chances, à mon avis considérables, d'une intensification des relations entre nos deux pays. J'ai eu l'occasion de rencontrer à plusieurs reprises Mme Gandhi depuis fort longtemps. Notre entrevue, à l'occasion de mon dernier voyage, avait été tout à fait centrale par l'importance des points évoqués. Ce furent, comme on l'a dit, les problèmes de coopération triangulaire mais aussi le problème de la corrélation qu'il peut y avoir entre nos deux diplomaties, par rapport aux problèmes alimentaires du monde et pour essayer de contrecarrer les stratégies dont le libéralisme un peu dogmatique freine les chances de développement du tiers monde : je pense aux États-Unis. Par rapport à cela nous avons beaucoup de choses à faire ensemble, et nous l'engageons progressivement.

propros recueillis par
— *DENYS CRUSE* —

1. **NDDB** : structure nationale couvrant les coopératives.
2. **BAIF** : Bharatiya Agro Industry Foundation. Centre de recherche agronomique.

LA PASSION
DE LA POLITIQUE

L'Inde cultive entre autres passions celle de la politique. Passion bien particulière n'ayant rien de commun avec les dogmes et le « sérieux » qui ont tué le « politique » en Occident.

La rue est l'un des lieux où la politique démontre sa principale force : le pouvoir de rassembler les foules. Qu'il s'agisse de manifestations ultrapacifistes ou ultraviolentes, le voyageur occidental est souvent, dans une grande ville indienne, témoin d'un meeting, d'un défilé, ou d'un *sitting*. Les causes sont multiples : défense des intouchables, des femmes, des musulmans ou au contraire de l'hindouisme pur et dur. Les étudiants, le syndicat des *rickshaws*, voire la police, manifestent.

Mais toujours reste l'impression d'une foule répétant des slogans, dans des sortes de psaumes à la limite du chant incantatoire. De ce bouillonnement où s'entremêlent meetings et discours fleuve, l'impression est celle d'un tumulte, d'un chaos social à l'image de la multiplicité des dieux et des cultes. Oui, quelque chose de « religieux » dans l'ardeur, et ce qui est aussi typiquement indien, à travers l'esprit même de revendication qui s'oppose au « fatalisme » social, la conscience du groupe.

Bombay, Bangalore, Calcutta... impossible d'y séjourner sans tomber sur ces incroyables meetings, manifestations et contre-manifestations permanentes. Rien de plus vivant avec les couleurs des saris, les drapeaux rouges, la répétition hystérique des mots d'ordre. Spectacle du scandale. Envers du décor qui s'oppose à l'univers ordonné de la société indienne, à travers la vocifération, l'indocilité, le rire et la violence, mais aussi retour et reconnaissance du système à travers l'affirmation du groupe qui englobe l'individu.

Et puisque la politique en Inde est effusion et spectacle, celle-ci ne pouvait pas, dans la sphère des passions indiennes, ne pas rencontrer sa grande rivale : le cinéma. M.G.R. au Tamil Nadu, N.T. Rao en Andhra Pradesh, sont tous deux acteurs de cinéma devenus Premiers ministres de ces deux États du Sud. Ils sont adorés par leurs fans et électeurs comme des demi-dieux... curieux phénomène en tout cas qu'au cinéma régional (télugu, tamoul...) corresponde un régionalisme politique. Ce système fonctionne si bien qu'il se multiplie un peu partout en Inde. Par dizaine on compte les acteurs du cinéma commercial élus dans les circonscriptions ! Le « modèle Reagan » a fait recette à tel point que la plus grande star, Amitabh Bachchan lui-même, s'est fait triomphalement élire en tant que représentant du Congrès, consacrant ainsi la « superficialité » du système politique.

LE GRAND GUIGNOL POLITIQUE

N'oublions pas que l'histoire joue aujourd'hui plus que jamais avec les images.

Ce sont ces dernières qui la déterminent en grande partie. Or l'image du politicien en Inde en a pris un sérieux coup ces dernières années. La presse ou le cinéma hindi le présente tel une sorte de démon, un être vil, prêt à toutes les bassesses afin d'asseoir son pouvoir local. Les complots, les dessous de table, les scandales de mœurs ont fait plus contre les partis politiques établis que des centaines de discours enflammés. La presse indienne traite les partis comme le ramassis des opportunistes, des débrouillards. Et les politiciens ressemblent plus parfois à des mafiosi qu'à des militants crédibles !

D'autant que la bataille des chefs de l'opposition n'a rien fait pour redorer le blason de la politique. Toutes ces « vieilles barbes » se sont haïes pendant le gouvernement Janata : Morarji Desai, quatre-vingt-huit ans, qui, en 1977, triompha d'Indira Gandhi à la tête du Janata Party (Parti du peuple), Charan Singh, quatre-vingt-deux ans, rétrograde au possible, qui rêve au retour de l'Inde d'il y a trois siècles et le singulier Jagjivan Ram, soixante-seize ans, un intouchable d'origine, surnommé « J. Bomb », qui devait en fait essuyer une cuisante défaite en 1979. On ne peut expliquer la suite de camouflets électoraux qu'a essuyé l'opposition face au parti dominant des Gandhi (le Congrès I) sans se référer aux deux ans du gouvernement Janata (1977 à 1979) qui furent catastrophiques pour l'Inde (au « bord du gouffre », comme le soulignait complaisamment la presse). Et ni Chandra Shekar, président du Janata actuel, ni Charan Singh qui, à quatre-vingt-deux ans, a fondé son propre parti, n'ont pu en 1984 détourner les Indiens du jeune Gandhi.

SÉDUCTION DE LA POLITIQUE

Et pourtant, malgré le sordide des scandales qui éclaboussent les politiciens, l'intérêt des masses pour la vie politique ne faiblit point. On est loin du scepticisme qui caractérise bien des pays d'Europe. Les Indiens prennent aussi la politique comme un « jeu » où tous les coups sont permis. Même la corruption fascine par son caractère d'inversion radicale du « désintéressement » hindou.

Le discrédit du politique n'a pas non plus entamé les passions autour des campagnes électorales qui, dans tout le pays, sont un spectacle permanent et prennent toujours l'allure d'une fête. Mme Gandhi n'était pas un bon orateur, mais la voir suffisait : on se laissait prendre par son regard, et son *darshan* (apparition), telle une déesse, était gage de succès. D'où le marathon des candidats pour donner le maximum de darshan le plus vite possible ! Lors de la tournée électorale de 1979, ne voyait-on pas Indira Gandhi après une journée harassante arriver à 4 heures du matin dans des villages, assise au côté de son chauffeur, tenant dans sa main une torche électrique afin d'éclairer son visage, pour que chacun assiste à son fameux darshan, répété maintes fois dans la nuit.

A ce niveau le discours a peu d'impact. Certes les propositions de Rajiv Gandhi ont pesé sur le vote de 1984 quand il s'est attaqué à la corruption et « à la main de l'étranger », thème démagogique par excellence.

Mais la séduction, les belles paroles restent les armes principales des candidats, effaçant en partie les rumeurs autour du pouvoir, de l'argent et du plaisir, cette trilogie « sadienne » au pays des gurus. En 1979, la campagne de Mme Gandhi est d'ailleurs orchestrée de main de maître par un poète hindi, M. Verma, qui en sa qualité connaît la valeur des mots. En revanche, celle de M. Ram, qui a été menée comme une étude scientifique de marché, n'a pas réussi faute de mots accrocheurs qui « parlent » aux masses.

A cela il faut ajouter cette fascination étrange qu'ont les gens « simples » pour la famille des Nehru. Si la presse avait Mme Gandhi en horreur (et certains journaux la tenaient pour quasiment folle dangereuse et paranoïaque lorsqu'elle s'agrippait au pouvoir), le petit peuple l'adorait telle une déesse, la croyait de par son nom descendante du Mahatma Gandhi ou même sainte shivaïste et la nommait Indirama. Même les querelles internes de cette famille deviennent affaire d'État, ainsi de l'échange de lettres à propos de la garde du petit-fils de Mme Gandhi, déchiré entre cette dernière et sa belle-fille (Maneka). Lettres publiées dans la presse, à la limite de la cruauté tant elles sont violentes, et qui en étant publiques deviennent obscènes, chacune accusant l'autre de tyrannie et d'influences néfastes sur l'enfant de Sanjay (le deuxième fils de Mme Gandhi mort dans un accident d'avion). Le fait divers rejoint ici la politique quand on sait que Maneka Gandhi avait créé son propre parti afin de contrer sa belle-mère et que des foules nombreuses venaient recevoir son darshan lors de meetings surréalistes...

LA PLUS GRANDE DÉMOCRATIE DU MONDE ?

Mais au-delà de la superficialité et du spectacle se posent à l'Inde des questions plus sérieuses. Il est assez étonnant de constater, même s'il faut faire quelques réserves, que l'idée de démocratie ait pu assez bien s'implanter en Inde. Cependant ne sommes-nous pas en train d'assister à la mise en place de la première « démocratie dynastique » du monde, celle des Nehru ? Le parti du Congrès, parti au pouvoir en Inde depuis 1947, est en effet aux mains de cette famille depuis Motilal Nehru, l'arrière-grand-père ? Et le castéisme (vote par caste pour tel ou tel candidat) reste très fort. Même les partis communistes profitent des votes castéistes ou régionalistes.

Mais comme nous, les Indiens sont des rouspéteurs patentés qui savent très bien se défendre et rejeter toute menace sérieuse pour la « démocratie ». Ainsi, en 1977, ils ont puni Mme Gandhi pour l'état d'urgence décrété en 1975. Que le gouvernement interdise des manifestations ou la liberté de la presse, et il a toute l'Inde contre lui. Personne ne peut empêcher la parole et l'effusion débordante des Indiens. Ces derniers, du reste, votent malgré tout de plus en plus démocratiquement (en 1980, en 1984), par-delà le régionalisme ou le castéisme, les cartes électorales étant bouleversées par une certaine prise de conscience individualiste, une nouveauté là où le vote « de groupe » était jusqu'à maintenant de règle.

« M. NICE » ?

Le vote massif en faveur de Rajiv Gandhi est l'une de ces effusions exagérées, quasiment sentimentale, dont sont friands les Indiens. Remerciement tout d'abord envers Indira Gandhi et la famille Nehru bénie entre toutes « qui a servi et libéré l'Inde contre les colonisateurs anglais et les fanatismes locaux ». Or c'est à ce Rajiv « au-dessus de la mêlée », tel un « dieu » fils de « déesse », auquel « revient tout naturellement » le pouvoir.

Le monde politique s'est trouvé secoué par le remue-ménage promis par Monsieur Propre (Rajiv), pas si « gentil » qu'il n'y paraît. Comment lutter contre l'« argent sale » qui va des hommes d'affaires aux politiciens, voire des Premiers ministres aux politiciens, cet argent, nerf de tout parti s'il veut rester influent ? On reste rêveur, mais, là aussi, le spectacle continue et la figure rédemptrice d'un Rajiv sublime, « saint » moderne et *nice* qui, après la mort accidentelle de son redoutable frère Sanjay et l'assassinat de sa mère, semble incarner le destin et être ainsi désigné comme leader de l'Inde, pensent beaucoup d'Indiens. Une vague plus forte encore que celle qui a vu le retour triomphal de Mme Gandhi en 1980 a porté son fils au pouvoir suprême. Et les darshans sans fin de Rajiv ont lieu devant des adorateurs pantois. Mais on peut se demander si Rajiv Gandhi peut gouverner ce pays sans au préalable manœuvrer (comme le faisait sa mère) dans des eaux pas très claires. Sinon l'héritier de la dynastie sera dépassé par l'imbroglio du système politique où la question régionale reste prépondérante. Mais l'« état de grâce » est pour l'instant de mise, d'autant que le nettoyage politique s'avère efficace et populaire. Et que les portraits de Rajiv et les mots d'ordre sont relayés partout par l'appareil de propagande intensive du tout-puissant parti du Congrès, dont les militants sillonnent en Jeep l'Inde des villages, un haut-parleur crachotant une musique inaudible de films hindis coupée de mots d'ordre répétés inlassablement.

Face au monde politique, face aux combines de Delhi, à l'organisation du Congrès, ou au discours des « vieilles barbes » de l'opposition, face aux candidats qui promettent monts et merveilles et qui se vendent au parti le plus offrant sans se préoccuper des administrés, face aux mots d'ordre déversés des Jeeps et à la propagande de la radio..., une autre voix fait bizarrement écho aux « belles paroles », laissant entrevoir une autre scène, ironique, populaire et obscène dans ses termes. C'est celle des rues, des marchés, des gares, où chacun met en boîte les candidats arrivistes qui promettent le paradis, mais qu'on ne revoit plus une fois élu. Cette voix « différente », d'un humour dévastateur, est souvent celle des démunis, de l'immense Inde de la pauvreté, des désenchantés non de la politique en soi mais de ses représentants.

MICHEL JACQUOT

LA FOIRE

AUX IMAGES

Paris, Sacré-Cœur. Comme tous les dimanches après-midi, des groupes d'émigrés tamouls, hindous, défilent devant les statues des bas-côtés. Circonvolution silencieuse, recueillie, mais rapide, avec juste un arrêt devant le grand saint Pierre doré. Une pièce dans le tronc pour le bureau d'aide sociale du XVIIIe arrondissement et ils ressortent. Qu'est-ce que vous allez faire dans une église catholique ? A Paris, il n'y a pas de temple, alors on va là-bas, « voir les statues ».

A Maduraï, Calcutta ou Delhi, ce même rite se répète. Les hindous vont dans leurs temples faire le *darshan*, c'est-à-dire voir la statue, s'imprégner de l'image du Dieu ; et c'est déjà en soi un acte sacré. Comme d'offrir le darshan. Ainsi gurus, philosophes et, dans la foulée, politiciens ou même stars de cinéma s'offrent à la vue, accordent la vision d'eux-mêmes. Ils sont alors investis d'une autre puissance, d'une autre force... comme auréolés de surnaturel. Un atout que l'on exploite à fond, lors des campagnes électorales par exemple, qui se transforment vite en grands spectacles : Indira Gandhi va jusqu'à visiter trente villages dans la même journée ; les affiches, les effigies multicolores de tous les candidats — grandeur nature ou géantes — fleurissent à travers le pays. Une bataille déjà pour imposer son image, pour être le plus vu.

FOISONNEMENT
DE COULEURS

*I*mportance de la vision, dont témoignent aussi ces multiples histoires, ces innombrables films mettant en scène des aveugles, personnages frappés du destin, non plus seulement infirmes, mais magiques, fascinants. Par intervention divine ou grâce à une greffe, ils retrouvent d'ailleurs le plus souvent la vue. Au cinéma, les banques des yeux paraissent aussi banales que les bureaux de poste ou les échoppes à thé !

Les images foisonnent en Inde. Des métropoles aux plus petits bourgs, les couleurs partout éclatent, criantes, violentes, des saris aux camions peints, des enseignes de magasin aux affiches recouvrant les murs. Constante de cette jouissance de la couleur, qui va jusqu'à la célébrer en une fête spéciale : *Holi*.

Bombay au printemps dernier, à la veille de Holi. Dans Colaba, le quartier des pêcheurs, on prépare les effigies de papier et les guirlandes. A tous les carrefours s'installent déjà les marchands de poudres de couleur. Les enfants, excités comme des puces, dévalent des ruelles en courant. Les hommes ont bu plus que de coutume et les musiciens commencent à s'assembler. Le jour de la fête, dans un grand défoulement général, des groupes se poursuivent pour s'asperger d'eau colorée. On en jette du haut des immeubles, à l'intérieur des boutiques, sur les voitures qui passent... Grands jets rouges, bleus, violets, verts dont les murs des semaines après gardent encore la trace, ainsi que les chemises blanches des paysans, laissant imaginer quelle ampleur a eu la fête dans tel ou tel village.

Les couleurs toujours sont vives, crues. Celle des vêtements comme celles des façades ou des affiches. Des harmonies foncièrement différentes des nôtres, mais qui sont celles des fruits, des fleurs, des paysages enfin lavés de la poussière par la mousson. Cette mousson tant attendue parce qu'elle donne la vie à l'Inde. Comme une leçon de la nature.

Ces couleurs, ce sont aussi celles de toutes ces petites images dont les Indiens semblent ne pas pouvoir se passer. Pas un marché, pas un bazar sans ses marchands d'images. Krishna bébé joufflu, Parvati, Ganesh, Jésus, mais aussi Gandhi, Indira, gurus, se vendent comme des petits pains. On les retrouve dans les maisons les plus pauvres, les échoppes, les bus, les restaurants. Inévitables, omniprésentes dans leur iconographie figée et donc familière. Non pas décoration, mais talisman, chaleur, tendresse. Comme si le fait d'être « mis en image » gommait tout côté charnel, toute réalité historique : Gandhi côtoie Shiva et vient grossir le panthéon.

Pas un bazar non plus sans photographe, chez qui l'on pose avec un sérieux incroyable. Cérémonie presque pour ces photos du groupe familial que l'on retrouve surplombant la porte d'entrée. Majesté de ces photos d'ancêtres accrochées au beau milieu du mur et que l'on honore et fleurit (comme celle du fondateur de l'usine, du parti...). Pas seulement souvenir, mais présence.

VAMPS GÉANTES
ET BELLÂTRES ÉNAMOURÉS
SUR FOND D'INCENDIE

Agrandissement à l'échelle de la foule de ces millions de petites images, dans les grandes métropoles s'étalent les affiches de cinéma gigantesques, presque décor, effaçant tout ce qui est autour de leur présence violente, obsédante. A Madras, à certains carrefours, elles arrivent à recouvrir entièrement des immeubles, à les dépasser même, à s'étendre en relief — par panneaux de contre-plaqué superposés —, finissant par dévorer tout l'espace. Les mêmes visages hagards, terrorisés ou béats, virant du rose tyrien au vert pomme, rehaussés de moult paillettes, s'y retrouvent d'un panneau à l'autre, si connus, si fidèles qu'il est même inutile de préciser le nom de ceux à qui ils appartiennent. Vamps géantes roucoulant dans les bras de bellâtres énamourés, meurtriers, danseurs disco se poursuivent d'un mur à l'autre de la ville sur fond d'incendie, d'accidents de voiture ou de cascades en tout genre.

Pour ces panneaux qui ne pouvaient s'appuyer sur des histoires, des légendes connues de tous, il a fallu créer une esthétique et un langage nouveaux. Il fallait que l'on puisse reconnaître les acteurs, d'où un certain réalisme ; suggérer ce qui se passe dans le film, d'où l'aspect montage photographique. Il fallait aussi accrocher, d'où la débauche de couleurs et la taille qui ne cesse de croître.

Certains panneaux peuvent aujourd'hui atteindre jusqu'à 27 mètres de long. Ils sont cependant peints sur toile et à la main, dans de petits ateliers, qui fonctionnent tous un peu à la manière de ceux des peintres de la Renaissance : un grand maître, des apprentis et quelques arpètes. Une concurrence terrible et des jugements sans concession entre les différents peintres. Des différences énormes aussi entre ceux qui se sentent plus artisans, commerçants, qui parlent plus volontiers prix au mètre carré (environ 30 F), rendement à la journée..., et d'autres qui se veulent artistes à part entière.

Parmi ceux-là, il y a Vishwanath Bhide. Dans un hangar coincé entre deux usines textiles, il travaille depuis plus de trente ans avec une dizaine d'employés. Un publicitaire de Bombay m'avait emmenée dans son atelier. Jeune businessman dynamique, il parlait pourtant du peintre avec une nuance de respect dans la voix. Pour lui, c'était véritablement un maître et c'est pour cela que, parmi la multitude d'ateliers de Bombay, il avait d'abord choisi de me montrer celui-là.

Le vieux maître s'était lancé dans un plaidoyer sans fin sur son art et avait passé en revue les difficultés qu'il rencontrait dans son métier : « On ne nous considère pas comme des artistes parce que nous avons rarement suivi les cours d'une école et parce que nous faisons un travail commercial... mais c'est un travail de création que nous faisons ! Il y a plus de quarante ans que je peins. J'ai commencé à sept ans dans un atelier comme celui-ci. Toute ma vie j'ai aimé la peinture, j'ai vécu pour la peinture. J'ai même visité le Louvre une fois. Je sais que si l'on mettait mes toiles dans une galerie, on dirait que je suis un artiste. Mais comme elles sont dehors, sur les murs, pour tout le monde... alors ce n'est pas de l'art ! Pour nous, il est de plus en plus difficile de vivre : les producteurs ne s'intéressent plus qu'au coût des affiches, alors la concurrence est dure. Certains ateliers cassent les prix, il faut travailler de plus en plus vite. »

La plupart du temps, les commandes arrivent deux jours à l'avance seulement pour des panneaux dont la taille moyenne est de 6 mètres sur 3 et qu'il faut non seulement réaliser, mais aussi concevoir. Cette conception qui justement enthousiasme Vishwanath Bhide : « Avant, les metteurs en scène me montraient tout le film, et à partir de là, je faisais un projet. C'est important parce que selon les films, on ne peut pas faire la même chose. Pour les films très commerciaux par exemple, il vaudra mieux des couleurs plus vives, pour un film d'auteur, par contre, l'expression des personnages sera plus importante. Il faut aussi savoir ce qui attirera le public. Par exemple, là... » et il nous montre la toile qu'il est en train d'achever, « c'est l'histoire d'un vieil homme et d'une vieille femme. Si je ne mettais que leurs visages sur l'affiche, qui viendrait voir le film ? Personne ! Alors il faut que le décor fasse comprendre que bien que les héros soient des vieux, eh bien, dans le film ça bouge quand même, et ça se passe quand même en ville... mais les metteurs en scène sont de moins en moins nombreux à vouloir nous montrer leurs films. Parce qu'ils savent que nous dirons aux gens ce que nous en pensons et il y a des films comme ça qui ont été un échec avant même de sortir ! » Lorsque je lui demande s'il n'a pas peur que son métier finisse par disparaître, remplacé par la photo par exemple, il éclate de rire : « Oh ! non jamais ! Parce que les photos ça coûte tellement plus cher que nous, et puis, vous croyez que les affiches imprimées ont autant de présence, autant de relief ? Si nous peignions comme ceux qui font les affiches publicitaires, alors oui, peut-être. Parce que eux, c'est plat, sans vie... mais nous non, jamais... enfin, tant qu'il y aura des gens prêts à travailler autant pour si peu d'argent ! »

Ces autres peintres auxquels il faisait allusion d'un ton un peu méprisant, ces sous-produits en quelque sorte, on les voit effectivement partout dans les villes indiennes. Juchés sur de précaires échafaudages de bambou, le pinceau à bout de bras, parfois à plus de 15 mètres du sol, ils mettent la touche finale à un immense paquet de lessive ou peignent les premières lettres d'un slogan vantant une cigarette quelconque. Au fil des heures, le message apparaît... *Re...lax...have a...* Il faudra attendre le lendemain pour savoir quoi. Seule une agence de publicité en Inde commence à se permettre d'avoir des affiches imprimées, toutes les autres font encore appel à des peintres.

L'INFLUENCE DÉCALÉE D'HOLLYWOOD

Cette esthétique des affiches de cinéma, des panneaux publicitaires, on la retrouve dans toute l'Inde, au travers des enseignes de magasin par exemple. Non plus comme la petite image traditionnelle dans un symbolisme millénaire, mais véhiculant des fantasmes plus terre à terre, moins évidemment pur India (le patron en slip machin avec sa secrétaire et sa Mercedes derrière lui...). Dans ces images s'engouffre une Inde autre, intégrant à un degré plus ou moins fort certains stéréotypes symbolisant la modernité occidentale (pin-up et buildings, attaché-case et *airport*). Et ce pourtant toujours au travers d'une forme, d'un *look* typiquement indiens. La spécificité ne tend à s'effacer, à s'atténuer tout au moins, que dans la publicité des journaux les plus intellectuels, les plus « sérieux ». Parce qu'ils sont destinés à des gens connaissant l'Occident ou y vivant ? Ou bien est-ce que cela préfigure une tendance qui se généralisera ? Une banalisation ? Un alignement sur ce que l'on voit de par le monde ?

On retrouve ce phénomène dans le cinéma populaire. Cette technique importée de l'Occident, les Indiens s'en sont saisis très tôt.

Comme si elle correspondait à un besoin, à une attente. Au début, il s'agissait plutôt de l'utilisation d'un nouveau moyen de traiter thèmes et histoires de la mythologie sous une forme traditionnelle (poussant donc très loin l'art du trucage). Peu à peu cependant une influence occidentale se fait sentir. Tant dans les formes que dans les thèmes (amour, action, héros solitaire...), Hollywood n'a pas été ignoré. Mais toujours cependant une facture particulière, décalée, parfois en porte-à-faux, mais indéniablement indienne. Ne serait-ce que par ce phénomène singulier qui fait qu'un film n'existe pas sans chansons ni musique. Cette musique que les radios et les magnétos distillent à longueur de journée à travers toute l'Inde, rengaines que tout le monde connaît par cœur et dont chaque note, chaque parole est intrinsèquement liée à l'image du film. Plus qu'ici sans doute, le cinéma est partie intégrante de la vie, pèse sur l'imaginaire, alimente les fantasmes.

Seule la télé manquait en Inde. Jusque dans les années 75, autant dire qu'elle était inexistante, tant par le nombre d'émissions que par le nombre de postes. Mais tout d'un coup, et spécialement depuis 1982, année des Asiades, jeux Olympiques asiatiques qui se tenaient cette année-là à Delhi, elle a pris un essor incroyable. Et l'on en parle tant que l'on reste incrédule lorsque l'on apprend qu'il n'y aurait encore aujourd'hui que deux millions de postes. Un chiffre pourtant logique si l'on considère le prix totalement prohibitif pour l'immense majorité des Indiens (plus de 3 000 F pour un poste noir et blanc en regard de salaires le plus souvent dix fois inférieurs et qui permettent tout juste la survie). Et pourtant les antennes fleurissent à travers le pays, y compris parfois dans les endroits les plus inattendus : toits de bidonville, de huttes de village... Les effets s'en font déjà sentir : le dimanche soir, la télé de Bombay diffuse un grand film hindi et lorsque la Porte de l'Inde, Marine Drive ou Chowpatty, les lieux traditionnels de la promenade dominicale, restent ce soir-là désespérément peu animés, les marchands de glaces de cacahuètes vous expliquent l'air désabusé que le film à la télé doit être bon.

L'impact de la télévision est toutefois encore bien loin de celui qu'il a chez nous. En dehors des films, repris au cinéma, l'émission la plus populaire consiste en extraits de ces mêmes films, généralement les chansons ou les danses. Elle ne diffuse que peu d'heures et l'on ne peut dire qu'elle soit très créative. Son développement rapide tient peut-être largement à l'existence de programmes régionaux, dans la langue de chaque État, mais aussi à la nouveauté. En tout cas, la grande révolution en Inde, ce n'est pas la télé, mais la vidéo.

Une véritable folie. Depuis trois, quatre ans on ne parle plus que de cela. Nouveau symbole de réussite, le magnétoscope est venu gonfler la liste des objets indispensables à une belle dot, après le ventilateur, le frigo et le scooter. Les clubs, les magazines fleurissent et prospèrent. Plus moyen d'y échapper. Dans la gare d'Hyderabad, sur chaque quai, les arrivées et les départs sont annoncés sur écrans par de jeunes femmes en sari. Des bus, aux voyageurs invisibles derrière les vitres noircies, sillonnent l'Inde de part en part : *les vido-coaches*, qui permettent, moyennant quelques roupies de plus, de faire le voyage en voyant un, deux ou trois films à la suite. Trajets invraisemblables, tout au long desquels il faut écarquiller les yeux pour entrevoir ce qui se remue sur le petit écran près du chauffeur, tendre l'oreille pour tenter de saisir, malgré le bruit du moteur, des suspensions et du klaxon, quelques bribes d'une conversation crachée par une sono sursaturée.

Le grand boom vidéo touche toute l'Inde — y compris les campagnes les plus reculées. Dans les villages où les cinémas n'existent pas, des propriétaires de café ou même de simples particuliers ont vite compris quels profits ils pouvaient en tirer. Ils investissent dans l'achat d'un magnétoscope, aménagent une salle avec quelques chaises et le tour est joué. Les salles ne désemplissent pas. Le phénomène est suffisamment important pour paniquer les producteurs de cinéma qui voient déjà dans la vidéo la mort de leur industrie. D'autant plus peut-être que devant l'impossibilité de contrôle, la censure ne joue plus. On peut passer n'importe quoi... et même des films pornographiques. Les histoires commencent à courir sur les horreurs qui attendent ces villages où les hommes passent la nuit à regarder des *blue films*, voire même les enfants à la sortie des écoles !

Mais au-delà de l'anecdote, le fait majeur est que la vidéo apporte pour la première fois, et brusquement, à des millions de gens une vision sur des choses, des lieux, des styles de vie qu'ils n'avaient souvent jusqu'alors même pas entrevus. L'univers urbain, les valeurs d'autres civilisations font une entrée d'autant plus tapageuse dans ces villages qu'une grande partie de la population est encore analphabète. Ni les livres, ni les journaux, ni même la télé dont le développement est trop récent n'avaient encore pu apporter cette ouverture. Ce n'est pas pour dire que dans les campagnes indiennes jusqu'à l'arrivée de la vidéo, on ne savait rien du monde extérieur. On en avait une idée bien sûr — ne serait-ce que grâce à la forte émigration vers les pays du Golfe dans certaines régions —, mais rien de comparable à ce que peut apporter cette soudaine avalanche d'images.

Mais il ne faut pas cependant perdre de vue que cette révolution vidéo, comme on dit en Inde, c'est encore une fois principalement au travers d'images indiennes qu'elle s'effectue : celles des films du cinéma commercial (seule une minorité d'Indiens comprennent l'anglais et il n'est pas question de sous-titrer, ce qui limite la diffusion des films étrangers). Un cinéma qui s'inspire parfois du cinéma occidental, voire, le plagie mais continue cependant à jouer sur les valeurs traditionnelles par rapport à la famille, au rôle de la femme ou à la religion par exemple.

Dans le bazar d'Udaïpur, les enfants sans cesse continuent à rabattre les touristes vers les ateliers de peintres sur ivoire. Laborieux travail pour de pâles plagiats des étonnantes miniatures du XVIIe ; dans les boutiques d'indianeries de Paris, de New York ou d'Amsterdam échouent ces tristes « pièces uniques » peintes à la chaîne, sans conviction... reliques d'un passé bien éteint. Ailleurs l'Inde vit : elle bouge, elle crée. Encore faut-il ouvrir les yeux.

——————— *MARIE PERCOT* ———————

50 MILLIONS
DE CONSOMMATEURS !...

Churchgate Station, comme chaque matin, déverse son flot ininterrompu d'employés arrivant des banlieues. Le sari encore frais, la chemise impeccable, ils se hâtent d'échapper au soleil et à la poussière pour retrouver l'air conditionné des tours du quartier des affaires de Bombay.

Express Tower, passé la porte, l'air devient frais, le vacarme de la ville s'assourdit : l'impression d'un endroit conçu pour effacer l'extérieur. C'est ici, au treizième étage, que se trouve le siège de Lintas, première agence de publicité indienne. Dès le hall, le ton est donné : les portes coulissantes des ascenseurs sont peintes de scènes qui s'animent à chaque ouverture-fermeture ; deux mains se joignent en *namasté*, le salut indien, un toréador vient indéfiniment porter la dernière estocade à un taureau fulminant, et le dieu et l'*Adam* de Michel-Ange se toucher le bout du doigt pour se séparer à nouveau dès que le liftier annonce *thirteen*. Derrière le dos de la secrétaire à qui je demande M. Desaï, l'un des directeurs de l'agence, une immense affiche : deux femmes se jaugent d'un regard sans complaisance, oui vraiment, grâce à Smurf mon sari est plus blanc que le tien.

Avant de retrouver le directeur, j'aurai déjà fait le tour des studios photos, de la salle ordinateur où l'on établit les *target groups* et les divers bureaux de conception. Rien de bien différent à première vue de l'agence Havas ou Publicis. Et pourtant ici sont conçues des campagnes couvrant l'Inde entière sous des formes cependant si différentes selon les États, les lieux, les médias utilisés qu'elles deviennent aussi reflet de l'immense diversité culturelle et économique du pays.

« MADE IN INDIA, MAIS EXPORT QUALITY »

« C'est comme si nous travaillions avec des pays différents, commence M. Desaï, il est impensable de passer le même message dans un État du Sud ou du Nord. Il y a d'abord le problème de la langue bien sûr. Si nous passons un message en hindi dans un cinéma du Tamil Nadu, il y a de grands risques que les spectateurs mettent le feu à la salle. L'hindi est la langue officielle, mais ce n'est après tout la langue que de 30 % des Indiens. Son utilisation est souvent perçue comme un impérialisme culturel, notamment dans les États du Sud.

— Mais suffit-il de traduire les messages dans les différentes langues ?

— Non, ce n'est pas seulement un problème de langues. Le physique des gens aussi diffère. Nous ne pouvons donc utiliser les mêmes modèles d'une région à l'autre, et puis, si certains critères de beauté comme la peau claire se retrouvent partout, d'autres changent ; on préfère par exemple les femmes plus grasses dans le Sud, et plutôt fluettes au

Bengale ! Cette diversité se retrouve à tous les niveaux : si je montre un repas du Sud dans la région de Delhi, les gens me demanderont à la limite si c'est de la nourriture !

— Sur quels types d'arguments basez-vous vos campagnes ?

— En Inde pour la majorité des gens et des produits, le prix est déterminant. Pour un paquet de cigarettes, une augmentation de 2 roupies à 2,50 roupies entraînerait la perte de millions d'acheteurs. Pour un ventilateur par exemple, c'est la fiabilité qui compte. Ici ce n'est pas comme en Europe, il faut que les choses durent dix, vingt ans ou plus. On les répare, on les bricole. Les gens sont très pauvres, on peut les avoir une fois, pas deux.

— Est-ce que le label *"made in India"* est un bon argument ?

— Hélas, non. Les gens ont toujours tendance à penser que ce qui vient de l'extérieur est mieux. Mais on aura une certaine confiance dans un produit qui s'exporte... C'est pourquoi des produits qui n'ont aucune raison de franchir les frontières sont si souvent prétendus tels : ici tout est *"export quality"*, le dentifrice, le mixer ou le chewing-gum.

— Mais la consommation ne concerne encore pas grand-monde ?

— On estime à 50 millions le nombre de personnes ayant accès à la consommation. Et encore s'agit-il en majorité de citadins. Cette réalité, la publicité aussi la reflète. Voyagez à travers le pays et vous verrez. Ici, à Bombay, il y a des pubs pour tout, les télévisions, les jeans, des déodorants, des chaînes hi-fi... dans une petite ville, elles se limiteront déjà aux montres, lessives et savonnettes. Mais dans les villages il ne restera plus que les *beedies* et les bâtons d'encens entre deux panneaux du Planning familial. En Inde, le marché est immense mais

il reste à conquérir. On ne vend encore que 30 millions de savonnettes par an, demain on en vendra des centaines de millions ! »

Tandis qu'il se lançait dans ce discours enthousiaste, je repensais à ce que m'avait lâché, presque anecdotiquement, une de ses collègues : « Vous savez, des panneaux publicitaires entiers disparaissent pendant la nuit..., les gens des bidonvilles les volent pour s'en construire des maisons ! »

LE BOOM DE LA CONSOMMATION

Après l'avoir quitté, je retrouve les bruits, les odeurs de la rue à leur comble à cette heure de déjeuner. Des grappes d'employés se pressent et se bousculent à chaque coin de trottoir autour des marchands ambulants qui font frire des *samosas* et des petits beignets de toutes sortes, débitent des papayes à la pelle et pressent à tour de bras des petits citrons verts. D'autres sont assis dans les rares coins d'ombre et déballent de leur sac les *tiffins*, gamelles apportées de la maison. Les taxis klaxonnent, les businessmen posent leur attaché-case pour s'éponger le front et astiquer leurs *ray-ban*. Au seuil des tours, des dactylos, le sac en bandoulière, après quelques gestes énergiques pour remettre en place leur sari, affrontent d'un pas décidé les durs rayons du soleil pour courir faire une course pendant la pause. Juste à côté se trouve le quartier de Flora Fountain, le quartier des grands magasins. Plus trace ici du bazar traditionnel, les vitrines sobrement exposent les dernières productions de Bajaj ou Godrej : électro-ménager, hi-fi, scooters, tous fabriqués en Inde. Tout autour sur les trottoirs, les contrebandiers ont installé leurs étalages : calculatrices

Casio, mixers Moulinex et cartons d'emballage de chaînes japonaises. On les paye au minimum deux fois plus cher que les produits indiens et pourtant on se les arrache.

Depuis quelques années, les journaux indiens se gargarisaient de ce qu'ils appellent « le boom de la consommation ». Et il est vrai qu'en dix ans la production d'un certain nombre de biens de consommation a connu une progression gigantesque : de 87 000 frigos produits en 1971, on est passé à 290 000 en 1981 ; de 97 000 postes de télévision en 1975 à 570 000 en 1982 et de 170 000 deux-roues en 1985 à 310 000 en 1980. On prévoit d'en produire 4 millions en 1985 ! Il y a vingt ans, 2,5 millions d'Indiens seulement possédaient un transistor, ils sont aujourd'hui 25 millions.

Pour une part, certes, il fallait répondre à une demande qui dépassait largement l'offre — on devait attendre longtemps par exemple le scooter commandé —, mais aujourd'hui, production et demande augmentent de concert. Il est indéniable que de nouvelles couches de la population ont un plus grand pouvoir d'achat. Une classe moyenne est née en Inde qui a soif de consommation et si elle ne représente qu'une petite part de la population, elle a déjà profondément marqué le pays.

Les Indiens aiment à vous raconter que les gens qui rentrent en Inde après quelques années à l'étranger sont sidérés par le changement. Et c'est vrai — à première vue — du moins dans les villes.

Dans les grandes métropoles un problème accentue largement le phénomène : il y est si difficile et si cher d'acheter ou de louer un appartement qu'il serait pratiquement vain d'économiser dans le but de se loger plus confortablement. L'amélioration du confort et du statut passe donc entièrement par l'acquisition de biens de consommation.

Mais dans les campagnes aussi ils sont plus nombreux qu'avant à avoir accès à la consommation, introduisant de nouvelles habitudes et de nouveaux besoins. Ce sont les paysans qui ont profité de la « révolution verte », principalement dans le Nord-Ouest du pays. Ce sont aussi ceux qui rentrent après quelques années passées dans les pays du Golfe et pour lesquels bien souvent l'épargne ou l'investissement semblent n'avoir que peu d'attrait.

MARIE PERCOT

LE KATHAKALI

Le ciel émerge peu à peu des ténèbres de la nuit. De longues traînées orangées envahissent l'horizon. Sur la scène, les percussionnistes, ruisselant de fatigue, les yeux clos dans l'effort, accompagnent la dernière séquence du spectacle de Kathakali. C'est la mise à mort du démon. La foule s'est levée et se repaît des images de sang et de viscères dégoulinantes dans les mains du héros. Il n'y a plus de distance entre scène et spectateurs. L'espace se résume en une grappe humaine agglutinée autour de deux personnages d'un autre monde, ensanglantés du rituel de la mort. La lumière du jour qui se lève donne à l'ensemble un aspect étrange, mariant soudain le réel au fantastique. Le héros hurle sa victoire, et aussitôt le rideau trop étroit dissimule tant bien que mal le démon éventré et inanimé. Les percussionnistes s'arrêtent et posent leurs instruments au sol avant de se retirer. Tout à coup c'est le silence. Le spectacle est terminé et les files de spectateurs se dispersent le long des étroits chemins qui bordent les rizières. Les artistes se démaquillent lentement et vont prendre un bain dans l'étang du temple pour effacer les traces de fatigue de la nuit avant de repartir, en autobus ou à pied, vers leur prochaine destination. Ils étaient arrivés dans l'après-midi sur le lieu du spectacle auprès du petit sanctuaire. Aujourd'hui, il leur a fallu marcher longtemps sur la pierraille des sentiers poussiéreux ou au milieu des rizières verdoyantes ; demain peut-être, le spectacle aura lieu près d'une route, dans un endroit plus facile d'accès.

LE MAGIQUE
ET LE FANTASTIQUE

C'est avec une simplicité désarmante que vivent et travaillent un grand nombre d'artistes du Kathakali au Kerala, pays des cocotiers, oasis de verdure de l'extrême sud de l'Inde. Le Kerala, c'est comme un grand village : les maisons y sont harmonieusement disséminées dans les endroits les plus inattendus et tout le monde se connaît, chacun sait tout de l'autre. Et c'est là que vit le Kathakali, théâtre-danse-musique, art vieux de plus de trois siècles.

Le répertoire du Kathakali est composé de pièces écrites par différents auteurs depuis le début du XVIIe siècle jusqu'à nos jours. Les histoires sont généralement inspirées des textes du *Mahabharata*, du *Ramayana* et des *Purana* — grandes épopées et textes sacrés anciens.

D'un auteur à l'autre le raffinement des compositions varie et, selon les publics, leurs qualités littéraires, musicales et théâtrales sont appréciées à des niveaux différents. Il existe bien sûr une élite de spectateurs capables de suivre à la fois le texte ainsi que l'action et le langage gestuel des personnages. Ce n'est pourtant qu'une minorité appartenant à des familles de rang assez élevé, associées au domaine du Kathakali depuis longtemps.

Les autres amateurs de Kathakali peuvent être d'horizons très variés. Les spectacles ont lieu pour la plupart à proximité des petits temples de village et attirent, la participation étant gratuite, un public paysan tout à fait non averti. C'est alors le fantastique et le magique du Kathakali qui motivent les longues nuits de veille. Pour certains, en effet, les personnages fabuleux qui se succèdent dans leurs costumes de lumière sont des incarnations pures et simples des grands héros et des dieux des légendes familières. Et, s'ils ne comprennent pas bien le détail des histoires et des danses, ils succombent cependant pleinement à l'envoûtement mystérieux du spectacle. Il faut être très patient et très disponible pour apprécier une nuit de Kathakali. Il faut pouvoir s'asseoir inconfortablement des heures entières dans des nattes posées à même le sol. Savoir s'endormir parfois, aux endroits les plus ennuyeux, et se réveiller vivement au moment où l'action reprend. Se laisser emporter par la longueur et la lenteur de certains rôles. Savoir rire des bouffonneries des personnages comiques, trembler de peur à l'apparition des démons. Se laisser porter en somme par tout ce qui se passe sur ces quelques mètres carrés de terre transformés pour l'occasion en espace privilégié et sacré par les artistes. Il a fallu aux danseurs et aux musiciens des années de travail pour parvenir à la maîtrise de leur art. Tous les ans, à la saison de la mousson, ils ont dû subir un entraînement intensif et souvent pénible. Ils se sont alors levés chaque matin à 4 heures pour effectuer les exercices préparatoires : travail du regard où l'on apprend à utiliser les yeux dans toutes les directions possibles, travail d'assouplissement du corps, complété pour les danseurs par des séances de massages douloureux, travail des rythmes de base pour les chanteurs et percussionnistes. Puis, tout le reste de la journée, sous la direction vigilante des maîtres, ils se sont consacrés à l'apprentissage et à la répétition des rôles du répertoire. A la saison des pluies, dans certaines écoles traditionnelles, les élèves artistes participent quotidiennement à des cours pendant plus de dix heures.

L'apprentissage du Kathakali demande à l'élève un grand investissement personnel tant sur le plan physique que mental. Les jeunes garçons commencent leurs études vers l'âge de douze ans. Tous les rôles sont traditionnellement tenus par des hommes. En général on doit abandonner le travail scolaire et se vouer entièrement au Kathakali. L'apprentissage dure en moyenne huit années, mais dès la deuxième année les élèves se voient confier certains petits rôles.

C'est vers le mois de septembre que commence doucement la saison des spectacles, juste après les festivités d'Onam-Onam, merveilleuse fête aux dessins de pétales de fleurs encore humides des dernières pluies ; fête du bonheur et de l'abondance que même les plus pauvres parviennent à s'inventer pendant dix jours entiers.

NAVARASAS : NEUF SENTIMENTS DE BASE
SADANAM BALAKRISHNAN

SRINGARA :
L'AMOUR

HASYA :
LE MÉPRIS

KARUNA :
LA COMPASSION

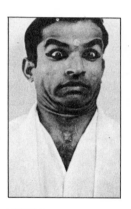

RAUDRA :
LA COLÈRE

VIRA :
LA BRAVOURE

BHAYANAKA :
LA PEUR

BIBHATSA :
LE DÉGOÛT

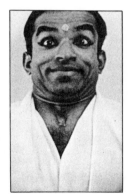

ADBHUTA :
L'ÉMERVEILLEMENT

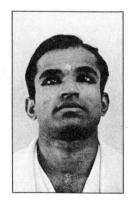

SHANTA :
LA SÉRÉNITÉ

Photos : © MARILÈNE VAN DER MEER

217

DANSEURS, CHANTEURS
ET PERCUSSIONNISTES

L es réjouissances d'Onam terminées, les cours reprennent et, dans tous les coins du Kerala, les écoles de Kathakali participent aux spectacles qui se succèdent, de plus en plus rapprochés.

Les danseurs doivent connaître tous les rôles du répertoire. En effet, lorsqu'ils arrivent sur le lieu du spectacle, ils ne savent généralement pas quelle histoire sera interprétée ni, à plus forte raison, quel rôle leur sera attribué. Chaque artiste doit donc tout apprendre, même si, après bien des années d'expérience, on lui confie de préférence les rôles dans lesquels il excelle.

Le talent du danseur de Kathakali se juge sur différents critères : la première impression que donne sur scène son *vesham* — son personnage une fois qu'il est maquillé et revêtu du lourd costume — est très importante et il y consacre un soin de plusieurs heures avant le spectacle. Ensuite, c'est sur ses facultés physiques et gestuelles, son sens du rythme et de la danse, ses expressions du visage, et à certains moments, ses dons d'improvisation que se bâtit la reconnaissance du public et des organisateurs.

Le seul domaine d'expression que n'utilise pas le danseur de Kathakali est celui de la parole. Bien que certains personnages — en général démoniaques — aient la possibilité de proférer des cris particuliers, aucun d'entre eux ne peut parler. Le texte littéraire qui sous-tend le jeu des acteurs est entièrement chanté par deux artistes qui se tiennent dans le fond de l'aire de jeu. Leur rôle est fondamental. Le chanteur principal, que l'on appelle Ponnani, est considéré comme le pilier de la représentation car c'est lui qui donne au spectacle, tout au long de la nuit, son rythme d'ensemble. La façon de chanter, si particulière au Kathakali, donne au texte sa dimension épique. Les voix, souvent rauques, peuvent se moduler et s'harmoniser en fonction du caractère mis en scène. Les chanteurs donnent le rythme de base, repris par les percussionnistes au *chenda* et au *maddalam*. Ces instruments soutiennent rythmiquement les danseurs tout au long du spectacle. Leur rôle est aussi d'accompagner chaque geste, chaque pas, chaque expression des acteurs au cours de leurs séquences improvisées, pendant lesquelles les chanteurs n'interviennent pas. Les percussionnistes doivent alors faire preuve de beaucoup d'attention, de finesse et de créativité en suivant le jeu du danseur. Le maddalam peut ainsi faire entendre le bourdonnement d'une abeille autour d'une fleur de lotus, l'ouverture d'une porte, le gargouillis d'un ruisseau. Le chenda peut évoquer avec autant de force une forêt broussailleuse, l'immensité d'une montagne ou le bruit du souffle d'une jeune femme endormie.

Une dynamique récente multiplie les spectacles du Kathakali au Kerala. A l'étranger, il suscite un intérêt grandissant dans le milieu théâtral. Au Kerala, les écoles de Kathakali recrutent de plus en plus de jeunes élèves. Mais, si le nombre des artistes aspirants augmente, celui des artistes « élus » demeure bien peu élevé. Ces derniers voient enfin leur long effort couronné de succès et leur situation matérielle bien améliorée. Les autres, ceux qui n'ont pas révélé un talent exceptionnel, ou ceux qui sont tout simplement trop jeunes, se trouvent souvent, au sortir de leurs écoles, face à un avenir très critique. Alors, les jeunes artistes retournent à leurs champs, essaient de trouver des emplois de bureau, apprennent à conduire ; certains rejoignent l'armée, d'autres se recyclent et donnent des cours privés de danse — Bharata Natyam — à des petites filles de bonne famille. A la saison des spectacles ils espéreront qu'on les appelle, parfois, si on ne les a pas déjà complètement oubliés.

Cette situation peut avoir des répercussions assez malheureuses sur le kathakali. De plus en plus, les jeunes élèves prennent conscience du peu d'avenir professionnel que leur impose un choix fait alors qu'ils n'étaient encore que des enfants — souvent de milieux assez modestes. Peu à peu s'installe un découragement qui a pour conséquence un certain laisser-aller au niveau des études. La discipline qui caractérisait, il y a quelques années, l'apprentissage du kathakali s'est beaucoup relâchée, et la qualité et la précision du contenu des cours s'en ressentent.

Certains facteurs extérieurs risquent, de plus, d'altérer la richesse de cet art. Ainsi, l'intrusion du cinéma dans la vie culturelle du Kerala et son omniprésence — avec son réalisme caricatural et sa mièvrerie navrante — peuvent mettre en danger l'originalité du jeu Kathakali. Comment en effet ne pas s'inquiéter, au cours des spectacles, de voir subrepticement apparaître des emprunts — sont-ils conscients ? — venus du grand écran. Inévitables peut-être. Il faut bien satisfaire aux goûts d'un public de plus nombreux.

Pourtant le Kathakali doit continuer à évoluer. Qu'on le veuille ou non ; il ne s'agit pas d'un art figé ou d'un théâtre-musée à sauver de l'oubli. Malgré son élaboration extrême, le Kathakali est un art populaire et vivant. Et c'est cela qui en fait un phénomène exceptionnel.

C'est encore un art en devenir et il serait infiniment souhaitable que son évolution actuelle aille dans un sens positif avec un souci d'enrichissement. Le Kathakali doit s'inscrire dans le contexte culturel moderne tout en préservant avec soin ses caractéristiques classiques et esthétiques fondamentales.

——— *SADANAM ANNETTE* ———

danseuse

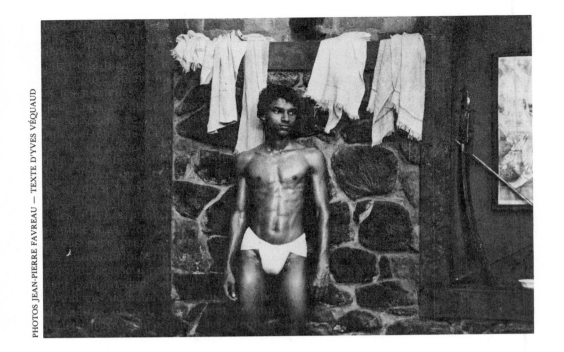

Le kalarippayat, *discipline*
des anciens guerriers mayars *du Kerala*
serait à l'origine de tous les arts martiaux
connus ; payat *: art de combat.*

Ses traces historiques remontent
au XIIᵉ siècle ; mais son premier maître
serait Rama-à-la-hache
(Parashu-râma), dieu fondateur du Kerala.

Gymnastique rapide, savante,
que l'on pratique dès l'âge de sept ans
et qui utilise le bâton, le poignard,
la massue...

Assouplissement, maîtrise du corps
vers un but de paix spirituelle,
sous le regard du Gurukal,
que l'on salue avant et après l'exercice.

Le gymnase (kalarip : lieu de prières)
est placé sous la protection
de Bhagavati, autre nom
de la terrible déesse Durga.

Les murs aux pierres noircies
témoignent des efforts, de la sueur
des disciples qui s'y frottent les mains,
rituellement.

GLOSSAIRE

Agarbathi : Bâton d'encens.

Ahimsa : Signifie, en sanscrit, absence du désir de tuer ; c'est-à-dire non-violence.

Artha : Actes visant l'intérêt matériel.

Ashram : Communauté rassemblée autour d'un maître.

Bétel : Plante dont les feuilles sont chiquées.

Bhagavad-gita : Passage le plus fameux du Mahabharata.

Bharat-Natyam : Danse de l'Inde du Sud.

Bidi ou Beedie : Cigarette enroulée dans une feuille.

Bindi : Point rouge sur le front des femmes. Anciennement symbole de mariage et maintenant simple ornement.

Cooli (prononcer Kouli) : Porteur de gare, ouvrier agricole, manœuvre...

Dal : Aliment de base constitué de légumineuses et accompagnant le riz ou les galettes.

Darshan : Relation visuelle avec celui qu'on adule.

Deccan : Grand plateau du sud de la péninsule. Désigne plus généralement le Sud de l'Inde.

Devadasi : Prostituée sacrée.

Dharma : Ordre socio-cosmique. Règles qui maintiennent l'équilibre de l'Univers.

Dhobi : Blanchisseur.

Dhoti : Pièce d'étoffe dont les hommes se ceignent.

Divali : Fête en octobre/novembre de Nouvel An du calendrier hindou.

Ganesh ou Ganapati : Dieu à tête d'éléphant. Symbolise la sagesse.

Ghâtes : Chaînes montagneuses à l'est et à l'ouest du Deccan. Signifie aussi marches.

Guru ou Gourou : Maître spirituel.

Harijan : Veut dire « enfant de Dieu ». Nom donné par Gandhi aux intouchables et utilisé actuellement.

Hindi : Principale langue du nord de l'Inde.

Hindou : De religion hindoue.

Holi : Fête en février/mars où l'on s'asperge de poudre de toutes les couleurs.

Indien : Tout habitant de l'Inde.

Intouchable : Hors caste chargé des actes impurs.

Jati : Veut dire « naissance ». Caste. Communauté liée à une région et souvent à un métier, à laquelle on appartient par naissance et à l'intérieur de laquelle on se marie.

Kali : Un des noms de l'épouse de Shiva. Kali la Noire, la Destructrice, a donné son nom à Calcutta.

Kama : Le désir.

Karma : Métempsycose. Ensemble des actions bonnes ou mauvaises de la vie présente. Actions qui seront comptabilisées pour déterminer la vie future.

Kshatriya : Deuxième caste, celle des guerriers et des princes, du pouvoir.

Lakshmi : Déesse de la prospérité.

Lathi : Long bâton de bambou servant de matraque aux policiers.

Lingam : Symbole phallique de Shiva. Il existe une secte importante dans l'Inde du Sud qui l'adore.

Mahabharata : Une des deux grandes épopées brahmaniques.

Mela : Grands rassemblements religieux et foires.

Manu (lois de) : Traités de loi des textes anciens.

Moksha : Délivrance du cycle des réincarnations.

Nirvana : État de béatitude de la délivrance.

Panchayat : Conseil de village.

Parsis : Descendants de disciples iraniens de Zoroastre, ils continuent de suivre leurs rites. Établis principalement à Bombay, très puissants dans l'industrie et le commerce (familles Tata, Godrej, etc.).

Parvati : Un des noms, version bienveillante, de l'épouse de Shiva. Signifie fille de la montagne.

Puja : Offrande, adoration.

Ramayana : L'autre des grandes épopées.

Rickshaw : Pousse-pousse. Conducteur à pied, encore seulement à Calcutta ; ailleurs, en vélo, et de plus en plus en tricycle à moteur.

Roti : Galette de blé.

Roupie : Monnaie indienne. Elle est à 80 centimes environ.

Sadhou ou **Sannyasin** : Renonçant. Homme qui délaisse la vie sociale et ses considérations matérielles pour vivre en ascète. On les nourrit. Ils seraient des millions, errant de villes en villes, toujours en déplacement, parfois à moitié nus et recouverts de cendre.

Sari : Une seule pièce de tissu dans laquelle la femme se drape.

Shakti : Force, énergie, puissance.

Shiva : L'un des trois grands dieux. Symbole des cycles de destruction. Création du monde.

Shudra : Quatrième caste. Ils servent en principe les trois premières.

Upanishad : Recueil de textes védiques.

Vaishya : Troisième caste. Celle, au départ, des commerçants et agriculteurs.

Varna : « Couleur ». Catégorie établie par la religion en relation avec des fonctions sociales et rituelles. Catégorie qui entre à l'origine dans la détermination des castes.

Veda : « Savoir ». Textes sacrés.

Vishnou : Un des trois grands dieux. Symbolise le principe conservateur.

PARIS SUR GANGE

COMMENT SE RENDRE EN INDE

Directeur de la publication : Henry Dougier, Revue publiée par Autrement
Comm. par. 55778. Corlet, Imp., S.A., 14110 Condé-sur-Noireau.
Précédent dépôt : mai 1985 — N° 6214 juin 1985
ISBN : 2-86260-087-3 — ISSN : 0336-5816. *Imprimé en France*
Index des annonceurs : Air-France : p. 230 ; B.N.P. : p. 228 ;
Carrefour de l'Inde-Népal-Ceylan : p. 229
Ce numéro contient deux encarts non foliotés entre les pages 128 et 133
et les pages 164 et 167